Un
VOISINAGE
comme les
autres

Catalogage avant publication de Bibliothèque et Archives nationales
du Québec et Bibliothèque et Archives Canada

Un voisinage comme les autres
Sommaire : 4. Un hiver fiévreux.
ISBN 978-2-89585-506-4 (vol. 4)
1. Laberge, Rosette. Hiver fiévreux. I. Titre.
II. Titre : Un hiver fiévreux.
PS8623.A24V64 2014   C843'.6   C2013-942384-2
PS9623.A24V64 2014

Les Éditeurs réunis bénéficient du soutien financier de la SODEC
et du Programme de crédit d'impôt du gouvernement du Québec.

Nous remercions le Conseil des Arts du Canada
de l'aide accordée à notre programme de publication.

Nous reconnaissons l'aide financière du gouvernement du Canada
par l'entremise du Fonds du livre du Canada pour nos activités d'édition.

Édition :
LES ÉDITEURS RÉUNIS
www.lesediteursreunis.com

Distribution au Canada :
PROLOGUE
www.prologue.ca

Distribution en Europe :
DNM
www.librairieduquebec.fr

 Suivez Les Éditeurs réunis et Rosette Laberge sur Facebook.

Pour communiquer avec l'auteure : rosette.laberge13@gmail.com

Visitez le site Internet de l'auteure : www.rosettelaberge.com

Imprimé au Canada

Dépôt légal : 2015
Bibliothèque et Archives nationales du Québec
Bibliothèque nationale du Canada
Bibliothèque nationale de France

ROSETTE LABERGE

Un VOISINAGE
comme les autres

4. Un hiver fiévreux

LES ÉDITEURS RÉUNIS

De la même auteure

Un voisinage comme les autres – tome 1: Un printemps ardent

Un voisinage comme les autres – tome 2 : Un été décadent

Un voisinage comme les autres – tome 3 : Un automne sucré-salé

Souvenirs de la banlieue – tome 1 : Sylvie (roman)

Souvenirs de la banlieue – tome 2 : Michel (roman)

Souvenirs de la banlieue – tome 3 : Sonia (roman)

Souvenirs de la banlieue – tome 4 : Junior (roman)

Souvenirs de la banlieue – tome 5 : Tante Irma (roman)

Souvenirs de la banlieue – tome 6 : Les jumeaux (roman)

Maria Chapdelaine – Après la résignation (roman historique)

La noble sur l'île déserte – L'histoire vraie de Marguerite de Roberval, abandonnée dans le Nouveau Monde (roman historique)

Le roman de Madeleine de Verchères – La passion de Magdelon (roman historique)

Le roman de Madeleine de Verchères – Sur le chemin de la justice (roman historique)

Le roman de Madeleine de Verchères – Les héritiers de Verchères (roman historique)

Sous le couvert de la passion (nouvelles)

Histoires célestes pour nuits d'enfer (nouvelles)

Ça m'dérange même pas ! (roman jeunesse)

Ça s'peut pas ! (roman jeunesse)

Ça restera pas là ! (roman jeunesse)

À paraître au printemps 2015 :

La nouvelle vie de Mado Côté, retraitée (roman)

Pour Jean-Éric D.

Chapitre 1

— Sais-tu si Céline sera là ? demande Agathe d'un ton enjoué en portant une poignée de chips au vinaigre à sa bouche.

— Ça devrait, répond aussitôt Anna. Elle m'a fait promettre de lui garder quelque chose à manger. Elle m'a dit qu'elle doit absolument finir un travail avant de venir. J'étais épuisée juste à l'entendre énumérer tout ce qu'elle a à faire avant la fin de la session. Il faut vraiment aimer ça pour se donner autant.

— Moi, déclare France, chaque fois que je la vois, elle me rappelle à quel point je suis paresseuse. J'en ai pour des jours à éprouver des remords à ne pas m'activer davantage. Vous devriez me voir lorsque je reviens du travail ; je prépare à manger vite fait, puis je me jette sur le divan et y reste jusqu'à ce qu'arrive l'heure d'aller me coucher. Heureusement que j'ai un lave-vaisselle ; sinon je vous jure que ce ne serait pas beau dans ma cuisine. C'est simple : je voue une admiration sans bornes à votre sœur.

Leur dernière rencontre de filles remonte à l'Action de grâce, et elles n'étaient même pas toutes là. Entre le travail et les nombreuses occupations de chacune, trouver le temps de se réunir constitue parfois un véritable tour de force. Évidemment, Agathe, Suzie et Mylène sont celles qui se voient le plus fréquemment. Certes, cela n'arrive pas aussi souvent qu'elles le souhaiteraient, mais comme elles sont voisines, c'est quand même beaucoup plus facile pour elles. Il leur arrive d'échanger seulement quelques mots de leur galerie lorsqu'elles sortent de la maison en même temps. Parfois, elles se contentent tout simplement de s'envoyer la main. Ces petits gestes ne se comparent pas avec une bonne discussion autour d'un café, mais ils réchauffent le cœur.

— Je ne voudrais surtout pas avoir l'air de minimiser les efforts de ma sœur, lance Agathe, mais n'oubliez pas une chose importante : contrairement à nous toutes, elle n'a pas d'enfant, pas de chien ni de chat. Avouez que ça facilite un peu les choses. Personne ne vient donc la déranger pendant qu'elle fait ses travaux. Mes enfants ont beau être autonomes, aussitôt que j'essaie de me concentrer, c'est automatique, ils ont cinquante mille demandes à me faire et, évidemment, aucune ne peut attendre.

Agathe est fière de Céline, même qu'il lui arrive parfois d'être un brin jalouse d'elle. Et plus sa sœur avance dans son cours, plus Agathe l'envie. Même si sa réputation d'artisane croît constamment depuis le jour où elle a livré sa première murale à Westmount, elle ne gagnera jamais, à moins d'un miracle, le même salaire que Céline lorsque celle-ci aura obtenu son diplôme de comptable. Agathe n'éprouve aucun regret d'avoir choisi de rester à la maison après son mariage, mais les choses sont plus compliquées quand on n'a pas de diplôme valable en poche. C'est en quelque sorte le cas d'Agathe. Depuis le temps qu'elle a obtenu le sien, il ne vaut plus grand-chose. Elle serait obligée de retourner à l'école au moins le temps de mettre ses connaissances à jour si elle voulait travailler dans son domaine. Agathe s'est pourtant juré de se donner les moyens de voler de ses propres ailes au plus vite, au cas où elle quitterait Patrick un jour. Sa situation financière est nettement meilleure qu'à ses débuts, mais il y a toujours des progrès à faire. Elle a fermé les yeux sur plusieurs écarts de conduite de son mari ces dernières années. Elle espère qu'il se tient à carreau depuis qu'elle l'a gardé hors du lit conjugal pendant plus de six mois à la suite de sa petite virée à Québec. Cependant, elle ne joue pas à l'autruche pour autant ; elle connaît trop bien son moineau pour penser qu'il a une conduite irréprochable. Quand son mariage traverse une tempête, Agathe serre les dents et les poings et elle se jure de surmonter l'épreuve. Elle se répète souvent une phrase de sa mère : « On se marie pour le meilleur et pour le pire. » Mais à force de plier l'échine, elle commence sérieusement à s'essouffler. Et puis, dans tout ça, elle doit penser aux enfants.

— Moi qui ai fait mon bac avec un enfant dans les bras, confie Mylène, je peux vous dire que ça demande toute une organisation. Mais c'est possible de réussir : j'en suis la preuve vivante. J'avais tellement peur de me retrouver sans le sou que j'ai travaillé d'arrache-pied pour que ça marche. Vous savez toutes que ce n'est pas l'amour fou entre ma mère et moi, mais je reconnais que je lui dois une fière chandelle. Chaque fois que je me décourageais, et croyez-moi, cela n'est pas arrivé juste une fois, elle ne se gênait pas pour me répéter sur tous les tons que personne de la famille n'avait demandé d'aide sociale et que ce n'était certainement pas avec moi que ça commencerait non plus. Ses paroles me fouettaient. Je retroussais mes manches et j'entreprenais une autre session.

Mylène se souviendra de cette période de sa vie jusqu'à la fin de ses jours. En plus de devoir supporter le regard chargé de reproches de sa mère, elle devait s'occuper de son fils dès qu'elle franchissait la porte de la maison. Et sa mère l'obligeait même à payer toutes les dépenses de son fils. Elle arguait que puisque Mylène avait joué à un jeu d'adulte, eh bien elle devait maintenant assumer ses responsabilités. Heureusement que son père était là pour adoucir son existence. Ses parents étaient prêts à l'aider pendant ses études, mais elle devait tout de même faire sa part. Du jour au lendemain, la jeunesse insouciante de Mylène s'était envolée. Pendant que ses amis s'amusaient, elle étudiait, travaillait et prenait soin du petit Mario. À cette époque, elle était tellement fatiguée qu'elle s'endormait aussitôt qu'elle posait la tête sur l'oreiller. Au moins, cela l'empêchait de penser à sa peine d'amour, qui était pourtant bien réelle et vraiment douloureuse.

— Contrairement à toi, dit Suzie, je n'avais personne sur qui compter, mais je n'avais pas d'enfants. Je suis partie de la maison le jour de mes dix-huit ans avec comme seule motivation ma volonté de réussir. J'étais prête à tout pour avoir une meilleure vie, et je n'ai jamais ménagé mes efforts. J'ai toujours cru fermement que, quand on veut, on peut, et que l'école n'est pas le seul endroit pour apprendre.

Suzie est bien placée pour le savoir. Il ne se passe pas une seule journée sans qu'elle apprenne quelque chose depuis qu'elle a acheté son agence immobilière. Son entreprise a connu une progression hors du commun au cours des deux dernières années, ce qui représente une grande source de fierté pour elle. Plus souvent qu'autrement, elle a appris à la dure ; mais elle a su tirer profit de chaque leçon. D'ailleurs, son père trouve encore qu'elle est trop sévère envers elle-même. Suzie fait partie de ces personnes qui croient que ce n'est pas en se complaisant qu'on arrive à avancer dans la vie. Même si son entreprise obtient de bons résultats et dépasse toujours les objectifs visés, elle veut continuer à la développer pour qu'elle reste concurrentielle.

— À vous écouter parler, commente France, je réalise que je suis la seule à l'avoir eu facile. Moi, quand j'ai fait mon cégep, j'avais plus d'argent dans mes poches que j'arrivais à en dépenser. J'étais habillée comme une carte de mode, je sortais tous les soirs. Et je ne mangeais jamais à la cafétéria, mais toujours au restaurant. Mes parents s'étaient juré de me donner tout ce qu'ils n'avaient pas eu quand ils avaient mon âge. Et vu qu'ils n'avaient pas eu grand-chose, je peux vous dire que je nageais dans l'abondance à tous les points de vue. Je me la coulais douce. J'ai mis quatre ans et demi à faire mon DEC alors que la plupart de mes amis ont obtenu leur diplôme en trois ans sans trop s'essouffler. Mes parents m'ont même payé un voyage d'un mois en Europe avant que je commence à travailler. Une fois de retour, ils m'ont suppliée d'aller à l'université, mais j'ai refusé. J'en avais plus qu'assez d'user mon fond de culotte sur les bancs d'école.

— Ce n'était pas aussi facile chez nous, déclare Anna. Nos parents ne nous ont pas empêchées d'aller au cégep, mais disons qu'ils étaient contents le jour où Nathalie a décidé d'arrêter l'école après son secondaire. Pour ce qui est de l'université, c'était à nos frais. S'il n'en avait tenu qu'à moi, j'aurais suivi le même cours que Céline. J'adorais aller en classe.

De toutes les filles Royer, Anna était de loin celle qui obtenait les meilleures notes. Elle apprenait facilement. Elle n'avait qu'à lire quelque chose une fois et cela restait gravé dans sa mémoire. Rien n'a changé sur ce plan, sauf qu'elle n'a plus beaucoup de temps libre depuis la naissance de son petit dernier. Alors que Myriam a toujours été une enfant facile, Jordan est très exigeant. Anna ne se souvient pas d'avoir dormi une nuit complète depuis le premier battement de cils de son fils il y a presque un an. Dans de telles conditions, elle ne peut que rêver d'un éventuel retour aux études.

— J'espère que vous avez apporté votre photo de famille ! s'écrie Agathe entre deux bouchées de réglisse rouge.

Les filles saisissent aussitôt l'enveloppe posée devant chacune d'elles en souriant. La dernière fois qu'elles s'étaient réunies, elles s'étaient lancé le défi de se faire photographier en famille et d'apporter la photo à leur prochaine rencontre.

— Est-ce que je peux commencer ? demande Suzie. J'ai tellement hâte de vous la montrer.

Suzie ne fait ni une ni deux et elle brandit fièrement sa photo.

— Tadam! Avouez qu'elle est belle. Je l'aime tellement que je passe mon temps à la regarder. Je sais bien que vous les connaissez déjà, mais aimeriez-vous que je vous parle un peu des amours de ma vie?

Une fois de plus, Suzie n'attend pas la réponse de ses amies pour poursuivre:

— Eh bien, la première chose que j'ai envie de dire, même si je sais que c'est un cliché, c'est que mes enfants grandissent trop vite. Ce n'est pas croyable: Pierre-Luc vient d'avoir onze ans. Hier encore, il n'était qu'un bébé. Vous devriez l'entendre jouer du violon; il est tellement bon…

— Et toi? As-tu fait des progrès? la questionne Agathe.

Depuis que les filles savent que leur compagne suit des cours de violon, elles la titillent pour qu'elle leur joue un morceau. Mais Suzie refuse systématiquement. Jouer du violon lui plaît beaucoup. Cependant, elle pratique cette activité pour son plaisir, non pour se produire en public.

— Oui, je me suis améliorée un peu, mais je ne suis pas très douée – en tout cas, pas autant que Pierre-Luc.

Comme si elle avait peur que ses copines lui arrachent la promesse de leur jouer quelque chose la prochaine fois qu'elles se verront, Suzie reprend:

— Tommy, mon petit loup, est si beau du haut de ses neuf ans. Et regardez mon petit trésor! Je fabule sûrement, mais je trouve de plus en plus qu'Édith me ressemble. Si je vous montrais une photo de moi au même âge, vous verriez que c'est à s'y méprendre. Je voulais avoir une fille depuis tellement longtemps!

Les sourcils froncés, toutes fixent la photo de Suzie pour tenter de découvrir un trait de ressemblance entre Édith et sa mère adoptive, aussi infime soit-il.

— Elle est vraiment belle, cette enfant! s'exclame France, mais je n'ai jamais vu aucune ressemblance entre vous deux. Pour tout avouer, je préfère de loin zieuter son père!

Les filles s'esclaffent en chœur. Il n'y a que France pour faire ce genre de commentaire. Son idylle avec Cristoforo, son bel Italien, a duré un an. Un bon jour, il a cessé de donner de ses nouvelles. Depuis, c'est le désert dans sa vie amoureuse et dans son lit – à son grand désespoir.

— Mais j'y pense! clame soudain Suzie. Vous ne connaissez pas la dernière concernant ma fille. Figurez-vous qu'Alexandre, son père, a eu un accident d'auto la semaine passée. Il est mort sur le coup. À huit ans seulement, elle n'a plus ni père ni mère… enfin, vous comprenez ce que je veux dire.

— Pauvre enfant…, compatit Agathe. Heureusement que Francis et toi êtes là pour elle. Avez-vous l'intention de tout lui raconter un jour?

Suzie hausse les épaules. C'est une question que son mari et elle se posent régulièrement. Toutefois, pour le moment, ils sont incapables de prendre une décision.

— Je l'ignore. En tout cas, pas maintenant.

— Est-ce que je me trompe ou tu portes une robe neuve sur la photo? lui demande Agathe.

— Tu connais la mère de Francis. Quand elle a su qu'on allait se faire photographier, elle est allée m'acheter une robe et s'est dépêchée de me la poster. J'ai rarement vu quelqu'un avoir l'œil comme Annette. Elle m'a offert une multitude de tenues, et jamais elle ne s'est trompée sur la taille, ni même sur le choix de la couleur.

— Au risque de me répéter, lance France d'un ton moqueur, il est vraiment très beau, ton Francis! Il n'aurait pas un frère célibataire par hasard?

— Mais oui! indique Suzie. Aux dernières nouvelles, son frère Philippe n'avait personne dans sa vie. Laisse-moi en glisser un mot à Francis et je te reviens là-dessus.

Un large sourire s'affiche aussitôt sur les lèvres de France. Elle ne s'est jamais cachée pour dire à quel point elle trouve Francis beau – même directement au principal intéressé lorsqu'elle a la chance de le croiser. Il est facile de s'imaginer que ses frères sont probablement aussi séduisants que lui.

— Sacrée France! s'exclame Agathe. Tu ne lâches jamais, toi.

— C'est bien mal me connaître de penser que je suis de nature à renoncer. Je déteste être seule et je ne sais plus quoi faire pour rencontrer quelqu'un. Je suis tellement désespérée que je songe même à m'adresser à une agence de rencontre. On dirait que je n'intéresse plus personne.

— Veux-tu bien arrêter de dire des bêtises! la gronde Agathe. Tu es belle et intelligente. Je ne comprends pas que les hommes ne fassent pas la file à ta porte.

Toutes les filles trouvent la réplique d'Agathe bien drôle. Un fou rire collectif les secoue.

— Ça paraît que tu n'es pas sur le marché, répond France. Je croise des hommes à longueur de journée dans mon travail; pourtant, c'est le désert dans ma vie depuis presque un an. Je

16

n'en peux plus, les filles! Je ne vous mens pas, même mes souvenirs commencent à être flous.

La boutade de France provoque d'autres rires.

— Mais attends! s'exclame Mylène. Il y a un nouveau médecin dans mon service et, pour ce que j'en sais, il se plaignait de ne connaître personne. Si tu veux, je peux lui parler de toi. Qui sait où cela pourrait te mener?

— Je vais faire mieux que ça, répond France. Je vais te donner une photo de moi. Mon enveloppe en contient tellement que je peux même en donner une à chacune de vous, si vous voulez.

— Bonne idée! approuve Mylène.

Avant que quelqu'un n'ait le temps de prendre la parole, Mylène sort rapidement la photo qu'elle a apportée.

— À mon tour, maintenant! Regardez comme mes hommes sont beaux.

La photo de Mylène circule parmi ses amies. Un commentaire n'attend pas l'autre.

— Moi, avoue Anna, j'ai un coup de cœur pour ton plus jeune. Chaque fois que je le vois, je ne peux m'empêcher de sauter sur lui, de le serrer dans mes bras et de le bécoter comme une folle. Il est si mignon avec ses petites boucles blondes, on dirait un ange.

— Lorsque je fais des commissions avec lui, raconte Mylène, toutes les grands-mères qu'on croise s'arrêtent pour lui parler. Ça me prend une éternité à faire mon épicerie.

Autant Mylène a trouvé difficile de devenir mère quand Mario est né, autant l'arrivée de Claude la comble de bonheur. Il faut dire que Sylvain s'occupe beaucoup des deux garçons. Si tous les pères étaient comme lui, aucune femme ne se plaindrait. Chaque matin, quand elle se réveille aux côtés de son homme, Mylène remercie Dieu d'avoir mis Sylvain sur son chemin. Elle flotte sur un nuage depuis qu'il est entré dans sa vie.

— Je propose qu'on remplisse nos verres, lance Suzie. Je peux m'en charger pendant qu'Anna nous montre sa photo. J'ai tellement hâte de voir la belle Myriam !

Aussitôt qu'elles aperçoivent la frimousse de la petite, les filles ne tarissent pas d'éloges. Myriam porte une jolie robe rose pâle. Elle tient son ourson rempli de bouts de doudou par le cou et fait mine de lui donner un baiser.

— Et c'est moi la fée marraine de cette ravissante enfant ! lance fièrement Agathe.

— Ton fils est également magnifique, Anna, déclare France. Moi, j'ai toujours eu un faible pour les enfants aux yeux foncés.

— Selon ma belle-mère, confie Anna, Jordan est le portrait craché de Rémi, le frère de Jack. J'aurais préféré qu'il ressemble un peu plus à Jack.

Les filles en savent suffisamment sur le compte de Rémi pour avoir envie de plaindre Anna. Craignant que l'une d'elles s'échappe, Agathe s'essuie rapidement les mains sur sa serviette de table et elle exhibe sa photo.

— C'est encore moi qui remporte la palme du plus grand nombre de personnes sur sa photo de famille ! Mais je vous avertis : ne perdez pas votre temps à me faire accroire que je suis bien photographiée. Comme d'habitude, je ne me trouve pas du tout photogénique. Mais à mon avis les enfants et Patrick sont très bien.

Il fallait voir sa réaction lorsqu'elle est allée chercher ses photos chez Zellers. Un peu plus et elle disait à la commis de les reprendre. Mais au lieu de ça, elle s'est tue, a payé et ne les a pas sorties de son enveloppe, pas même une seule fois depuis qu'elle les a.

Évidemment, les filles focalisent leur attention sur elle.

— Moi, je trouve que c'est ta meilleure photo à vie, formule Anna.

— S'il vous plaît, regardez seulement ma famille, réplique Agathe. Je n'ai aucune envie qu'on parle de moi.

— Je vois tes enfants pratiquement tous les jours, énonce Suzie. Mais là, j'ai l'impression qu'ils ont vieilli d'un coup ! Ils sont tellement beaux.

— Je me suis justement fait la même réflexion, déclare Agathe. Je n'arrive pas à croire que Sébastien soit rendu à dix-sept ans. Vous devriez l'entendre ; il revient constamment à la charge auprès de Patrick pour que celui-ci lui apprenne à conduire. Et Isabelle a déjà quatorze ans. Il me semble qu'hier encore je la berçais. Malheureusement, son caractère ne s'améliore pas avec l'âge. À mon grand désespoir, je n'ai qu'une seule fille et, plus souvent qu'autrement, nous sommes comme chien et chat.

Agathe soupire un bon coup. Bien qu'elle ait réussi à marquer quelques points auprès d'Isabelle, elle a avec sa fille une relation encore très houleuse. Cela l'atteint toujours autant. Agathe peut compter sur les doigts d'une main le nombre de fois où Isabelle et elle ont tenu une discussion calme et harmonieuse. Chaque mot qui sort de la bouche d'Isabelle vaut son pesant d'or quand elle daigne s'adresser à sa mère.

— Dominique a douze ans et Steve, dix. Moi qui aime tant les bébés, je trouve que mes enfants ont grandi trop vite à mon goût. Heureusement que toi, Anna, et toi, Mylène, vous avez des bébés. Comme ça, je peux m'en donner à cœur joie !

— Jure-moi que tu n'as pas envie d'en faire un autre ! s'écrie France.

— Pas pour le moment ! Regardez comme elle est belle, ma famille.

La seconde d'après, Agathe essuie les deux larmes qui sont apparues au coin de ses yeux. Fonder une famille a toujours été son plus grand rêve ; c'est pourquoi la sienne la comble de bonheur.

— Même si ça ne te fait pas plaisir de l'entendre, émet France sur un ton moqueur, je trouve que tu es très bien photographiée pour une fois.

Agathe roule sa serviette de table en boule et la lui lance en plein visage.

— À mon tour maintenant ! poursuit France. Si Agathe a la plus grosse famille, eh bien moi j'ai la plus petite – *ex-æquo* avec Céline. Et cela ne me donne aucun complexe d'infériorité. Admirez-nous, Marie-Josée et moi. Regardez comme nous sommes superbes ! Nous sommes allées chez la coiffeuse avant de passer chez le photographe.

La photo de France circule rapidement autour de la table.

— C'est vrai que vous êtes magnifiques ! lance Suzie.

À ce moment, Céline pénètre dans la pièce.

— Tu arrives juste à temps pour nous montrer ta photo, la taquine Agathe.

— Mais de quoi parles-tu?

— De ta photo de famille, évidemment! précise Agathe.

— Ah oui! Je suis allée chez le photographe avec Pierre, mais j'ai oublié ma photo sur le buffet. Je suis désolée. Avez-vous mangé?

— On t'attendait, ment gentiment Agathe.

— Je peux mettre la table, si vous voulez. Je meurs de faim. En venant ici, j'ai réalisé que je n'avais rien avalé de toute la journée.

Agathe se dit que, tout compte fait, elle n'a aucune raison d'envier sa sœur. C'est bien beau d'avoir une passion, mais lorsqu'elle nous fait oublier de manger, cela signifie qu'elle n'est peut-être pas ce qu'il y a de meilleur pour nous.

— Mais avant, tu pourrais nous saluer! lui lance Anna.

Sitôt les embrassades terminées, les filles mettent toutes la main à la pâte pour dresser la table. En deux temps, trois mouvements, la tâche est accomplie. Oubliant toutes les règles de bienséance, Céline se sert dès qu'elle est assise. Elle remplit son assiette à ras bord et elle pique sa fourchette dans un gros morceau de poulet qu'elle porte aussitôt à sa bouche.

— Je ne sais pas qui l'a cuisiné, dit-elle, la bouche pleine, mais ce poulet est vraiment délicieux. Maintenant, je goûterais bien au bœuf.

Céline est la dernière à partir. Une fois derrière son volant, elle réalise qu'à son arrivée elle a oublié de sortir la boîte posée sur le siège du passager. Elle s'en empare et retourne dans la maison d'Agathe.

— Ce sont les affaires de Patrick. Je suis passée au bureau hier et sa secrétaire – enfin, son ancienne secrétaire – m'a demandé de les lui rapporter. Il avait oublié cette boîte près de la porte de son bureau.

Patrick a perdu son emploi il y a deux semaines. Quand il est revenu à la maison avec ses effets, il était hors de lui au point qu'il les a déposés directement dans la remise. Agathe a essayé par tous les moyens de savoir ce qui s'était passé. Mais la seule chose qu'elle sait pour le moment, c'est que son mari n'a plus de boulot et qu'il est furieux contre son ancien patron. Cela l'inquiète énormément. Mais chaque fois qu'elle aborde le sujet, Patrick lui dit qu'elle n'a aucune raison de s'en faire.

— Avec l'expérience que j'ai, je vais vite me trouver un nouveau travail.

— Mais on ne peut pas vivre avec ce que le chômage va te donner.

— Chaque chose en son temps !

C'est la phrase qui met fin à toutes leurs discussions depuis qu'il a été remercié par Metro. Et si cela ne suffit pas à faire taire Agathe, Patrick tourne les talons.

La semaine qui a suivi la perte de son emploi, Patrick est resté tous les jours affalé dans son fauteuil. Il n'en sortait que pour venir manger ou aller se coucher. Il n'avait même pas assisté à son cours à l'université, alors qu'il n'en avait pas raté un seul lorsqu'il avait été terrassé par une grippe carabinée. Agathe ne savait plus quoi faire pour le sortir de sa léthargie. Elle avait appelé son père en désespoir de cause. Jacques était débarqué à la maison dans l'heure qui avait suivi. Quelques minutes plus tard, il était reparti avec Patrick. Dès le retour des deux hommes, Agathe avait remarqué un changement notoire dans le comportement de son mari. Le lendemain, Patrick s'était rué sur le téléphone. Il avait décroché une entrevue pour un poste identique à celui qu'il occupait chez Metro après seulement quelques appels, mais cette fois pour une grande chaîne de quincailleries. Agathe se croise les doigts pour que son époux décroche cet emploi. Mais là, il est parti passer deux jours au chalet avec les enfants. Cette idée n'était pas venue de lui, mais d'Agathe ; elle n'en pouvait plus. Même si Patrick a une meilleure attitude depuis que Jacques est passé le voir, il n'en demeure pas moins qu'avoir un homme à temps plein dans la maison est loin de faire l'affaire d'Agathe. La maison est son royaume et elle n'a aucune envie de le partager avec Patrick. La période où il a fait une crise cardiaque après la mort de son père lui rappelle trop de mauvais souvenirs.

Après le départ de Céline, Agathe réfléchit. Vu le peu d'intérêt que Patrick manifeste aux choses qu'il a rapportées du bureau, elle songe que cela lui rendrait probablement service si elle allait porter la boîte dans la remise. Elle la dépose sur le comptoir de la cuisine, le temps d'ouvrir la porte. Soudain, elle éprouve l'envie de regarder ce que la caisse contient. Ce n'est pas dans ses habitudes de fouiller dans les affaires des autres, mais il s'agit tout de même de celles de son mari. Et puis elle est allée si peu souvent le voir à son bureau qu'elle n'a jamais eu l'occasion d'ouvrir un seul de ses tiroirs là-bas. Sans plus de préambule, elle retire le couvercle de la boîte. Celle-ci contient différents articles pratiques, comme un dictionnaire et une grammaire. À voir leur état, Agathe serait prête à parier que Patrick ne les a jamais ouverts. Il y a aussi plusieurs crayons et des stylos. À cause du grand nombre de ces objets que les enfants consomment pendant une seule année scolaire, elle décide de les mettre de côté. Au fond de la caisse, Agathe découvre un petit carnet noir. Elle le retourne de tous bords tous côtés mais elle ne trouve aucune inscription dessus. Elle se demande ce que

Patrick pouvait bien y écrire. Quand elle l'ouvre, elle reconnaît l'écriture de son mari. Il y a trois colonnes, dont les éléments sont classés par ordre chronologique. La première date inscrite remonte au temps des études de Patrick au cégep, et la dernière a été notée il y a environ un mois. Agathe essaie de comprendre ce qu'elle voit. Une colonne contient une date et un endroit, une autre, un nom de femme, et la dernière, des commentaires : *À répéter ! Excellent ! Un vrai bloc de glace !*

Agathe remarque ensuite que certains noms reviennent au fil des pages. Elle sent une boule se former dans son estomac, mais elle poursuit quand même sa lecture. Son petit doigt lui dit qu'elle n'aurait pas dû ouvrir ce carnet, mais maintenant, elle est incapable de le refermer. Elle feuillette les pages jusqu'à la date de sa rencontre avec Patrick. Ce qu'elle lit la renverse. *Celle-là, je vais la marier. Non seulement elle me donnera de beaux enfants, mais elle sera une bonne mère.* Et en dessous, il est écrit : *Très moyen !*

Ce n'est plus une boule qu'Agathe a dans l'estomac, mais bien un volcan en éruption. Chaque ligne supplémentaire qu'elle lit accroît sa colère. Quelques secondes plus tard, elle se laisse tomber sur une chaise comme une poupée de chiffon. Elle n'en croit pas ses yeux. En y regardant bien, elle reconnaît le nom de la mère de Sébastien. Et la liste se prolonge de plus belle après leur mariage. Agathe lit tous les noms inscrits. C'est alors qu'elle voit celui de *France D.* Elle vérifie la date avant de recommencer à tourner les pages. Le patronyme de la France qu'elle connaît, qui est de surcroît son amie, commence justement par un *D.* Et elle se souvient que Patrick et France ont déjà travaillé ensemble. Après avoir compté le nombre de fois que ce nom est inscrit, Agathe se met à trembler de tous ses membres. Quelques années ont passé avant qu'il revienne – une seule fois. D'ailleurs, la France

en question n'avait pas manqué d'impressionner Patrick : *Sublime !*
J'avais oublié à quel point on s'éclatait ensemble.

Agathe vérifie la date, puis elle entreprend de faire des recoupements. La récidive précède à peine sa rencontre avec France. Et s'il s'agissait de la même personne ? Plus Agathe tente de réfléchir, plus son esprit s'embrouille. Elle se prend la tête à deux mains. Alors qu'elle s'épuisait à recoller les morceaux lorsque son couple battait de l'aile, son cher mari prenait son pied allègrement. Elle comprend désormais pourquoi Patrick ne l'invitait pas à ses congrès ; c'était son terrain de chasse. Pendant qu'elle s'occupait de leurs enfants, monsieur batifolait à son aise.

— Mais alors, lance-t-elle dans un cri du cœur, ça signifie que Céline et Anna étaient au courant de tout !

Agathe voit rouge. Mais plutôt que de se mettre à pleurer, elle va chercher le téléphone en courant. Elle compose rapidement le numéro de Suzie. Aussitôt que son amie répond, elle déclare :

— Est-ce que tu pourrais venir me voir ? Je dois absolument te parler de quelque chose.

— Tout de suite ?

— Oui !

Agathe compose ensuite le numéro d'Anna. Elle veut en avoir le cœur net. Sa sœur décroche à la première sonnerie.

— Qu'est-ce que j'ai oublié ? demande Anna sur un ton espiègle.

— Rien ! Je veux seulement que tu répondes à ma question. Savais-tu que Patrick me trompait dans les congrès ?

Un silence de mort tombe entre les deux sœurs. Anna se sent comme un pauvre lièvre pris au collet.

— Ce n'est plus le temps de me ménager, ajoute Agathe d'une voix neutre. Je sais absolument tout. Je viens de trouver le carnet dans lequel il notait tous ses trophées de chasse.

À l'autre bout du fil, Anna est prise de chaleurs. Aussi bien avouer ce qu'elle sait au plus vite. De toute façon, Agathe ne la laissera pas tranquille tant qu'elle ne lui révélera pas la vérité. La jeune femme respire profondément avant de se jeter à l'eau.

— J'ai été témoin de sa conduite répréhensible seulement une fois, et je lui ai dit ma façon de penser. Je te jure que ça s'est arrêté là pour moi. J'avais promis à Patrick de ne pas t'en parler.

— Mais je suis ta sœur !

— Je sais. Cependant, Patrick est mon ami et c'est grâce à lui si j'ai obtenu un emploi chez Metro. Je suis tellement désolée, Agathe, si tu savais…

— Il faut que je te laisse. Je dois maintenant appeler Céline.

Agathe raccroche sans donner à Anna le temps d'intervenir. Pour le moment, malgré les explications, elle ne comprend pas pourquoi sa sœur lui a caché les faits. Toutefois, elle aura amplement le temps d'y repenser plus tard.

Suzie se pointe pendant qu'Agathe compose le numéro de Céline.

— Mon Dieu, Agathe, qu'est-ce qui se passe ? s'écrie Suzie. Tu es pâle à faire peur.

Agathe remet le téléphone à sa place. Elle tend ensuite le petit carnet noir à son amie.

— Je viens de découvrir la double vie de Patrick dans les moindres détails. Une chance que je ne l'ai pas devant moi parce que je le tuerais. Mais donne-moi d'abord une minute. Je dois absolument parler à Céline. Ensuite, toi et moi, nous irons rendre une petite visite à France. J'ai des raisons de croire que Patrick et elle ont déjà couché ensemble. Elle me prend sûrement pour une demeurée. Je m'entends encore te répondre que tu te trompais lorsque tu m'avais fait part de tes doutes envers elle. Je suis vraiment la pire des imbéciles.

Suzie avale de travers. Elle ne laissera pas tomber Agathe. C'est son amie et elle a beaucoup de peine pour ce qui lui arrive. Toutefois, elle aurait préféré ne pas être mêlée à toute cette histoire. Elle n'a pas de félicitations à faire à Patrick ; elle l'aurait cru plus intelligent. Quand on a le culot de noter ses prouesses sexuelles dans un carnet, il faut s'arranger pour que sa femme ne mette jamais la main dessus. Suzie savait que Patrick était infidèle, mais elle n'aurait pas pensé que la situation était si grave. Même si elle le trouve d'agréable compagnie, elle ne se retrouverait pas dans son lit.

— Ne pense plus à ça, Agathe. Ce qui est passé est passé. Appelle vite Céline et raconte-moi tout.

Chapitre 2

— Merci de m'avoir laissée dormir! dit Suzie en se pointant dans la cuisine.

Elle passe ses bras autour du cou de Francis avant de l'embrasser tendrement.

— Où sont les enfants? s'informe-t-elle ensuite.

— Quand ils ont vu les gros flocons mouillés qui tombaient, ils se sont dépêchés de déjeuner. Ils sont maintenant en train de faire un concours de bonshommes de neige avec leurs amis.

S'il y a des familles qui se plaignent que leurs enfants ne mettent pas le nez dehors, c'est loin d'être le cas chez les Galarneau. Même la pluie n'arrête pas Pierre-Luc, Tommy et Édith. Seul un déluge pourrait les empêcher d'aller sonner chez leurs copains pour les inviter à jouer dans l'eau avec eux. Et le soir, les trois enfants sont si fatigués qu'ils s'endorment en posant la tête sur l'oreiller.

— Est-ce que je me trompe ou tu es rentrée tard? demande Francis.

— Il faisait jour quand je suis revenue de chez Agathe. La pauvre, elle n'en mène pas large.

Suzie raconte à son mari ce qui a mis Agathe dans un tel état. Francis se doutait bien que Patrick finirait par frapper son Waterloo un de ces jours. Savoir qu'il a inscrit le nom de chacune de ses conquêtes dans un carnet le dépasse. En plus de tromper sa femme, il a laissé des traces. Franchement, Francis l'aurait cru plus astucieux.

— Quel gâchis! s'exclame-t-il. Sais-tu ce qu'Agathe a l'intention de faire?

— Depuis qu'elle a découvert le pot aux roses, elle est passée par toute la gamme des émotions. Elle a même parlé de divorce. Mais je lui ai conseillé de prendre le temps de réfléchir.

— Patrick a dépassé les bornes. En tout cas, si j'étais à la place d'Agathe, je le mettrais à la porte et je le ferais payer au maximum.

— Ce n'est pas si simple. Ils ont quatre enfants et Patrick n'a même plus d'emploi.

Francis plaint sa voisine de toutes ses forces. Elle a donné les plus belles années de sa vie à un homme qui ne méritait pas un tel cadeau. Elle lui a toujours pardonné ses infidélités, et voilà qu'elle vient de découvrir que ce n'était que la pointe de l'iceberg. Il y a tout de même des limites à ce qu'une femme peut endurer. Francis n'aurait jamais imaginé que Patrick avait sauté si souvent la clôture.

— Oui, mais Patrick aurait dû y penser avant. Je n'en reviens tout simplement pas. Et avec France, comment ça s'est passé?

— Lorsque France a confirmé qu'il s'agissait bien d'elle, Agathe l'a couverte d'injures. Je pensais qu'elle allait lui sauter dessus. Mais France est restée très calme, alors Agathe s'est mise à pleurer. France s'est assise près d'elle. Elle lui a dit qu'elle avait cessé de voir Patrick immédiatement après avoir fait sa connaissance et que, même s'il s'agissait de son plus grand souhait, elle ne pouvait pas revenir en arrière. Quand elle a cessé de pleurer, Agathe a demandé à France, avec un petit sourire en coin, si elle voulait connaître la cote que Patrick lui avait donnée. France a grimacé, puis elle a pris Agathe par le cou avant de déclarer que tout ça n'était que des bêtises d'adolescent.

Lorsqu'il entend de telles choses, Francis se demande comment des femmes aussi brillantes que France peuvent se laisser berner par des hommes comme Patrick. Il n'est pas la meilleure personne pour juger de la beauté d'un autre homme, mais il voit bien que Patrick est loin d'être un Adonis et qu'il n'est même pas riche. C'est sans compter qu'il n'est pas le mâle le plus raffiné que la terre ait porté.

— Est-ce qu'Agathe t'a demandé si tu savais quelque chose?

— Non, et j'espère bien qu'elle ne le fera pas non plus. En réalité, je n'ai jamais eu de confirmation que Patrick la trompait. Toutefois, j'avais de sérieux doutes, surtout au sujet de France, mais j'imagine que je ne t'apprends rien…

Francis n'est pas de nature à dénoncer ses amis. Cependant, maintenant que Suzie en sait plus que lui, il ne risque pas de trahir Patrick.

— J'étais au courant de certaines de ses frasques, mais jamais je n'aurais pensé qu'il avait autant exagéré. Tu me connais, chaque fois qu'il me parlait de ses aventures, je lui faisais la morale. Il se contentait de rire, comme si le fait de tromper sa femme était normal.

— Pauvre Patrick!

— Non mais j'hallucine! s'indigne Francis, tu es en train de le plaindre. Il n'a que ce qu'il mérite. Sincèrement, j'espère de tout cœur qu'Agathe ne le laissera pas s'en tirer à bon compte. Il y a quand même des limites à présenter l'autre joue…

***

Après le départ de Suzie, Agathe a jeté sur le lit tous les effets de Patrick. Elle est ensuite allée chercher les valises et elle les a remplies à ras bord. Elle a mis le reste dans des sacs-poubelle et a placé le tout près de la porte d'entrée, puis elle s'est étendue sur le divan. Cette fois, Patrick a signé son arrêt de mort. Tant pis s'il n'a d'autre choix que de dormir sur un banc de parc. Pas question qu'il remette les pieds dans la maison, sauf pour prendre ses affaires. Il ne se foutra plus de sa gueule. Jamais Agathe n'aurait cru qu'elle en arriverait là. Lundi matin, à la première heure, elle ira s'informer des procédures à suivre pour demander le divorce. Pour elle, le mariage, c'était pour la vie. Elle y croyait de toutes ses forces, tandis que pour Patrick ce n'était qu'un jeu. Leur couple n'a été qu'un leurre, un arbre derrière lequel se cachait une forêt truffée de mensonges.

Agathe s'en veut énormément d'avoir été si naïve pendant toutes ces années. Elle désirait tellement que son mariage dure qu'elle était prête à tout pour le sauver, même à son détriment. Elle a refusé l'amour de Vincent sous prétexte qu'elle était mariée. Elle a souvent pensé au médecin depuis qu'ils ont fait l'amour, mais elle ne l'a jamais contacté. Vincent lui était trop précieux pour qu'elle lui fasse jouer le rôle de la cinquième roue du carrosse. Encore aujourd'hui, il ne se passe pas une seule journée sans qu'elle se demande ce qu'il devient.

Dès qu'elle parvient à s'endormir, elle se réveille en sursaut avec le visage de Patrick sous les yeux. Il lui fait son plus beau sourire et il lui dit qu'il n'y a rien là, que ça va passer comme toutes les autres fois. Elle se met aussitôt à pleurer de rage.

— Pas cette fois, se répète-t-elle en boucle jusqu'à ce qu'elle parvienne à se rendormir pour un autre quinze minutes.

La sonnette de la porte d'entrée fait sursauter Agathe alors qu'elle vient tout juste de sombrer dans un sommeil profond. Comme elle n'a pas envie de répondre, elle se tourne sur le côté. Mais un autre coup retentit dans la demeure. Agathe se frotte les yeux avant de s'asseoir de peine et de misère. Elle souffre d'un sacré mal de tête, mais elle se lève quand même. Elle se traîne les pieds jusqu'à la porte et tire le rideau. Dès qu'elle aperçoit Anna, elle déverrouille la porte. Puis elle retourne se coucher sur le divan. Anna se met à parler en franchissant le seuil de la maison. Sa voix haut perchée amplifie le mal de tête d'Agathe.

— Étant donné que tu ne répondais pas au téléphone, j'ai décidé de venir aux nouvelles.

— Je l'ai débranché.

— C'est bien ce que je pensais. Viens avec moi à la cuisine, je vais préparer du café. Tu as une mine d'enterrement.

— Peux-tu parler moins fort, s'il te plaît ? lui demande Agathe en plaquant ses mains sur ses oreilles. Mon crâne me fait tellement souffrir que j'ai l'impression qu'il va éclater.

Anna n'a pas l'habitude de s'en laisser imposer lorsque Agathe lui dit de baisser le ton. Compte tenu de ce qui arrive à sa sœur, elle ne proteste pas.

— Ranges-tu encore tes aspirines au même endroit ? questionne Anna en prenant une grosse voix basse.

Sa pitrerie fait sourire Agathe.

— Oui. Peux-tu m'en donner deux, s'il te plaît ?

— Bien sûr ! répond Anna en se dirigeant vers la salle de bain.

Après qu'Agathe a avalé les comprimés, Anna lui suggère d'aller prendre une douche pendant qu'elle se charge du café.

Le carnet noir traîne sur la table. Anna ne se gêne pas pour y jeter un coup d'œil pendant l'absence d'Agathe. Si elle ne se retenait pas, elle déchiquetterait toutes les pages du petit livre et les brûlerait jusqu'à ce qu'il n'en reste plus que des cendres. Elle en veut de toutes ses forces à Patrick.

Lorsque Agathe revient dans la cuisine, Anna lui dit :

— Tu devrais le détruire au plus vite.

— Jamais ! s'écrie promptement Agathe en tendant la main pour le récupérer. Ce carnet me protégera contre moi-même au cas où j'aurais l'idée de me remettre avec Patrick. Cette fois, il est allé trop loin. J'attends qu'il ramène les enfants pour lui annoncer que je demande le divorce.

Jamais Anna n'aurait cru qu'un jour ce mot franchirait les lèvres d'Agathe. Mais à cause de tous les noms qu'elle a eu le temps de lire dans le carnet, elle peut comprendre que sa sœur soit au bout du rouleau. Patrick la trompe depuis toujours. À voir tout ce qu'il lui a fait endurer depuis qu'il la connaît, il faudrait être stupide pour croire qu'elle pouvait être l'amour de sa vie.

— Tu es bien certaine que c'est ce que tu veux ?

— Il ne me laisse pas le choix ! réplique Agathe. Je n'éprouve plus que de la pitié pour lui ; on ne peut pas construire une vie de couple là-dessus. Il m'a usée jusqu'à la corde, au point que je suis incapable de lui en vouloir. La seule chose que je souhaite, c'est qu'il sorte de ma vie au plus vite. J'ai même fait ses valises pour m'assurer qu'il ne traînera pas ici. Il ira s'installer où il voudra ; ça m'est égal, pourvu qu'il dégage la place pour de bon.

— Mais il n'a même plus de travail…

— Fais-lui confiance, vocifère Agathe. Il a une entrevue mercredi. S'il met autant de fougue à convaincre l'entreprise de l'engager qu'il en a mis à me faire gober ses histoires, il va sortir de là avec un emploi en poche. Patrick a bien des défauts, mais il est trop fier pour laisser sa famille manquer de quoi que ce soit. Et je ne suis pas manchot. Je n'aurai qu'à redoubler d'ardeur pour augmenter mes revenus, si c'est nécessaire.

Décidément, beaucoup d'eau a coulé sous les ponts depuis qu'Anna a quitté sa sœur la veille. La vie d'Agathe a basculé en quelques heures à peine. Anna se doutait bien que la vérité sortirait un jour. Elle se croisait les doigts pour que chaque crise qui éclatait chez Agathe finisse par passer. Elle s'est souvent demandé comment elle réagirait si elle était à sa place et chaque fois elle en venait à la conclusion qu'elle n'aurait pas pu supporter ce que sa sœur a enduré. Elle se demande comment son beau-frère a pu se montrer aussi négligent. Il n'avait sûrement pas prévu qu'Agathe mettrait la main sur son carnet, mais il a commis une grave erreur en le laissant traîner dans ses affaires de bureau. Il n'avait pas assez de tromper sans arrêt sa femme, il fallait aussi qu'il l'humilie.

— Me pardonneras-tu un jour de ne t'avoir rien dit ? demande Anna en remplissant une tasse de café pour Agathe.

Les larmes montent instantanément aux yeux d'Agathe.

— Rassure-toi, je ne t'en veux pas – pas plus qu'à Céline, d'ailleurs. Je ne vous aurais pas crues même si vous m'aviez tout raconté. Malgré les problèmes que Patrick et moi avons eus, je voulais croire plus que tout que mon mariage allait bien.

— Tu es la dernière personne à qui j'aurais voulu faire du mal…

— Et je n'en veux pas non plus à France.

— France ? Pourquoi lui en voudrais-tu ?

Agathe lui montre les endroits où le nom de France apparaît dans le carnet de Patrick.

— Ayoye ! s'exclame Anna. Le moins qu'on puisse dire, c'est que Casanova – au cas où tu l'ignorerais, c'est ainsi que tout le monde l'appelait chez Metro – s'est payé la traite. Je n'en reviens tout simplement pas.

— France ne l'a pas exprimé clairement, mais je pense qu'elle éprouvait des sentiments pour lui.

— En tout cas, sache que tu ne craignais rien avec moi. Je me suis toujours demandé ce que les femmes pouvaient trouver à Patrick – même toi. Je me souviens encore du jour où tu es venue nous le présenter à La Sarre. Il avait du mal à aligner deux mots et toi, tu n'avais d'yeux que pour lui. Pour être honnête avec toi, j'ai dû apprendre à l'aimer et je dois te dire que jamais je n'aurais pensé que nous deviendrions de si bons amis.

Agathe n'est pas surprise des propos d'Anna. Aucun membre de la famille n'a jamais désapprouvé son choix, mais aucun n'a émis de commentaires positifs à l'égard de Patrick non plus. Tant et aussi longtemps qu'elle était heureuse avec lui, ce que les siens pensaient de son homme ne lui importait pas.

— Moi, j'ai eu le coup de foudre pour lui dès que je l'ai vu, avoue Agathe. Et même si vous m'aviez tous dit que ce n'était pas un homme pour moi, je vous aurais envoyés paître. Je l'aimais, c'était tout ce qui comptait pour moi.

— La vie est drôlement faite. Si seulement on écoutait les gens qui tiennent à nous, on s'éviterait souvent un tas de problèmes. Va donc savoir pourquoi, on préfère plutôt se mettre la tête dans le sable jusqu'à ce que la vérité nous tombe dessus. Des fois, je me dis que nous ne sommes rien de plus que des singes prétentieux. On s'est tellement fait bourrer le crâne qu'on n'arrive même plus à penser par nous-mêmes. Il y a des jours où j'en ai plus qu'assez de ces maximes lancées à tout vent : on se marie pour le meilleur et pour le pire, on a les épreuves qu'on est capable d'avoir, la vie n'est facile pour personne, il faut se contenter de ce qu'on a…

Anna n'a pas qu'enfilé les phrases les unes derrière les autres. Elle les a lancées en changeant de voix à chacune d'entre elles, ce qui a eu pour effet de tirer un petit sourire à Agathe.

— Je veux que tu saches que si c'était à refaire, ajoute Anna, je te dirais que ton mari profite de ses congrès pour s'envoyer en l'air.

— Et moi, je te le répète, je n'aurais pas voulu t'entendre. La vie m'a envoyé plusieurs signaux, mais je les ai malheureusement tous ignorés. Pense seulement à tante Cécile que j'ai toujours tenue responsable de ce qui est arrivé, alors qu'en réalité c'était probablement Patrick qui avait tout initié. Et puis j'aurais dû insister lorsqu'il refusait systématiquement que je l'accompagne à ses congrès. Je n'irai pas jusqu'à prétendre que j'ai couru après mes malheurs, mais j'ai beaucoup facilité la tâche à Patrick.

— Et les enfants ?

À cet instant, Agathe réalise qu'elle n'a pas pensé aux enfants, ne serait-ce qu'une seule fois. Qu'elle ne veuille plus de Patrick dans sa vie, c'est une chose, mais qu'elle prive ses enfants de leur père, c'en est une autre. Elle ne peut tout de même pas attendre que Steve ait dix-huit ans avant de demander le divorce. Agathe se connaît : elle dépérira si elle ne met pas un terme à son mariage. Elle a déjà atteint un point de non-retour, et la seule solution est le divorce. Elle sera la première de la famille à franchir le pas, mais elle ira de l'avant, peu importe l'opinion de ses proches. Si sa mère était toujours de ce monde, Agathe sait pertinemment que Monique tenterait par tous les moyens de la faire changer d'idée.

— Tu vas sûrement me trouver sans-cœur, mais je n'ai même pas pensé à eux. En temps normal, je les épargne autant que je le peux, mais cette fois ce serait trop me demander. Je ne reviendrai pas sur ma décision. Je suis fatiguée de me battre contre des moulins à vent. Quoi que je fasse, rien ne change. Je n'en peux plus.

— Je comprends. Aimerais-tu que je sois là quand Patrick reviendra du chalet ?

L'offre d'Anna est tentante, mais Agathe estime qu'elle doit poser certains gestes seule. Annoncer à Patrick que c'est fini entre eux figure au nombre de ceux-ci.

— Non, ce ne sera pas nécessaire.

— Aimerais-tu qu'on fasse quelque chose ensemble maintenant ?

— On pourrait jouer au scrabble. J'ai besoin d'occuper mon esprit.

— Prépare-toi à te faire battre !

Chapitre 3

Patrick est loin de s'attendre à un tel accueil lorsqu'il entre dans la maison à la suite des enfants. En apercevant Agathe, il devine qu'il y a un problème. Il n'a aucune idée de quoi il s'agit jusqu'à ce que sa femme s'adresse à lui.

— Ce n'est pas la peine d'enlever tes bottes ni ton manteau. Je veux que tu prennes tes affaires et que tu t'en ailles sur-le-champ.

Les paroles d'Agathe ont du mal à se frayer un chemin jusqu'au cerveau de Patrick. Sans chercher plus loin, il lance :

— Pourquoi je m'en irais alors que je suis chez moi ?

— Parce que je sais tout, annonce-t-elle en brandissant le carnet noir.

Isabelle prend aussitôt la défense de son père. Mais Agathe lui fait clairement comprendre que l'affaire concerne son père et elle. Fâchée, l'adolescente file dans sa chambre et claque la porte. Cela alerte les garçons, qui arrivent en courant. Agathe les rassure rapidement avant de leur dire de retourner d'où ils viennent. Elle les appellera quand le souper sera prêt.

— Tu n'avais pas le droit de fouiller dans mes affaires, argue Patrick.

— Et toi, tu n'avais pas le droit de me tromper. Prends tes affaires et va-t'en. Je ne veux plus te voir. Je t'annonce officiellement que je demande le divorce.

Patrick n'est pas près d'oublier l'expression qu'affiche Agathe pendant qu'il ramasse ses sacs. Même dans leurs pires moments, jamais il ne l'a vue ainsi. Il ne peut empêcher les derniers mots de sa femme de tourner en boucle dans sa tête.

Une fois assis dans son auto, Patrick se prend la tête à deux mains. Ce n'est vraiment pas le moment qu'une telle brique lui tombe dessus. Et il est hors de question qu'il divorce – ni maintenant, ni jamais. Comment son précieux carnet a-t-il pu aboutir entre les mains d'Agathe alors qu'il avait pris soin de ranger tous ses cartons dans la remise? Comment est-ce possible alors qu'elle ne met jamais les pieds là? Il se rappelle qu'au moment de ranger ses affaires dans les boîtes il avait pensé à mettre son carnet en sécurité. Mais il était tellement en colère que ça lui était sorti de l'esprit. Les mains gelées, Patrick se décide enfin à démarrer la voiture. À cette heure, tous ceux qu'il voudrait voir sont probablement au courant de ses agissements. Pas besoin d'être devin pour savoir que ses chances de se faire remonter le moral par ses amis sont inexistantes. Aussi longtemps que Francis et Jack croyaient qu'il ne trompait sa femme qu'occasionnellement, ils pouvaient s'en accommoder. Mais maintenant qu'ils connaissent sa double vie, la situation est bien différente. Et ce n'est certainement pas France qui prendra sa défense. C'est à peine si elle lui adresse la parole depuis qu'elle est amie avec Agathe. «Mais j'y pense, Agathe sait sûrement pour elle et moi!»

Sans plus de réflexion, Patrick prend la direction de la maison de France. Il n'espère pas que son ancienne maîtresse lui témoigne de la pitié, mais elle pourra peut-être lui en dire un peu plus en ce qui concerne le comportement excessif de sa femme. Une fois parvenu à destination, Patrick remarque que trois autos sont stationnées dans la cour de la résidence de France. Comme il n'a nulle envie de se donner en spectacle, il passe son chemin. À vrai dire, il ne lui reste pas beaucoup d'endroits où aller. Il met donc le cap sur Montréal. Il s'installera chez sa mère le temps qu'Agathe revienne à de meilleures dispositions – ce qui, d'après son expérience, ne devrait pas tarder. Après tout ce qu'elle a toléré depuis qu'ils sont mariés, Patrick ne voit aucune raison pour qu'elle ne passe pas l'éponge cette fois aussi. C'est du moins ce qu'il essaie de se faire croire. Il sait pertinemment que son comportement est impardonnable. S'il était à la place d'Agathe, jamais il ne pourrait accepter de tels agissements. Il n'a jamais été honnête avec elle, et ce, depuis le jour où il a fait sa connaissance.

Patrick n'a pas besoin de réfléchir à ce qu'il pourrait invoquer pour sa défense auprès de sa mère. Cela serait une pure perte de temps, car il y a longtemps qu'il a renoncé à raconter des histoires à Patricia ou même à trafiquer la vérité ne serait-ce que d'un poil. Sa mère le connaît si bien qu'elle devine ce qui ne va pas même lorsqu'il refuse de parler. Patrick sait qu'elle prendra la défense d'Agathe. Personne ne pourra le lui reprocher, il a vraiment été minable dans cette histoire. Reste maintenant à trouver une façon élégante de se faire pardonner pour réintégrer au plus vite le domicile familial.

Il a adoré les deux jours qu'il a passés au chalet avec les enfants. C'est seulement une fois là-bas qu'il a réalisé qu'il n'était jamais parti aussi longtemps seul avec eux. Il leur a promis de répéter l'expérience au moins une fois par mois. D'après la tournure des événements, il ignore si ses chances d'avoir les enfants pour de grandes périodes sont bonnes. Malgré tout, il croit qu'Agathe n'osera jamais demander le divorce.

Patrick est déjà arrivé à Ville Saint-Laurent. Dans quelques minutes, il sera chez sa mère. Tout ce qu'il souhaite, c'est que Patricia soit seule. Il se stationne dans la cour. Après avoir appuyé sur la sonnette, il attend que sa mère vienne lui ouvrir. Il a l'impression que la température a chuté de plusieurs degrés depuis qu'il a quitté Belœil. En tout cas, il a froid.

— Patrick? s'exclame Patricia en l'apercevant. Entre vite, on gèle dehors. Il me semblait que tu étais au chalet avec les enfants…

— Je suis revenu il y a moins d'une heure. Est-ce que tu penses que je pourrais habiter ici quelques jours?

Patricia fronce les sourcils. Que son fils se pointe chez elle un dimanche soir, sans même l'avoir avertie de sa visite, ne lui dit rien qui vaille.

— Bien sûr! Tu peux entrer tes affaires tout de suite, si tu veux. Tu n'as qu'à t'installer dans ton ancienne chambre. Mais ne sois pas surpris, j'ai arraché la tapisserie et le prélart. J'ai décidé qu'il était temps de refaire une beauté à cette pièce.

— Quelle bonne idée! s'écrie Patrick avant de sortir de la maison.

Ce n'est certainement pas lui qui protestera parce que sa mère a décidé de rafraîchir son ancienne chambre. Il se demandait comment ses parents réussissaient à vivre dans le même décor depuis si longtemps. Et la chambre de son enfance n'est pas la seule pièce démodée; la maison au complet aurait besoin d'une cure de rajeunissement. Chez ses parents – ou plutôt chez sa mère, maintenant –, tout est resté figé depuis l'achat de la maison. Si on comparait les lieux actuels avec une photo prise le premier jour de leur installation, à l'exception des couleurs qui ont perdu de leur éclat au fil du temps, c'est identique. Faute d'avoir été changés de place, les meubles ont laissé des marques indélébiles sur le prélart et les tapis. En franchissant la porte de la maison de Patricia, on a l'impression de faire un bond dans le passé. Le petit bungalow a perdu du panache depuis sa construction à la fin des années 1940.

Étant donné que Patrick ignore la durée de son exil chez sa mère, il décide d'entrer tous ses bagages. C'est plus simple ainsi, puisqu'il ignore ce qu'Agathe a mis dans les sacs et les valises. Il s'en faut de peu pour qu'il se sente comme un clochard lorsqu'il trimbale ses sacs-poubelle à l'intérieur.

Vu le temps que ça prend à son fils pour sortir ses affaires de son auto, Patricia vient lui demander s'il a besoin d'aide. Mais elle arrive trop tard.

— Le fait que tu emménages ici ne me cause aucun problème, ajoute-t-elle. Mais à voir tout ce que tu as apporté, j'en déduis que tu as connu des jours meilleurs.

Patrick soupire. Puis il fait la moue avant de déclarer :

— Agathe a découvert quelque chose qui ne me plaît pas du tout. Elle m'a chassé de chez moi, mais je suis sûr que ça ne durera pas.

Si Patrick croyait s'en sortir aussi facilement, c'est complètement raté. Patricia connaît suffisamment Agathe pour savoir que, si sa bru a agi ainsi, c'est qu'elle a une très bonne raison.

— Prends-toi une bière dans le frigo. Ensuite, tu me raconteras ce qui est arrivé.

Même si Patrick avait l'intention de dévoiler toute la vérité à sa mère, il aurait préféré remettre les confidences à plus tard. Bière à la main, il explique tout à Patricia. Cette dernière se lève et va chercher une autre bière. Sûr qu'elle est pour lui, Patrick se dépêche de boire sa dernière gorgée et il tend la main. Quelle n'est pas sa surprise de voir sa mère prendre une gorgée à même la bouteille.

— Depuis quand bois-tu de la bière, maman ? s'étonne Patrick.

— Depuis qu'on me raconte des histoires qui dépassent mon entendement, répond-elle, l'air sévère. Veux-tu bien me dire à quoi tu as pensé ? Pauvre Agathe !

Même si Patrick savait que sa mère prendrait le parti de sa femme, cela l'afflige. Et comme si ce n'était pas suffisant, elle ajoute :

— Si j'étais à ta place, je m'installerais confortablement. Après tout ce que tu lui as fait endurer, il ne faudrait pas que tu t'étonnes si Agathe ne veut plus de toi.

Patrick pourrait s'en tenir à ce qu'il vient de dire à sa mère, mais au lieu de cela il ajoute :

— Ce n'est pas tout. Elle a l'intention de demander le divorce…

En entendant ces mots, Patricia frissonne. Tout le monde sait que les gens de sa génération se sont mariés pour la vie. À part quelques rares exceptions, ils restent en couple même lorsque le pire l'emporte sur le meilleur. Patricia n'aurait jamais cru qu'un de ses enfants en viendrait là un jour. Mais d'un autre côté, avec ce qu'elle vient d'apprendre sur les infidélités de son fils, elle n'est pas surprise qu'Agathe veuille divorcer. Bien qu'elle trouve tout cela terrible, elle ne peut que donner raison à sa belle-fille.

— Le moins qu'on puisse dire, c'est que tu n'y es pas allé avec le dos de la cuillère. Tu commences à te faire vieux pour que je te dicte ta conduite, mais je t'avoue que j'ai beaucoup de difficulté à te comprendre. Tu avais une bonne femme entre les mains, et la seule chose que tu as trouvé à faire, c'est de la tromper. Je ne sais pas de qui tu tiens ça, mais ce n'est certainement pas de ton père ou de moi. Réalises-tu seulement l'ampleur de ta bêtise ?

— C'est certain que je ne veux pas perdre Agathe. Je ne peux même pas envisager ma vie sans elle. Mais je ne peux rien changer aux événements. Et puis je voudrais bien te dire que je regrette, mais ce serait un mensonge.

Comme Patrick n'a aucune envie de poursuivre cette discussion, il se dépêche de changer de sujet.

— Bon, même si on parlait de moi pendant des heures, ça ne changerait rien à la situation. As-tu mangé?

— Pas encore, répond Patricia.

— Parfait! Je t'invite au restaurant. Ça te tenterait qu'on aille au St-Hubert?

Patricia n'en veut pas à Patrick, mais elle n'a pas très envie de sortir avec lui pour le moment.

Patrick perçoit l'hésitation de sa mère. Il passe son bras autour de ses épaules.

— Je comprends que tu sois déçue de moi…

Il l'embrasse sur la joue. Il voudrait bien l'apaiser, mais il ne trouve pas les mots qui pourraient à eux seuls tout effacer.

— On pourrait commander, si tu préfères, propose-t-il.

Le regard voilé de larmes, Patricia fixe son fils. Elle n'a pas mis des enfants au monde pour les voir souffrir, mais elle ne l'a pas fait non plus pour qu'ils fassent souffrir les gens qu'ils aiment. Elle considère Agathe comme sa propre fille, alors cela l'attriste de savoir à quel point Patrick l'a malmenée. Mais malgré le comportement de son fils, elle se doit d'être là pour lui comme il l'a été pour elle lorsqu'elle était plongée dans le coma et pendant la maladie de Jean-Marie.

Elle s'essuie les yeux du revers de la main avant de déclarer d'une voix joyeuse :

— Je vais prendre une cuisse et, pour dessert, le gâteau blanc à la sauce au caramel.

* * *

Alors que Mylène s'apprête à sortir de la chambre de Mario après lui avoir souhaité une bonne nuit, ce dernier annonce :

— Maman, j'ai lu la lettre de François.

Abasourdie, Mylène met quelques secondes à décoder ce que son fils vient de lui dire.

— La lettre est dans le premier tiroir de ma commode, en dessous de mes chaussettes, reprend le garçon. Si tu veux la lire, tu as ma permission.

— Veux-tu qu'on en parle ?

— Pas tout de suite. Bonne nuit, maman !

Bien qu'elle meure d'envie de savoir ce que François a écrit à leur fils, Mylène sort de la chambre. Elle viendra chercher la missive lorsque Mario dormira. Il y avait si longtemps qu'elle n'avait pas vu cette lettre qu'elle croyait que Mario l'avait jetée à la poubelle. Comme elle était adressée à son fils, la jeune femme s'était bien gardée de poser la moindre question. Mylène file à la cuisine. Elle met du lait à chauffer, puis elle sort une tasse de l'armoire ainsi que la cannelle. Il s'agit de son petit rituel quotidien. Après avoir accroché son tablier, elle s'assoit au salon avec sa boisson chaude. Habituellement, elle lit quelques pages d'un roman ou bien elle s'attaque à une grille de mots croisés. C'est sa manière de se détendre avant d'aller dormir.

Ce soir, elle aura tout le loisir de lire la lettre de François. Claude dort à poings fermés depuis plus d'une heure et Sylvain travaille jusqu'à minuit. Mylène dépose sa tasse sur la table du salon, puis elle va chercher la lettre.

Mon cher fils,

Si tu lis cette lettre, c'est parce qu'il m'est arrivé quelque chose de grave.

Je n'ai pas été un bon père pour toi et je t'en demande pardon. Je pourrais trouver toutes les excuses du monde, mais aucune ne suffirait à pardonner mon attitude. La vérité, c'est que je suis un lâche. Je sortais à peine de l'adolescence quand ta mère t'a eu, mais cela ne justifie pas mon comportement. Ta grand-mère Sylvie te dirait qu'on n'est jamais trop jeune pour aimer un enfant, particulièrement lorsque c'est le nôtre. Mais je n'ai jamais voulu l'écouter.

Ta naissance a tellement bouleversé ma vie que j'ai voulu oublier jusqu'à ton existence. Mais je veux que tu saches que je n'y suis jamais arrivé, malgré tous les efforts que j'y ai mis. Chaque matin, en me réveillant, je te souhaitais une belle journée. Et je te disais « Bonne nuit ! » au moment d'aller dormir. Je faisais celui qui ne voulait rien savoir de toi, mais je m'organisais toujours pour avoir de tes nouvelles d'une manière ou d'une autre, ou encore pour regarder les photos que ta mère donnait à ta grand-mère. J'ignore si tu me pardonneras un jour de t'avoir abandonné, mais je l'espère de toutes mes forces parce que depuis que je connais ton nom tu as toujours fait partie de ma vie.

Tu n'aurais pas pu avoir une meilleure mère que la tienne. Mylène est une femme exceptionnelle. Je voudrais que tu la remercies de ma part pour tout ce qu'elle a fait pour toi.

Je te laisse suffisamment d'argent pour payer tes études. Si toutefois tu décidais de ne pas poursuivre au-delà du secondaire, tu recevrais la somme au moment précisé dans mon testament.

Je n'ai jamais été là pour toi de mon vivant, mais j'espère que tu me laisseras la chance de me reprendre maintenant. Je ne suis pas l'homme le plus croyant que la terre ait porté, mais je me promets de veiller sur toi de l'endroit où je serai.

N'oublie jamais que je t'aime.

Ton père,

François

Lorsqu'elle termine sa lecture, Mylène pleure à chaudes larmes. Cette lettre a fait ressurgir plusieurs souvenirs, allant du jour où elle a su qu'elle était enceinte de Mario jusqu'à celui où Sylvain est entré dans sa vie. Elle pourrait en vouloir à François de n'avoir rien fait pour se rapprocher de son fils, mais ce serait inutile puisqu'il n'est plus de ce monde. Cette lettre a effacé d'un coup tout ce qu'elle avait sur le cœur à son égard. Certes, il est loin d'avoir été un père exemplaire, mais Mylène comprend mieux son attitude.

Après avoir rangé la missive à sa place, la jeune femme décide d'appeler son père. Pour une rare fois, c'est lui qui répond. Lorsqu'elle l'informe de la raison de son coup de téléphone, il lui dit:

— J'arrive!

Chapitre 4

La vie n'est pas joyeuse chez Agathe. Elle a prévenu les enfants du départ de leur père, mais sans leur donner trop de détails. Les garçons sont aux petits soins avec elle, mais Isabelle lui fait la vie dure autant qu'elle peut, au point qu'Agathe se demande jusqu'où cela ira.

Patricia l'a appelée pour prendre de ses nouvelles. C'est tout juste si elle ne s'est pas excusée du comportement de son fils.

— Je veux que tu saches que tu pourras toujours compter sur moi, avait déclaré sa belle-mère.

Même si Agathe s'est toujours bien entendue avec la mère de Patrick, la situation actuelle la met mal à l'aise.

— C'est gentil, avait-elle répondu sans allonger le discours.

Patricia en avait profité pour lui dire que Patrick s'était installé chez elle. Agathe avait aussitôt annoncé la nouvelle aux enfants en leur précisant qu'ils pouvaient joindre leur père aussi souvent qu'ils le souhaiteraient. Isabelle s'était précipitée sur le téléphone. Elle avait discuté avec lui pendant presque une heure. Lorsqu'elle avait voulu passer le combiné à ses frères, tous les trois s'étaient éclipsés. Il n'en fallait pas plus pour qu'elle critique sa mère après avoir raccroché.

— C'est ta faute si papa est parti. Jamais je ne te pardonnerai de l'avoir chassé de la maison. Ne compte pas sur moi pour rester avec toi. J'irai vivre avec lui dès qu'il aura un appartement. Tu es méchante…

Et cela avait continué jusqu'à ce qu'Isabelle éclate en sanglots. Ensuite, elle avait couru s'enfermer dans sa chambre, prenant soin de claquer la porte de toutes ses forces.

Normalement, une telle attitude aurait affligé Agathe, mais pas cette fois. Elle avait bien d'autres soucis en tête que de se préoccuper des sautes d'humeur de l'adolescente. Elle comprenait la tristesse de sa fille au fait que Patrick n'habite plus à la maison, mais ce n'était certainement pas Isabelle qui lui dicterait quoi faire.

Ce matin, Agathe est allée s'informer des procédures du divorce. Bien que cette étape lui fasse autant peur, elle est au moins capable de prononcer le mot sans se mettre à pleurer. Elle n'aurait jamais voulu en arriver là, mais elle ne voit aucune autre issue et, surtout, elle ne veut pas en envisager une autre. Elle a définitivement abandonné l'idée que Patrick puisse changer un jour. Elle a été le dindon de la farce suffisamment longtemps ; il est temps de tourner la page. Agathe a fait les comptes la veille. Comme elle s'en doutait, Patrick et elle possèdent très peu d'économies en tant que couple. Mais heureusement pour elle, depuis le temps qu'elle met de l'argent de côté pour voyager – économies dont Patrick ignore l'existence –, elle a accumulé quelques milliers de dollars dans son compte de banque. Elle n'a pas l'intention de lui en parler pour le moment. Mieux encore, elle va demander à Anna si elle pourrait transférer la somme dans son compte à elle. À la quantité d'argent que Patrick a gaspillé dans toutes ses escapades, il est hors de question qu'il perçoive un seul sou qui lui appartient en propre. Agathe n'aurait jamais cru qu'elle en viendrait un jour à dissocier son avoir de celui de Patrick. Elle ne souhaite pas la guerre, mais elle refuse de se faire exploiter. Comme le lui a dit l'avocate qu'elle a rencontrée au sujet du divorce, elle touchera la moitié de tout ce que le couple possède. Ce matin, Agathe a pris beaucoup de notes. Mais lorsqu'elle les relit, une foule de questions lui viennent à l'esprit. Elle les écrit au fur et à mesure qu'elles se présentent. Elle n'aura qu'à retourner voir l'avocate demain. Agathe aurait voulu que les choses se règlent avant la fin de l'année, mais comme Noël est dans moins de deux semaines, elle devra prendre son mal en patience.

Agathe n'a pas reparlé à Patrick depuis qu'elle l'a chassé, et c'est parfait ainsi. Elle est si fâchée contre lui qu'elle a peur de ne pas parvenir à se contrôler si elle l'a au bout du fil. Et s'il se présentait devant elle, elle craint les gestes qu'elle pourrait poser. Sa blessure est si grave qu'elle ne se refermera jamais totalement. Les tromperies de Patrick n'ont pas seulement affecté son cœur; par son comportement, son mari l'a blessée au plus profond de son âme également. En plus de lui manquer de respect pendant toutes ces années, il l'a humiliée comme personne ne l'avait fait auparavant. Même si elle voulait passer l'éponge, elle en serait incapable pour la simple et unique raison que certains gestes sont impardonnables.

Alors qu'Agathe plie sa troisième brassée de linge, on sonne à la porte. Elle dépose le chandail qu'elle tient et va ouvrir. Elle se met à pleurer comme une Madeleine lorsqu'elle aperçoit son père et sa tante Cécile.

— Je m'excuse…, balbutie-t-elle aussitôt en reniflant.

— Tu n'as pas à t'excuser, lance Cécile en la prenant dans ses bras. On est au courant de ce qui t'arrive. Anna nous a appelés hier soir et elle nous a tout raconté.

Des sanglots secouent maintenant Agathe. Cécile resserre son étreinte. Resté à distance, Jacques observe les deux femmes. Il est hors de lui depuis qu'Anna lui a tout révélé. Il savait que son gendre était loin d'être parfait, mais jamais il ne l'aurait cru capable de tant de méchanceté. Il lui en veut terriblement de faire souffrir autant sa fille. Jacques a eu connaissance de quelques difficultés du couple, mais il était loin de se douter que ce mariage déraperait.

Lorsque Agathe cesse de pleurer, Jacques la serre contre lui. Après l'avoir embrassée sur les joues, il lance :

— Tu as sûrement du café de prêt ?

— Non. Mais je peux en faire.

Ce qui arrive à Agathe n'a absolument rien de drôle, et Jacques a décidé que cette fois il n'allait pas faire comme s'il ne s'était rien passé. C'est pourquoi il déclare à sa fille, pendant qu'elle prépare le café :

— Je pense sincèrement que ce que Patrick a fait est impardonnable. Tu sais que je suis contre le divorce – je n'ai jamais caché mon opinion à ce sujet –, et je le serai probablement jusqu'à mon dernier souffle. Mais je suis venu te dire que si c'est la seule avenue que tu vois pour t'en sortir, eh bien tu pourras compter sur moi à 100 %.

— Et sur moi aussi, renchérit Cécile.

Agathe se tourne vers sa tante.

— Quand je vous ai pris sur le fait, Patrick et toi, je n'ai même pas imaginé une seconde qu'il pourrait avoir été l'instigateur de votre « rapprochement ». Je l'aimais tellement que j'en étais aveugle. Mais avec tout ce que j'ai appris ces derniers temps, j'ai réalisé mon erreur : je t'avais accusée sans même te donner la chance de t'expliquer.

Plus Agathe parle, plus l'émotion gagne Cécile. Deux larmes apparaissent au coin de ses yeux. Elle n'en a jamais parlé à personne, pas même à Jacques, mais jamais elle n'aurait touché au mari d'Agathe. Elle a toujours considéré sa nièce comme sa propre fille. Ce jour-là, quand Agathe les a surpris, elle avait déjà repoussé Patrick plusieurs fois. Cécile se dépêche de s'essuyer les yeux, mais son geste n'échappe pas à Agathe. Celle-ci s'approche de sa tante et lui souffle à l'oreille :

— Je te demande pardon de t'avoir accusée à tort.

— Oublie tout ça, murmure Cécile avant de l'embrasser sur la joue, c'est du passé.

Agathe s'en veut terriblement d'avoir fait souffrir sa tante pendant toutes ces années, alors que la pauvre n'était responsable de rien. Elle va chercher des biscuits dans le garde-manger et les dépose sur le comptoir. Elle remplit ensuite trois tasses de café et s'assoit.

— Cécile et moi, déclare Jacques, nous sommes venus te dire que tu peux compter sur nous pour garder les enfants si tu as besoin d'un répit.

— Mais ce n'est pas tout ! clame joyeusement Cécile. Si tu veux aller voir ton amie française, il nous fera plaisir, à Jacques et moi, de nous occuper d'eux.

Agathe est si touchée qu'elle sent une nouvelle vague d'émotion l'envahir. Mais elle se dépêche de la ravaler. Pour une fois qu'elle est heureuse, elle va s'efforcer de ne pas pleurer.

— Je ne vous dis pas non, répond Agathe, je réfléchirai à tout ça après les fêtes. Vous êtes vraiment très gentils de prendre soin de moi.

Cécile sort une enveloppe de sa poche et la remet à Agathe.

— C'est pour toi, annonce-t-elle.

Agathe ouvre l'enveloppe. À l'intérieur, il y a un chèque de deux mille dollars. Attendant des explications, elle regarde sa tante avec des points d'interrogation dans les yeux.

— Garde-le précieusement; c'est pour toi. Je n'ai pas mis de date sur le chèque. Tu n'auras qu'à l'inscrire le jour où tu l'encaisseras. N'oublie pas de m'avertir une journée à l'avance, par contre, pour que je puisse transférer l'argent dans mon compte.

— Mais je ne peux pas accepter ce cadeau! argumente Agathe en tendant le chèque à Cécile. C'est beaucoup trop.

— Prends-le, lui ordonne sa tante. C'est une partie de l'argent que tes parents m'ont versé quand tu habitais chez moi.

Cette fois, c'en est trop. Les larmes coulent sur les joues d'Agathe sans qu'elle puisse faire quoi que ce soit pour les arrêter. Elle embrasse sa tante.

— Merci beaucoup!

— Il n'y a qu'une condition, précise Cécile. Tu dois me jurer que cet argent ne profitera jamais à Patrick.

Cécile a toujours donné l'impression d'apprécier Patrick, mais elle aurait tant voulu que sa nièce jette son dévolu sur quelqu'un d'autre. Même si elle en savait peu sur lui, son petit doigt lui soufflait qu'il n'était pas un homme pour sa petite Agathe. Au début des fréquentations, Cécile avait fait quelques tentatives auprès de sa nièce pour qu'elle le quitte, mais cette dernière était si amoureuse de son Jules qu'elle n'entendait rien de ce que sa tante lui disait.

— Aucun danger de ce côté-là, crois-moi, répond Agathe en reniflant. Voulez-vous rester dîner avec nous? Les enfants seraient tellement contents de vous voir. Mais je vous avertis, le repas sera très simple.

Depuis la séparation, personne n'est mort de faim dans la maison. Par contre, ce qui se retrouve dans les assiettes n'a rien à voir avec ce qu'Agathe a l'habitude de servir.

— J'espère que cela ne t'offusquera pas, répond aussitôt Cécile, mais j'ai apporté une grand plat de cigares au chou.

— Au contraire, ça me fait très plaisir! la rassure Agathe. Je vais peler des patates pendant que les cigares réchaufferont.

L'attention de Cécile donne des ailes à Agathe. Pour une fois, elle n'aura pas à s'échiner à trouver quelque chose à mettre dans l'assiette des enfants. Et puis, comme Cécile est une excellente cuisinière, tous se régaleront. Jacques lui dit parfois qu'elle est meilleure que Monique, ce qui fait un petit velours à Cécile, surtout que toute la famille s'entendait pour reconnaître que Monique était un véritable cordon-bleu.

— Et moi, annonce Jacques, je vais aller acheter des beignes pour le dessert pendant ce temps-là. Si tu veux, Agathe, je peux emmener Shelby avec moi.

La pauvre chienne s'ennuie de son maître. Agathe regrette de ne pas avoir obligé Patrick à l'emmener avec lui. Mais comme elle ignorait où il irait habiter, elle avait eu pitié de la pauvre bête. Toutefois, maintenant qu'il est installé bien confortablement chez Patricia, elle lui demandera de venir chercher Shelby. De toute façon, la chienne ne manquera pas aux enfants puisqu'elle appartient à leur père et non à eux.

Lorsque Jacques et Cécile prennent congé, Agathe se sent capable de soulever des montagnes. Leur visite lui a fait le plus grand bien. Elle pourrait poursuivre la lessive, mais elle se sent tellement revigorée qu'elle décide d'aller faire un tour chez Alice.

Dans le cas où cette dernière serait sortie, elle ira faire des courses avant de rentrer à la maison.

Comme d'habitude, Alice l'accueille à bras ouverts.

— Quelle belle surprise ! Entre vite, ma chère. J'allais justement t'appeler pour prendre de tes nouvelles.

Agathe, qui flatte Capucine pour qu'elle cesse d'aboyer, se doutait bien qu'Alice était déjà au courant de ses déboires.

— Viens t'asseoir, déclare la vieille dame. Je vais nous préparer un bon café.

Alice nage dans le bonheur depuis qu'André est entré dans sa vie, et encore plus depuis qu'elle a emménagé avec lui au retour de leur voyage de noces. Elle adore sa nouvelle existence.

— Avant que j'oublie, ajoute-t-elle, je t'ai préparé plusieurs petits plats. Fais-moi penser de te les donner avant ton départ. Maintenant, dis-moi comment tu vas.

Le premier réflexe d'Agathe est de hausser les épaules.

— Bien et mal…, finit-elle par avouer. Bien, parce que je sais désormais à qui j'ai affaire. Mal, parce que je m'en veux de m'être fait avoir comme une débutante pendant toutes ces années. Je voulais tellement croire que mon prince était charmant que je refusais de regarder la vérité en face. Pourtant, Patrick m'a donné une foule d'occasions de voir sa vraie nature. Et pour être honnête, divorcer lorsqu'il y a quatre enfants dans le portrait, c'est toute une affaire.

Alice a beaucoup réfléchi à la situation d'Agathe depuis que Mylène lui a raconté l'épreuve de son amie. Comme bien des gens de son âge, elle n'est pas en faveur du divorce, mais d'un autre côté elle est révoltée qu'un homme puisse traiter sa femme ainsi.

— J'imagine assez bien tout ce que cela peut impliquer. Je n'y connais pas grand-chose, mais si je peux t'être utile de quelque façon, tu n'auras qu'à me faire signe. Je pourrais même garder tes enfants quelques heures, au besoin.

— Merci, Alice !

— Tu n'as pas à me remercier. C'est le retour de l'ascenseur. Chaque fois que j'ai eu besoin d'aide, tu as été là pour moi. C'est à mon tour de te rendre la pareille.

Les propos d'Alice touchent énormément Agathe. Elle réalise à quel point elle est bien entourée, et cela lui fait chaud au cœur. Les yeux pleins d'eau, elle va se chercher un papier-mouchoir, puis elle retourne s'asseoir.

— Je ne voulais surtout pas te faire pleurer, se désole Alice.

— Ne vous en faites pas avec ça. Ce sont des larmes de joie. Est-ce que je vous ai déjà dit à quel point je vous aime ?

— Oui, répond promptement Alice. Mais je n'ai rien contre le fait que tu me le répètes aussi souvent que tu en as envie.

Puis, sur un ton plus sérieux, elle ajoute :

— Moi aussi, je t'aime beaucoup.

— Maintenant, dites-moi comment vous allez, Alice.

Alice esquisse un sourire avant de répondre.

— Je nage littéralement dans le bonheur. Je n'ai qu'un souhait à formuler : que tu rencontres un homme aussi extraordinaire que mon André. J'aimais profondément mon premier mari, mais ça n'avait rien à voir avec l'amour que je ressens pour André. Et je ne lui ai pas encore trouvé un seul petit défaut.

Agathe songe à Vincent. Elle n'oserait pas prétendre qu'il est aussi parfait que le mari d'Alice. Mais une chose est certaine : il a plusieurs longueurs d'avance sur Patrick. Et elle non plus n'avait trouvé aucun défaut à son beau médecin. Plus les jours passent, plus Vincent habite ses pensées.

— Le moins qu'on puisse dire, c'est que l'amour vous va comme un gant, formule Agathe. Vous avez l'air encore plus jeune que la dernière fois que je vous ai vue.

— Je ne voudrais pas t'enlever tes illusions, mais c'est seulement en apparence. Chaque matin, mon corps me rappelle mon âge. Pour moi, avoir une bonne santé est plus important que tout le reste.

C'est le genre de phrases toutes prêtes qu'Agathe n'apprécie pas particulièrement. Certes, c'est important d'être en bonne santé, mais on fait pitié si c'est la seule chose qu'on possède. Agathe a toujours cru qu'un ensemble de facteurs rendait les gens heureux. Être riche, c'est bien, mais si c'est tout ce qu'on a, ça n'a rien de drôle. Être beau, c'est plaisant, mais si on a de la misère à aligner deux mots, ça ne nous sert pas à grand-chose. Être gentil, c'est bien, mais pas si on est pauvre comme la gale, ça ne sert à rien.

Agathe repart de chez Alice les bras chargés de victuailles. Pour elle, recevoir en cadeau des plats cuisinés, c'est un peu comme gagner à la loterie.

Chapitre 5

Comme Agathe l'avait prédit, Patrick est sorti de son entretien d'embauche non seulement avec un emploi, mais aussi avec une augmentation de salaire plutôt substantielle par rapport à son travail chez Metro. De plus, il ne commence à travailler que le 5 janvier, ce qui lui donne pratiquement trois semaines de vacances. Sa première idée a été d'utiliser cette période pour se rapprocher de sa femme afin de tenter de la faire changer d'idée relativement au divorce. À peine est-il de retour chez sa mère qu'il appelle Agathe pour lui annoncer la bonne nouvelle. Mais celle-ci se montre froide et distante avec lui. Il fait quelques tentatives pour qu'elle accepte de le voir. Tout ce qu'il réussit à tirer d'elle, c'est que son avocate le contactera sous peu. Il est complètement défait après avoir raccroché. En voyant la tête qu'il fait, sa mère lui donne une bière.

— J'aimerais pouvoir te dire, comme lorsque tu étais petit, que tout va s'arranger, mais je ne peux pas. Je ne t'apprendrai rien en te disant que tu as été trop loin. Je doute qu'Agathe passe par-dessus, cette fois.

— Mais tu ne comprends pas ! Je ne veux pas vivre sans elle. C'est ma femme et je l'aime.

— Je ne veux pas te faire la morale, mais tu aurais dû y penser avant, parce que ce n'est vraiment pas le message que tu lui envoyais. Mets-toi à sa place. Je ne crois pas que tu aurais enduré ne serait-ce qu'un écart de conduite comme ceux que tu t'es permis.

— Jamais je n'aurais accepté que ma femme me trompe, pas même une fois ! s'exclame Patrick d'un ton autoritaire. Je n'étais peut-être pas un mari exemplaire, mais elle n'a jamais manqué de rien, pas même de sexe. Crois-moi, il y a des femmes qui sont bien plus à plaindre qu'elle.

Patricia est outrée par ce qu'elle entend. Elle se demande comment elle a pu engendrer un être si dépourvu de morale quand il s'agit de lui-même et doté d'une si grande intolérance à l'égard de sa femme.

— Réalises-tu ce que tu dis? s'écrie-t-elle. Je ne sais pas de qui tu tiens ton manque de scrupules, mais ce n'est certainement pas de ton père ni de moi. Le mariage est un contrat qu'on signe à deux. Tu sais quoi? Si j'étais à la place d'Agathe, je demanderais aussi le divorce parce que tu ne changeras jamais. Et je pense que tu devrais te faire soigner au plus vite.

Patricia sort précipitamment de la pièce. Si son intention était de secouer son fils, elle a atteint son objectif. Patrick est assommé par les propos de sa mère, d'autant qu'elle est la deuxième personne en peu de temps à lui tenir ce discours. Il avait fait les yeux doux avec un peu trop d'insistance à la nouvelle secrétaire du grand patron, ce qui lui avait coûté son emploi chez Metro.

— On a fermé les yeux sur pas mal de choses depuis que tu travailles pour nous, lui avait dit Albert, son supérieur. Mais cette fois, je ne peux pas te couvrir. Renée est non seulement la secrétaire du grand patron, mais elle est aussi sa nièce préférée. En quelque sorte, tu n'aurais pas pu plus mal tomber. Si j'avais un conseil à te donner, ce serait d'aller te faire soigner. C'est bien beau d'aimer les femmes, mais tu devrais t'occuper de la tienne. Pour être franc, je plains Agathe de tout mon cœur d'avoir marié un égocentrique comme toi.

Patrick était sorti du bureau d'Albert en claquant la porte. Même si son supérieur le connaissait depuis longtemps, il n'avait pas le droit de lui tenir de tels propos. Évidemment, Patrick n'a révélé à personne, pas même à Francis et à Jack, la raison de son renvoi. Il joue la carte de celui qui ne comprend pas. Il se doute bien que la vraie raison a dû venir aux oreilles de Céline et peut-être même à celles d'Anna, mais comme ses belles-sœurs n'ont jamais rien dit à Agathe sur ses activités lors des congrès, il a confiance qu'elles tiendront leur langue une fois de plus pour le couvrir.

Plus les jours passent, plus Patrick sent le vide se faire autour de lui, au point qu'il n'ose même plus appeler personne. Il ne se sent pas gêné – après tout, il n'a jamais rien caché à ses amis –, mais il n'a aucune envie qu'on lui fasse la morale. Alors il dort beaucoup et passe le reste de son temps à lire des romans. Avoir l'esprit occupé l'empêche de penser, ce qui lui convient très bien. Patrick regarde dehors par la fenêtre du salon. Une fine neige folle a déjà recouvert les autos stationnées dans la rue. Soudain, il se dit qu'il serait bien mieux au chalet. Aussitôt, il va rejoindre sa mère à la cuisine.

— Ça te tenterait qu'on aille au chalet? On pourrait rester quelques jours là-bas.

Patricia aime tant la nature qu'elle n'hésite pas une seconde avant de confirmer son intérêt. S'il n'en tenait qu'à elle, elle passerait le plus clair de son temps là-bas. Étant donné que Patrick n'est pas le seul propriétaire du chalet, c'est seulement la quatrième fois qu'il l'invite depuis que ses amis et lui ont acheté l'endroit.

— Il y a une seule condition, par contre, formule Patrick, je ne veux pas entendre un mot sur mes écarts de conduite.

— De toute façon, je crois qu'on a déjà fait le tour du sujet, riposte Patricia. Quand est-ce qu'on part?

— Après le dîner. Pas besoin d'apporter de nourriture. On ira faire une petite épicerie à Saint-Georges.

— Il n'en est pas question! Il y a tout ce qu'il faut dans le congélateur. Je me charge de la bouffe.

— Comme tu veux. Je voulais seulement t'enlever un peu de travail. On peut arrêter saluer Annette en passant. Tu pourrais même l'inviter au chalet, si le cœur t'en dit.

La dernière fois qu'elle est allée à Saint-Georges, Patricia a rencontré la mère de Francis. Les deux femmes avaient sympathisé sur-le-champ. Elles s'étaient promis de se revoir lorsque Annette viendrait visiter son fils à Belœil. Mais chaque fois, c'est pareil. Quand Annette franchit la porte de la maison de Francis, elle ne trouve jamais le temps d'aller à Ville Saint-Laurent ou ailleurs.

— Bonne idée!

— J'appelle les gars pour les avertir que le chalet sera occupé jusqu'à vendredi soir. Est-ce que c'est correct pour toi?

— Évidemment! Tu sais bien que j'adore aller là-bas. Est-ce qu'il y a des raquettes?

— Oui, répond Patrick. Il y a même des skis de fond... et au moins deux pelles! blague-t-il.

Patricia se réjouit à l'idée de jouer dans la neige. Même si elle aime la ville et ses nombreux avantages, le fait de se retrouver en pleine nature lui plaît beaucoup. Depuis son accident, elle sort rarement de la maison à moins d'y être forcée. Elle se promet toujours d'aller lire dans la balançoire dès que la température le permet, mais c'est si bruyant dehors qu'elle n'arrive pas à se concentrer sur sa lecture. Alors elle s'enferme chez elle beau temps, mauvais temps. Même si auparavant elle adorait profiter du soleil, à la longue, elle a fini par s'accommoder de la situation. Elle ne dirait pas qu'elle est prête à déménager à la campagne demain matin, mais plus elle prend de l'âge, plus elle pense à vendre sa maison et à aller vivre au moins en banlieue. Elle aurait bien aimé s'installer à Beloeil, mais à cause des incartades de son fils il vaut mieux qu'elle renonce à ce projet. Même si sa relation avec Agathe est bonne, il n'en demeure pas moins que, si le divorce a lieu comme le souhaite Agathe, Patricia risque de la voir beaucoup moins souvent qu'avant. Dans les circonstances, elle se verrait mal habiter tout près de chez elle, et encore moins lui rendre visite régulièrement. Bien qu'elle n'approuve pas les agissements de son fils, elle ne peut pas prendre publiquement le parti de sa belle-fille, et ce, peu importe les circonstances. En son âme et conscience, Patricia estime que ce genre de choses ne se fait pas.

* * *

Agathe n'a pas bougé d'un poil depuis l'appel de Patrick. Elle aurait bien voulu lui dire qu'elle était contente qu'il se soit trouvé un emploi, mais c'était au-dessus de ses forces. Outre le fait de savoir que Patrick pourra contribuer financièrement aux dépenses de la maison – un poids de moins sur ses épaules –, ce qui lui arrive ne l'intéresse aucunement. Elle lui en veut tellement qu'il vaut mieux qu'il ne se retrouve pas face à elle, du moins pas pour le moment.

Isabelle ne lui adresse la parole que par absolue nécessité et elle se contente de hocher la tête en guise de réponse. Lorsqu'elle s'assoit à table pour manger, c'est à peine si elle daigne lever la tête de son assiette. Agathe a tout essayé pour la ramener à de meilleurs sentiments, mais elle n'a récolté que des méchancetés plus cruelles les unes que les autres. Isabelle ne lui pardonne pas d'avoir chassé son père de la maison, et Agathe se demande si elle y parviendra un jour. Parfois, Agathe se retient de toutes ses forces pour ne pas lancer au visage de sa fille tout ce que Patrick lui a fait endurer. Toutefois, en bonne mère, elle parvient toujours à se contrôler. Les enfants n'ont pas à payer pour les erreurs de leurs parents. Isabelle a toujours eu mauvais caractère et, comme elle se trouve en pleine adolescence, cela n'améliore pas la situation. Dans les pires moments de leur sœur, les garçons se rangent du côté d'Agathe. Sébastien est celui qui la défend le plus. Depuis le départ de Patrick, il lui propose son aide dès qu'il revient du cégep. Et le soir, c'est lui qui sort Shelby avant d'aller dormir. Alors que Dominique et Steve conversent avec leur père lorsque ce dernier appelle, Sébastien refuse catégoriquement d'adresser la parole à Patrick. C'est d'ailleurs un des facteurs qui fait ruer Isabelle dans les brancards.

— Parle à papa, ordonne-t-elle d'une voix autoritaire à Sébastien en le suivant partout dans la maison avec le téléphone. Il ne t'a rien fait. C'est bien assez que maman soit méchante avec lui. Je te l'ai déjà dit : il a besoin de nous. Allez, prends le combiné immédiatement !

La dernière fois qu'elle avait agi ainsi, Sébastien était sorti dehors sans son manteau pour qu'elle lui fiche la paix. Lorsqu'il était rentré, elle s'était jetée sur lui et s'était mise à le rouer de coups, tellement qu'Agathe avait dû s'en mêler. Isabelle était si fâchée qu'elle avait osé lever la main sur sa mère. Malheureusement pour l'adolescente, Agathe avait vu venir le coup. Elle avait saisi sa fille par le bras.

— Ne t'avise jamais de me frapper. Aussi longtemps que tu vivras sous mon toit, tu devras me respecter.

Saisie, Isabelle avait figé sur place pendant quelques secondes. Mais aussitôt qu'elle avait repris ses esprits, elle avait jeté un regard haineux à sa mère. Elle avait crié :

— Tu n'auras plus à me supporter longtemps parce que, la prochaine fois que je vais parler à papa, je vais lui demander si je peux aller vivre avec lui chez grand-maman.

Alors qu'elle se dirigeait vers sa chambre, Isabelle s'était retournée. Elle avait sifflé entre ses dents :

— Tu n'es même pas une bonne mère !

Agathe a beau connaître le contexte dans lequel ces paroles ont été prononcées, elles lui vont tout de même droit au cœur. Jamais elle n'aurait cru qu'un jour Isabelle lui lancerait des mots aussi méchants. Chez les Royer, elles étaient six filles à la maison et aucune n'aurait osé s'exprimer de cette manière, et pourtant elles avaient du caractère. Elles respectaient les règles de bienséance – enfin, la plupart du temps. Agathe se souvient d'une fois où ses sœurs et elle s'étaient crêpé le chignon sans relâche pendant qu'elles regardaient la télévision. Monique les avait sommées plusieurs fois de se calmer. Mais plutôt que d'écouter leur mère, elles avaient haussé le ton. Monique avait crié pour enterrer les voix de ses filles. Celles-ci s'étaient confondues en excuses, mais leur mère leur avait montré la direction de leurs chambres.

— Je ne veux pas vous revoir avant demain matin, avait-elle spécifié. Et je vous conseille de filer doux.

Il était si rare que leur mère les punisse que les filles obéissaient toujours sans protester. Agathe s'en rappelle comme si c'était hier. Elle se souvient aussi de la raison ridicule de la brouille : ses sœurs et elle ne s'entendaient tout simplement pas sur le choix de l'émission à regarder. Les filles Royer ont toujours manifesté un grand respect envers leurs parents, et ce, même lorsque les règles ne leur plaisaient pas. Elles exprimaient leur frustration comme tous les jeunes de leur âge, mais elles dépassaient rarement les limites.

Même si Agathe n'avait pas pour habitude de raconter toute sa vie à sa mère, celle-ci lui manque plus que jamais. Elle est bien entourée, c'est certain, mais personne ne pourra jamais remplacer Monique.

Agathe secoue la tête à quelques reprises, puis elle retourne à sa murale pour se changer les idées. Elle examine attentivement son œuvre pour s'assurer qu'elle est parfaite. Créer dans l'état où elle se trouve n'est pas facile, mais heureusement elle y arrive la plupart du temps. Agathe fait partie de ces personnes qui parviennent à s'isoler complètement du reste du monde lorsqu'elles sont immergées dans un processus de création. Beaucoup de mois ont passé depuis la première fois où elle a exposé ses œuvres dans une galerie. Elle n'aurait jamais cru que ces quelques jours suffiraient à la faire connaître autant. D'ailleurs, la murale sur laquelle elle travaille actuellement a été commandée par un couple de Québécois vivant à New York. Ils étaient passés à la galerie par hasard lors d'un bref séjour à Montréal. Ils étaient immédiatement tombés sous le charme de ses œuvres. En fait, c'est déjà la troisième pièce qu'ils lui commandent. Agathe ne les a jamais rencontrés, car ils règlent tout par téléphone. Son art ne la fait pas encore vivre, mais elle réussit à tirer son épingle du jeu.

La semaine avant que Patrick perde son emploi, une connaissance a offert à Agathe de faire des démonstrations de vêtements La Relance à domicile. Si elle se fie à la personne qui l'a contactée, cette collection sort de l'ordinaire et possède un immense potentiel. Sa première réaction a été de refuser, mais en y réfléchissant bien Agathe en est venue à la conclusion que cette activité pourrait l'aider à boucler les fins de mois. Une seule présentation par semaine suffirait. Évidemment, elle n'a pas l'intention de refuser l'argent que Patrick donnera pour les enfants, car elle sait qu'elle n'y arriverait pas sans lui. Mais elle veut s'assumer au maximum dans sa nouvelle vie. Et puis, à leur âge, les enfants n'ont plus besoin d'une gardienne. La veille, Agathe a donc rappelé la dame qui l'avait sollicitée. Elle lui a dit qu'elle aimerait voir les vêtements avant de rendre sa décision. La rencontre aura lieu ce soir.

Anna est venue passer la soirée avec elle hier. Sa sœur l'a appelée tous les jours pour prendre de ses nouvelles depuis la séparation. Pendant qu'Agathe aide les plus jeunes avec leurs devoirs et leurs leçons, Anna s'est mise en frais de faire un peu de ménage dans la maison.

— Ce n'est pas à toi de me ramasser, voyons! avait protesté Agathe. Laisse tout ça, je m'en occuperai demain. Sers-toi plutôt un autre café en attendant que je termine avec les devoirs et les leçons.

Têtue comme une mule, Anna ne l'entendait pas ainsi. En entrant chez Agathe, elle s'était dit que, si la maison était rangée, ça aiderait sûrement sa sœur à prendre le dessus.

— Ne te tracasse pas avec ça. J'ai déjà vu pas mal pire.

Anna se souvient du jour où elle avait montré à Agathe comment ranger sa maison. Un tel désordre régnait sur les lieux que pas un seul pouce carré de plancher n'était visible. Elle avait dû l'encourager très souvent à persévérer dans la bonne voie. Mais heureusement, l'état actuel de la maison n'avait aucune commune mesure avec celui de cette époque. En quelques minutes seulement, elle aura fait le tour de la question sans se presser.

— Je me demande encore comment je faisais pour vivre dans un tel fouillis, avait commenté Agathe avant d'aider Steve à résoudre un problème de mathématiques.

Les deux sœurs avaient passé le reste de la soirée à regarder la télévision, commentant ici et là, sauf pendant la diffusion de leur téléroman préféré, *Entre chien et loup*. Agathe et Anna étaient si captivées qu'on aurait entendu une mouche voler. Elles avaient été conquises dès le premier épisode et leur intérêt n'avait fait que croître depuis ce jour. Pendant les publicités, elles se dépêchaient d'aller remplir leur verre de boisson gazeuse et leur bol de chips. De tels moments font beaucoup de bien à Agathe. Ils lui donnent l'impression que sa vie va pour le mieux alors que la réalité est tout autre. Elle a pris la décision de divorcer, et elle a l'intention d'aller jusqu'au bout, mais il n'est pas facile pour autant de composer avec la situation.

— Tu devrais appeler Vincent, lui avait suggéré Anna avant de mettre ses bottes et son manteau.

— Pour lui dire quoi? Que je n'ai jamais été aussi déprimée de toute ma vie? Je ne crois pas que ce soit une bonne idée. Et puis, depuis le temps, il a sûrement rencontré quelqu'un.

— Tu ne perdrais rien à essayer, avait déclaré Anna avant de sortir. Promets-moi au moins d'y songer.

Bien qu'Agathe n'ait rien promis, elle n'a pas cessé de penser à Vincent depuis cette conversation. Une foule d'excellents souvenirs sont remontés à sa mémoire, ce qui ne manquait pas de la faire sourire. Agathe fignole sa murale. Il ne lui reste que quelques heures de travail à fournir et elle sera prête à la livrer. Mais avant de l'envoyer à ses clients, elle convoquera les filles pour avoir leur avis – en toute franchise, bien évidemment. Là-dessus, elles ne font montre d'aucune complaisance. Agathe notera soigneusement chacun de leurs commentaires et elle décidera ensuite de ceux dont elle tiendra compte. En vérifiant l'heure, elle réalise que son rendez-vous chez la coiffeuse approche à grands pas. Elle saisit son sac à main et fonce tout droit au salon. Même si elle se dépêche, elle risque d'arriver en retard. Mais ce n'est pas trop grave puisque, la plupart du temps, elle doit patienter avant que son tour vienne.

Chaque fois qu'elle va chez Annie, Agathe ne peut s'empêcher de repenser à sa sortie mémorable du salon de coiffure il y a un peu plus de deux ans. Elle était passée à deux doigts de changer de coiffeuse, mais elle avait réalisé après coup que ça n'en valait pas la peine. Annie s'était excusée quand Agathe était retournée la voir. Maintenant, la coiffeuse fait un peu plus attention à ce qu'elle raconte – du moins en sa présence.

Annie n'a pas fini de placer les cheveux de sa cliente quand Agathe entre dans le salon, et ce, même si celle-ci a cinq minutes de retard. Agathe la salue avant de se choisir une revue et de s'asseoir. Elle essaie de s'intéresser à sa lecture, sans succès. La cliente d'Annie est un vrai moulin à paroles et elle enchaîne les commérages. Agathe vient à peine d'arriver et, pourtant, pas moins de cinq personnes ont déjà été victimes de ses ragots. C'est alors qu'elle entend :

— Tu ne sais pas la dernière… Il paraît que Mme Gauthier a mis son mari dehors.

Quand Annie fronce les sourcils, la dame s'empresse de fournir des précisions.

— Tu sais bien, c'est la femme qui fait des murales. Elle a vraiment des doigts de fée, cette Mme Gauthier. J'ai eu la chance de voir ses œuvres dans une galerie de Longueuil, et c'est une artiste très douée. La pauvre, il paraît que son mari la trompait. Le salaud ! C'est terrible de faire ça à sa femme quand on a quatre enfants. De nos jours, on ne peut plus se fier à personne, et surtout pas à son mari.

Pendant une fraction de seconde, Agathe est tentée de se manifester. Mais finalement elle renonce. De toute façon, même si elle parlait, ça ne changerait rien aux racontars concernant sa séparation.

Si Agathe voyait le visage d'Annie à cet instant, elle se rendrait compte à quel point celle-ci est mal à l'aise. La coiffeuse se dépêche de terminer la mise en plis de sa cliente à la langue bien pendue.

— Et voilà, madame Lachance, vous êtes prête pour aller danser.

Cette dernière examine le résultat, puis elle fait la moue.

— Serais-tu assez gentille pour me couper un peu le toupet, ma belle Annie ?

La coiffeuse saisit ses ciseaux et s'exécute.

— C'est fait ! annonce-t-elle quelques instants plus tard.

— Je te remercie. En tout cas, j'aimerais bien rencontrer cette Mme Gauthier un jour.

La cliente paie son dû. Elle salue Annie et quitte enfin le salon.

— Je suis vraiment désolée, Agathe, lance Annie. Heureusement qu'elle ne te connaît pas…

— Ce n'est pas grave. Pour tout avouer, je me demandais justement si j'allais t'en parler… Cette Mme Lachance a réglé la question ! C'est vrai que Patrick n'habite plus à la maison. Et aussi bien te l'annoncer aujourd'hui : j'ai décidé de demander le divorce.

Avant qu'Annie n'ait le temps de réagir, Agathe lui fait part de ses attentes concernant sa coiffure :

— Tu as carte blanche, pourvu que tu me changes de tête.

Annie s'est efforcée de parler de tout et de rien pendant qu'elle s'occupait d'Agathe. C'est donc avec le sourire aux lèvres – et, de surcroît, une belle coupe – qu'Agathe sort du salon. Il suffit parfois de peu de choses pour mettre du baume sur un cœur blessé. À son retour à la maison, elle décide d'appeler Vincent sans plus de réflexion. Alors qu'Agathe attend patiemment de pouvoir laisser un message dans la boîte vocale, une femme répond après la quatrième sonnerie. À la fois surprise et décontenancée, Agathe a de la difficulté à aligner deux mots.

— Je… vous… Est-ce que… euh… Vincent est-il là ?

— Non, dit la femme sur un ton impatient. Mais je peux lui dire de vous rappeler. Qui êtes-vous ?

Cette voix haut perchée donne la chair de poule à Agathe. Si ce n'était de l'éducation qu'elle a reçue, elle raccrocherait sans plus de façon.

— Agathe… Agathe Royer.

La femme s'exclame d'une voix un peu plus chaleureuse :

— Vincent sera content ! Je suis sa mère. J'imagine qu'il connaît votre numéro de téléphone ?…

Agathe ne veut pas courir le moindre risque. S'il fallait que Vincent ait égaré son numéro ? Elle le répète deux fois à son interlocutrice.

— Mon fils est en service jusqu'à minuit, précise la dame après avoir noté l'information.

— Merci, madame, formule Agathe.

Savoir que la mère de Vincent connaissait son existence alors qu'elle n'a fait que passer dans la vie du médecin rassure beaucoup Agathe. Mais elle a tôt fait de se ressaisir. Après tout, rien ne dit que Vincent n'a pas une femme dans sa vie. Toutefois, elle a un besoin viscéral de croire qu'il la rappellera.

Chapitre 6

— Tu ne devineras jamais qui j'ai croisé avant-hier! s'exclame Jack.

Assis en face de lui, Francis hausse les épaules. Étant donné le grand nombre de personnes qu'ils connaissent, tous les deux, c'est le genre de question piège à laquelle il est quasi impossible de répondre sans se tromper.

— Imagine-toi donc que j'ai croisé la fille qui t'envoyait des lettres d'amour au travail. Elle était juste devant moi dans la file à l'épicerie. C'est d'ailleurs elle qui m'a reconnu. Elle m'a parlé comme si de rien n'était. J'ai même eu l'impression qu'elle me faisait les yeux doux. C'est tout un phénomène, celle-là!

Francis écoute distraitement son ami. Depuis le jour où la saga des lettres d'amour a pris fin, il fait son gros possible pour oublier cette histoire. Karine, sa collègue, avait raison: il connaissait effectivement la femme qui l'inondait de lettres. Quelques années auparavant, elle avait patrouillé avec lui pendant qu'elle faisait son stage. Quand il a su son nom, il s'est non seulement souvenu d'elle, mais aussi du fait qu'elle ne s'était pas gênée pour lui faire des avances, plus directes que subtiles. Elle avait complètement ouvert son jeu la dernière semaine. Mais jugeant le tout assez inoffensif, Francis n'avait pas cru bon de noter ce fait à son dossier. D'ailleurs, l'enquêteur chargé de l'affaire des lettres anonymes le lui avait reproché. Depuis, Francis ignore totalement ce qu'il est advenu de la jeune femme, et il s'en fout royalement.

— Je n'arrive toujours pas à comprendre comment une personne sensée peut risquer autant pour une simple partie de jambes en l'air, commente Francis. En plus, ça prend un sacré culot pour faire de telles choses. Je ne lui souhaite pas de mal, mais j'espère au moins qu'elle a été sanctionnée.

— Tu vas rire, mais je n'ai même pas eu besoin de lui poser la question. Figure-toi qu'elle me parlait comme si on était de vieux amis. Elle est même allée jusqu'à me demander de tes nouvelles. Je n'en suis pas encore revenu ! Elle m'a dit qu'elle travaillait comme agent de sécurité. Tu risques même de la croiser, car elle vient d'accepter un contrat de six mois à Longueuil. Au besoin, elle œuvrera aussi à Belœil.

— Le pire, dans tout ça, c'est qu'elle est mariée. Je me demande quel genre d'homme peut endurer une telle femme.

Francis réalise qu'il n'a pas besoin de chercher bien loin pour trouver la réponse à sa question. Certes, la situation d'Agathe est différente, mais son histoire a plusieurs points communs avec celle de cette fille.

— Un homme qui a une personnalité semblable à celle d'Agathe…, énonce Jack du bout des lèvres.

— C'est exactement ce que j'étais en train de me dire. As-tu eu des nouvelles de Patrick depuis qu'il vit chez sa mère ?

— Pas même un coup de fil. J'en parlais justement avec Anna hier soir. Il ne lui a pas fait signe non plus, et pourtant ils sont amis. Selon elle, on devrait l'appeler.

Francis y a pensé plus d'une fois, mais il ne s'est pas encore décidé à le faire. Il n'est pas fâché contre Patrick, il savait très bien que son voisin magouillait dans le dos d'Agathe, mais jamais il ne se serait douté que son ami irait jusque-là. Francis n'a pas vu l'incriminant carnet, et il y a peu de chances que cela arrive un jour, mais il ne comprend pas pourquoi Patrick ne leur a pas encore téléphoné, à Jack et lui.

— Suzie n'a pas eu de ses nouvelles non plus. Elle pense que s'il n'appelle pas, c'est parce qu'il est gêné. Pour ma part, j'ai un peu de mal à y croire. Ce n'est vraiment pas dans la nature de Patrick.

— Tu as bien raison. Es-tu libre mardi soir prochain ?

Francis acquiesce d'un signe de la tête.

— Je propose qu'on aille manger avec lui, déclare Jack. Je peux me charger de l'appeler, si tu préfères.

— C'est parfait pour moi, répond Francis.

— J'ai dit à Anna que si on voyait un gars faire ça au cinéma, on trouverait cela exagéré. En tout cas, je suis encore sous le choc. Tu vas rire, mais j'ai l'impression qu'au fond de lui il voulait se faire prendre.

— Le moins qu'on puisse dire, c'est qu'il a joué avec les poignées de sa tombe.

— Si tu veux mon avis, il est couché dans sa tombe de tout son long et le couvercle est dessus. J'aimerais bien savoir à quoi il a pensé en laissant traîner les preuves de ses infidélités ! C'est totale- ment ridicule. Il aurait pu au moins s'inventer un code que lui seul aurait compris. Une chance qu'il n'est pas un criminel, parce qu'il n'aurait pas fait long feu, celui-là.

Certains hommes posent des gestes que leurs congénères ne peuvent comprendre, même avec la meilleure volonté du monde. Lorsqu'un individu trompe sa femme, le moins qu'il puisse faire, c'est de s'arranger pour qu'elle ne découvre pas le pot aux roses.

— Crois-tu que Patrick a des chances qu'Agathe revienne sur sa décision ? questionne Jack.

— Pas si je me fie à ce que Suzie m'a confié. Ce n'est pas pour être méchant, mais j'espère sincèrement qu'Agathe restera sur ses positions. La pauvre femme… Je me doute de toutes les conséquences que le divorce implique, mais j'estime qu'elle a donné suffisamment de chances à Patrick. Et toi ?

— Je suis de ton avis. Patrick aurait dû y penser avant. C'est bien dommage pour Agathe et les enfants, mais pour une fois il a ce qu'il mérite.

Perdus chacun dans leurs pensées, les deux amis sursautent lorsque Pierre les interpelle.

— On pourrait croire que vous n'avez pas la conscience tranquille ! Est-ce que je peux m'asseoir avec vous ?

— Bien sûr ! répond Francis en lui désignant une chaise. Tu m'as fait une de ces peurs !

— J'ai bien vu ça. C'est Anna qui m'a dit que je vous trouverais ici.

Malgré ses demandes répétées, Pierre ne possède toujours pas de part dans le chalet de Francis, Jack et Patrick – et cela ne risque pas de changer de sitôt. Ce n'est pas parce que les hommes ne l'aiment pas, bien au contraire. Mais ils estiment qu'ils sont suffisamment nombreux et, de plus, aucun d'entre eux n'a envie de repasser chez le notaire. Mais tous ont assuré à Pierre que Céline et lui seraient toujours les bienvenus et qu'ils pourraient même emprunter le chalet à l'occasion. Le couple se joint au groupe chaque fois que Céline s'accorde quelques heures de congé. Pierre vient parfois seul.

— Demande un verre au serveur, déclare Jack. Francis et moi, nous venons tout juste de commander un autre pichet de *draft*.

— Je ne voulais pas vous déranger, signale Pierre après avoir fait signe au serveur, mais je tenais absolument à vous parler de deux choses. Tout d'abord, il serait peut-être temps qu'on voit Patrick. Évidemment, il n'aurait jamais dû tenir un registre de ses aventures, mais le pauvre n'a que nous pour lui remonter le moral. On ne pourra pas faire grand-chose pour lui, mais il me semble que, si j'étais dans sa situation, j'aimerais savoir que je peux compter sur mes amis. Qu'est-ce que vous en pensez?

— On est d'accord, répond Francis. Jack et moi venions justement de décider d'aller souper avec lui mardi prochain. Jack va communiquer avec lui. Pour ma part, je devais t'appeler en arrivant à la maison.

Ce petit mensonge fait naître un sourire en coin chez Jack. Francis et lui auraient pu penser à aviser Pierre.

— C'est parfait pour moi, affirme Pierre.

Les trois hommes lèvent leur verre avant de les choquer.

— Je voulais aussi vous parler de quelque chose d'autre, lance Pierre. Vous savez bien que, même si je suis en couple, je me retrouve souvent seul. Ce n'est pas grave, puisque je parviens toujours à m'occuper, mais il me semble que je pourrais mieux rentabiliser mon temps. Je pense sérieusement à me lancer dans la construction d'immeubles résidentiels, alors je me cherche des partenaires d'affaires.

Aussitôt qu'il entend ça, Francis se redresse sur sa chaise. Il lui arrive encore de donner un coup de main à celui qui a acheté la disco-mobile, mais il a envie de se trouver un autre passe-temps.

Et puis il y a longtemps qu'il veut acheter des édifices à logements. Cependant, il n'est pas très habile dans les travaux manuels. Comme on dit, il est un excellent second et il ne demande pas mieux que d'apprendre.

— Oublie-moi, répond Jack. Mon père a des immeubles depuis que je suis tout petit. Je l'ai tellement vu travailler que je refuse d'embarquer dans ce genre de projet. L'année dernière, il m'a offert de m'associer avec lui à des conditions exceptionnelles et j'ai refusé. Sincèrement, je ne suis pas l'homme de la situation. Je ne me vois pas en train de courir après les chèques du loyer, et encore moins de devoir déboucher une toilette parce que madame l'a prise pour une poubelle.

— Ce n'est pas que je veuille te faire changer d'idée, précise Pierre, mais je ne vise pas cette clientèle. Sans tomber dans le luxe extrême, je voudrais construire de beaux édifices pour des professionnels qui ne veulent pas devenir propriétaires.

— Pourquoi ne te contentes-tu pas d'acheter des bâtiments déjà construits ? s'enquiert Francis.

— Pour la simple et bonne raison qu'on ne sait jamais ce qu'on achète. Et puis, avec nos horaires, je crois qu'on pourrait en faire une bonne partie nous-mêmes. Je ne suis pas un spécialiste en construction, mais je me débrouille plutôt bien. L'autre jour, j'en ai glissé un mot au beau-père. Il est prêt à me donner un coup de main à temps perdu. Comme vous le savez, Jacques est très habile de ses mains. Il m'a dit qu'il y a un terrain à vendre près de chez lui. Ce n'est peut-être pas le quartier le plus réputé de l'île, mais d'après Jacques il n'y a aucun logement inoccupé dans ce coin-là. De plus, c'est un des rares secteurs à Montréal où les terrains sont encore abordables.

L'idée de devoir se rendre sur l'île ne plaît pas beaucoup à Francis. Il se tape déjà suffisamment de route pendant le travail. Par contre, le projet de Pierre l'interpelle beaucoup.

— Belœil ne t'intéresserait pas? lui demande Francis. Les Montréalais en moyens adorent l'endroit. Il y a un terrain à vendre sur le bord de la rivière.

— Rien ne nous empêche de construire à deux emplacements, déclare Pierre. On pourrait le faire en alternance. Qu'est-ce que tu en dis?

— D'abord, ça m'intéresse. Reste à voir combien on devra débourser. Ma capacité d'investissement est quand même limitée.

— Vous devriez rencontrer mon père, suggère Jack. Je suis convaincu qu'il serait heureux de partager ses connaissances avec vous.

— C'est une excellente idée! acquiesce Pierre. Peux-tu me donner son numéro de téléphone?

***

Patricia a invité Annette à venir la rejoindre au chalet. Mais cette dernière lui a fait une autre proposition.

— Tu n'aurais pas pu mieux tomber. Paul travaille jusqu'à minuit. Si tu veux, je passe te chercher dans une heure et on mange ensemble.

— Je peux demander à Patrick de me conduire chez vous, répond Patricia.

— Non, non! Je dois aller à l'épicerie, de toute façon. On se voit tout à l'heure.

Patricia regrette qu'Annette habite si loin. Du temps où Jean-Marie vivait, elle et lui passaient la majeure partie de leur temps ensemble. Elle ne se rendait pas compte qu'elle n'avait pratiquement pas d'amis. Mais maintenant, cela lui saute au visage chaque fois qu'elle veut faire une activité. À part ses enfants et une ou deux copines de longue date trop mal en point pour sortir, son entourage est restreint. Même si elle a une bonne relation avec ses filles, il est très rare qu'elles lui proposent une sortie. Patricia lit, tricote et regarde la télévision, mais certains jours elle aimerait avoir des occupations plus stimulantes. Elle a commencé à faire du bénévolat une journée par semaine à l'hôpital Sainte-Justine. Elle adore l'expérience, mais ce n'est pas idéal pour connaître de nouveaux amis. Patricia aimerait joindre une chorale, mais elle n'a pas encore osé s'y mettre de façon officielle. La semaine dernière, elle est entrée dans la salle de répétition. En voyant la foule qui se trouvait dans la pièce, elle était aussitôt ressortie.

— Comment ça se passe depuis que Patrick habite chez toi ? s'informe Annette.

— Pas trop mal dans les circonstances, mais on évite de parler de sa séparation. Il connaît ma position sur ce qu'il a fait endurer à sa femme, mais pour le reste je ne peux pas faire grand-chose. J'ai téléphoné à Agathe pour lui offrir mon aide, mais je serais la première surprise si elle me contactait. Pauvre femme, elle ne méritait pas ça…

Annette se souviendra toujours de la discussion que les filles et elle avaient eue au chalet. Agathe avait confié qu'elle avait voulu faire une surprise à Patrick en allant le rejoindre à un congrès. Annette leur avait raconté l'histoire du chef de la police qui s'était fait prendre en flagrant délit d'adultère par sa femme dans une situation identique. Elle s'en veut encore d'avoir parlé de cela à Agathe.

— Il n'y a personne sur terre qui mérite de se faire tromper.

— Je ne suis pas fière de mon fils. Jean-Marie et moi l'avons pourtant bien élevé. Je me demande de qui il peut tenir un tel comportement.

— Mon beau-père t'aurait conseillé de cesser de t'en faire. Il aurait ajouté qu'on ne peut pas tout comprendre et que ça prend un commencement à tout. Regarde juste dans ma famille. Trois de mes fils sont policiers et les deux autres ont été des criminels avant de revenir dans le droit chemin. Et pourtant, il n'y en a jamais eu dans ma famille ni dans celle de mon mari. J'ai mis des années à me persuader que je n'étais pas responsable de leurs choix et que je n'étais pas obligée de comprendre pourquoi ils avaient agi ainsi. Je ne sais pas ce qu'il en est de ton côté, mais, pour moi, être parent est la tâche la plus difficile de ma vie.

Patricia réfléchit avant de répondre. D'aussi loin qu'elle se souvienne, ses enfants ne lui ont jamais fait la vie dure du temps où ils vivaient à la maison. Aucun d'entre eux ne s'est fait prendre à voler, et Patricia aime croire qu'ils n'ont jamais rien fait de tel. Les garçons sont rentrés soûls plusieurs fois, mais comme aucun d'entre eux n'avait d'auto à cette époque, c'était sans grande conséquence. Et les filles ne sont pas devenues enceintes pendant leur adolescence. En réalité, le seul à qui Patricia peut reprocher quelque chose, c'est Patrick. Mais au moins il assume les conséquences de ses actes.

— Je mentirais si je disais que mes enfants ont été difficiles à élever. Ce ne sont pas des anges, mais aucun ne m'a réellement causé de soucis. J'aurais eu au moins une douzaine d'enfants si le bon Dieu n'en avait pas décidé autrement.

— Pas moi! objecte vivement Annette.

Avoir cinq enfants a été plus que suffisant pour Annette. Elle était toujours en train de courir, au point que sa mère lui répétait constamment qu'elle devait apprendre à mieux gérer son temps. Cela l'enrageait au plus haut point. Élever cinq garçons avec un mari absent deux semaines sur trois, ce n'était pas facile. Et la phrase « Attends que ton père revienne » ne faisait pas effet bien longtemps. C'est une période de sa vie qu'Annette a trouvé très difficile et sur laquelle elle n'aime pas s'étendre très longtemps.

— Changement de sujet, as-tu fini par joindre la chorale ?

Patricia lui raconte en long et en large les raisons qui l'en empêchent.

— Je te comprends tellement, commente Annette. Tout le monde a l'air de penser que c'est un jeu d'enfant de se faire de nouveaux amis, mais ce n'est pas le cas. Et je sais de quoi je parle, car ça fait des années que j'essaie sans grand résultat. Je connais beaucoup de personnes, mais de là à les considérer comme des amis, il y a une marge. Mon meilleur ami était mon beau-père, et il est décédé. J'aime beaucoup Laura, la femme de mon fils Olivier, mais elle habite à Québec, alors c'est plus compliqué. Tu vas sûrement me trouver folle, mais en allant te chercher je me disais que tu devrais déménager par ici. J'ai même vu une belle petite maison à vendre, elle est située à quelques minutes seulement de chez moi. Si tu veux, je te la montrerai quand je te ramènerai au chalet.

À peine a-t-elle fini sa phrase qu'Annette regrette ses paroles.

— Oublie ça, ajoute-t-elle en balayant l'air de la main. Ça n'a aucun sens et c'est purement égoïste de ma part. Tu n'as certainement pas envie de déménager en Beauce alors que tu habites à Ville Saint-Laurent. Paul a raison : parfois, je devrais tourner ma langue sept fois avant de parler.

Mais la proposition d'Annette fait rapidement son chemin dans l'esprit de Patricia. Elle ne connaît pas très bien la Beauce, mais ce qu'elle en a vu lui plaît. Et elle a toujours beaucoup de plaisir en compagnie de la mère de Francis.

— Ton idée n'est pas si bête, réagit spontanément Patricia. La coïncidence est curieuse parce que je pensais justement à m'installer en banlieue.

— Peut-être, mais Saint-Georges n'est quand même pas la porte à côté de Montréal.

— Qui a dit que je devais absolument vivre à proximité de Montréal? Tu sais aussi bien que moi que ce n'est pas parce qu'on habite près de nos enfants qu'on les voit plus souvent. Sérieusement, j'aime bien ton idée. Par contre, je ne suis pas certaine que je me rachèterais une maison. Je pense plutôt que je louerais un appartement.

— Es-tu sérieuse? s'exclame Annette d'une voix enjouée. Tu ne peux pas t'imaginer à quel point je serais contente si tu te rapprochais. Tu crois vraiment que cela te plairait de t'établir dans le coin?

Plus Patricia y pense, plus l'idée de se fixer dans la région la séduit. Au lieu de se donner du mal à revamper sa maison, elle n'aurait qu'à la vendre dans son état actuel. Elle aime encore sa demeure, mais ce n'est plus pareil depuis que Jean-Marie est parti. Et puis vivre dans ses souvenirs n'est guère salutaire. Patricia songe qu'à son âge c'est le temps ou jamais de passer à autre chose.

— Oh oui! Il y a déjà trop longtemps que je m'entête à vivre dans le passé. Changer de décor me ferait le plus grand bien. Même que si j'étais plus courageuse, je vendrais ma maison avec tout ce qu'elle contient et je repartirais à neuf.

Patricia ne roule pas sur l'or. Mais avec la vente de la maison et la petite assurance qu'elle a touchée à la mort de son mari, elle a les moyens de se gâter un peu. Depuis qu'Agathe lui a raconté que la grand-mère d'une de ses amies – en l'occurrence Alice – s'était meublée à neuf, elle rêve en secret de se payer ce luxe. Ce n'est pas mêlant, c'est rendu qu'elle grimace chaque fois qu'elle pose les yeux sur un de ses meubles tellement elle en a assez de les voir. Jean-Marie et elle n'ont jamais rien remplacé dans la maison en quarante ans. Évidemment, les objets ont déjà été beaux, mais là tout paraît terne : les tentures sont délavées, les fauteuils sont usés à la corde, la vaisselle est ébréchée et la literie est trouée par endroits. Lorsque Patricia revient de chez ses filles, elle a l'impression de sauter à pieds joints dans le passé. Chaque fois, cela la déprime un peu plus.

Annette a peine à contenir sa joie à l'idée que Patricia viendra peut-être s'installer près de chez elle. Elle ne voudrait surtout pas l'influencer plus qu'elle ne l'a déjà fait. Il faut un sacré courage pour changer de région. Et la vie en Beauce n'a rien de comparable avec celle que Patricia mène à Ville Saint-Laurent.

— J'ai toujours rêvé de vivre sur le bord de l'eau, ajoute Patricia, la mine réjouie.

— C'est vrai qu'elle est belle, notre rivière. Mais d'aussi loin que je me souvienne, elle a la fâcheuse manie de déborder chaque printemps. Si j'étais à ta place, j'y penserais à deux fois avant de déménager à proximité de l'eau. Si tu veux, je te montrerai quelques endroits qui ont toujours été épargnés jusqu'à ce jour. Ils sont plus éloignés de la berge, mais comme ils sont élevés, ils procurent tout de même une très belle vue sur la rivière. Le plus beau, c'est quand on l'entend descendre entre les glaces au printemps. Même à mon âge, je suis encore impressionnée par le bruit infernal qu'elle produit. Je ne te mens pas, on jurerait chaque fois que la fin du monde est arrivée.

Annette connaît très bien les dégâts que l'eau peut causer. La ferme où elle a grandi se trouvait près de la rivière. Chaque année, le sous-sol de la maison était inondé. Même s'il ne contenait aucun objet de valeur, c'était toujours un moment difficile à passer. L'eau n'était pas seulement glaciale, elle charriait tout ce qu'elle avait rencontré sur son passage. Les membres de la famille devaient travailler d'arrache-pied tant que tout n'était pas revenu à la normale. Annette avait été si traumatisée par le déchaînement des éléments que, lorsqu'il avait été question de choisir l'endroit où Paul et elle construiraient leur maison, elle avait refusé catégoriquement de s'établir sur le bord de la rivière, et ce, même si Paul avait fait une offre sur un des plus beaux terrains de la ville. Il avait eu beau user de tout son pouvoir de persuasion, rien n'y avait fait. À bout de patience, il avait abandonné l'idée de s'installer sur le bord de l'eau. Il avait accepté de construire la maison à plus d'un kilomètre de l'endroit désiré.

— En autant que je verrai la rivière…, déclare Patricia.

Patricia aime beaucoup l'eau et l'énergie qui s'en dégage. Elle n'est pas sortie souvent de Montréal, mais lorsque les enfants étaient jeunes, elle fréquentait les plans d'eau avec eux tous les étés. Elle les emmenait au bord d'un lac, d'une rivière et même du fleuve aussi souvent que possible. L'eau l'a toujours attirée comme un aimant.

— Je suis déjà tout excitée à l'idée que tu viennes habiter par ici. Je te ferai visiter la région et je t'emmènerai à Québec aussi, si tu veux. Tu vas adorer Québec. Je serais si contente si tu concrétisais ton rêve !

Pour une fois dans sa vie, Patricia a l'intention de penser à elle. Non seulement ses enfants n'ont plus besoin d'elle, mais en plus ils ont très peu de temps à lui consacrer. Étant donné qu'elle n'a pas l'habitude de s'imposer, elle a l'impression d'être une vieille lampe de chevet qui attend patiemment qu'on l'allume. Ce n'est certainement pas ainsi qu'elle veut passer le reste de sa vie. Elle a encore de belles années devant elle, et son souhait le plus cher est de profiter de chacune d'elles au maximum. Quelques jours avant de mourir, Jean-Marie le lui avait d'ailleurs fait promettre. Elle l'entend encore répéter que dorénavant elle devra penser plus à elle.

— J'en ai bien l'intention ! l'assure Patricia. Je vais même en parler à Patrick en arrivant au chalet.

— Et s'il essayait de te décourager ?...

— Il n'en fera rien. Mon fils a bien des défauts, mais il a toujours voulu mon bonheur. Alors, si venir m'établir par ici me rend heureuse, il fera son possible pour m'aider.

* * *

Patricia ne s'était pas trompée. Patrick est très content pour elle.

— Pour une fois que tu ferais quelque chose pour toi, si c'est ce que tu souhaites, fonce ! Si tu veux, je peux faire quelques travaux dans la maison avant que tu la mettes en vente.

— C'est gentil. Mais, quitte à baisser le prix, je n'ai pas l'intention d'entreprendre des travaux supplémentaires.

— Tu perdrais beaucoup trop d'argent. Quand on retournera à Ville Saint-Laurent, on décidera ensemble des améliorations qui pourraient augmenter la valeur de la maison. Je suis si content que tu penses enfin à toi !

Ce soir-là, Patricia dort comme un bébé.

Chapitre 7

Après le départ des enfants, Agathe retourne se coucher – ce qui ne lui ressemble guère. Voilà trois jours qu'elle ne dort presque pas. Elle connaît la principale raison de son insomnie : elle n'a pas reçu de nouvelles de Vincent. Cela la perturbe énormément. Elle comprend qu'il a peut-être rencontré quelqu'un, mais elle voudrait qu'il la rappelle pour l'en informer. Ce n'est pas la seule chose qui empêche Agathe de dormir. Plus les jours passent, plus elle réalise l'ampleur de ce qui l'attend. Cependant, il est hors de question qu'elle fasse machine arrière ; ce serait au-dessus de ses forces. Reste maintenant à savoir comment elle réussira à surmonter le divorce. Isabelle est revenue à la charge plusieurs fois avec son projet d'aller vivre avec son père. La dernière fois qu'elle a parlé à Patrick, Agathe lui en a glissé un mot.

— Mes enfants seront toujours les bienvenus dans ma vie, avait-il lancé sans la moindre hésitation.

Cette réponse de Patrick rassure beaucoup Agathe pour l'avenir. Ce qui l'inquiète, par contre, c'est comment il s'en tirera au quotidien lorsqu'il sera seul avec les enfants. Faire le déjeuner n'est pas trop compliqué, mais préparer le dîner et le souper est bien différent. Et puis Patrick n'a jamais fait le ménage. Tout s'apprend, mais encore faut-il le vouloir. Patrick ne l'a pas dit ouvertement, mais Agathe a toujours eu l'impression qu'il considérait les tâches ménagères comme indignes de lui. Lorsqu'il surprenait Francis en train de passer l'aspirateur, par exemple, il lui lançait toujours une boutade. Agathe craint que si Isabelle emménageait avec son père, ce dernier lui déléguerait toutes les tâches qui, selon lui, sont dévolues aux femmes. Elle ne le tolérerait pas.

Ce matin, alors que le soleil ne s'était pas encore montré le bout du nez et qu'elle n'avait pas fermé l'œil de la nuit, Agathe s'était levée. Puis elle avait commencé à noter toutes ses tâches. Si elle avait su qu'un jour elle se retrouverait seule avec ses enfants, elle y aurait pensé sérieusement avant d'en avoir trois. « Et si j'avais connu la vraie nature de Patrick, je ne me serais pas mariée avec lui. Il pourra se vanter de m'avoir eue sur toute la ligne. » Agathe avait surligné les choses les plus importantes parmi tout ce qu'elle avait à faire.

Finir d'acheter les cadeaux de Noël.

Aller acheter un sapin.

Préparer les gâteries préférées des enfants.

En regardant sa liste de plus près, Agathe s'était vite rendu compte que pour réaliser la plupart de ses corvées il lui faudrait une auto. Le couple n'en avait qu'une, et c'est Patrick qui l'avait gardée – même si cela était illogique puisqu'il pouvait facilement se déplacer en transport en commun tant qu'il vivait sur l'île. Agathe pourrait toujours emprunter la voiture de Suzie. Sa voisine réitérait son offre chaque fois qu'elles se voyaient, mais ce serait trop compliqué à long terme. Il faudrait qu'Agathe conduise son amie au bureau et qu'elle aille la chercher en fin de journée. Elle savait que cela finirait par créer de la friction. Et au bout du compte, elle passerait plus de temps à se promener qu'à faire ses courses. Pour Agathe, c'était clair : elle avait absolument besoin d'un véhicule. Les paroles de sa tante Cécile lui étaient alors revenues en mémoire. Avec l'argent que cette dernière lui avait donné, elle pourrait s'en acheter une. Ce ne serait pas une auto neuve, mais l'important était qu'elle soit fiable. Agathe appellerait Cécile aujourd'hui.

***

Les yeux grands ouverts, Agathe réfléchit. Patrick tient le rôle principal dans ses pensées. Elle le revoit lui faire les yeux doux. Les larmes coulent sur ses joues. Depuis qu'elle a trouvé le petit carnet noir, elle doute de tous les bons moments qu'elle a vécus avec son mari. Elle a beau essayer de se raisonner, elle n'arrive plus à en apprécier aucun. Pour elle, tout sonne faux – même le jour de son mariage. À certains moments, elle a envie de comparer les dates inscrites dans le carnet avec les moments forts de sa relation avec Patrick. Mais heureusement pour elle, le document se trouve chez son avocate.

Lorsqu'elle a abordé le sujet avec Anna, la veille, sa sœur lui a conseillé de cesser de penser à tout ça et d'avancer.

— Je voudrais bien t'y voir, avait clamé Agathe sur un ton brusque. Réalises-tu que ma vie s'est effondrée en une fraction de seconde comme un château de cartes ? Tout ce qui m'est arrivé de beau avec Patrick reposait sur des mensonges. Je m'en veux tellement de m'être fait avoir de la sorte.

— Je sais tout ça, mais tu ne peux rien changer aux événements passés. Par contre, tu peux prendre ton avenir en main et t'arranger pour que ce genre de choses ne se reproduisent plus. As-tu rappelé Vincent ? Sa mère a peut-être oublié de lui faire le message.

— Non, et je n'ai pas l'intention de le faire.

Anna plaignait sa sœur de toutes ses forces. Elle était prête à tout pour l'aider à se sortir de cette douleur qui la gruge de l'intérieur. Si elle avait une baguette magique, elle changerait Patrick en prince charmant et lui ordonnerait d'offrir une vie digne d'un conte de fées à Agathe jusqu'à la fin de ses jours. Mais d'abord, elle prendrait soin d'effacer tous les moments sombres qui hantent la mémoire de sa sœur. Comme elle n'avait pas le pouvoir de changer le cours des choses, elle ne pouvait que veiller sur elle et l'encourager à tourner la page une fois pour toutes.

Le sommeil gagne Agathe. Elle bâille à s'en décrocher la mâchoire. Alors qu'elle s'apprête à s'endormir, la sonnette de la porte la ramène brusquement à la réalité. Elle se redresse dans son lit en se demandant où elle est et pourquoi elle est couchée alors qu'il fait clair dehors. Elle se frotte les yeux tout en essayant de mettre de l'ordre dans ses idées quand un second coup de sonnette retentit. Agathe se lève d'un bond et, tel un automate, se dirige vers la porte d'entrée en se traînant les pieds. Elle tire le rideau et, lorsqu'elle aperçoit le camion de la poste, elle ouvre aussitôt.

— J'allais partir, dit l'homme en uniforme. J'ai un colis pour Mme Agathe Royer.

— C'est moi! s'exclame-t-elle.

— Signez ici.

Agathe referme vite la porte, car il fait un froid de canard ce matin. Elle file à la cuisine pour ouvrir le paquet. C'est alors qu'elle remarque qu'il provient d'Annick. Un large sourire s'affiche aussitôt sur ses lèvres. Elle déchire l'enveloppe qui accompagne le colis et se met à lire la lettre.

Ma pauvre Agathe,

J'ai bien reçu ta lettre. Tu me vois désolée de ce qui t'arrive. La vie est non seulement injuste, elle est trop souvent cruelle. Si j'habitais près de chez toi, je t'enlèverais et t'emmènerais à mon chalet. Je t'offrirais tout ce qu'il faut pour oublier ton malheur, au moins pendant quelques heures. Faute de pouvoir le faire, je t'envoie tous les ingrédients que j'utilise pour surmonter les coups durs que la vie place sur mon chemin. Ma méthode n'a rien de scientifique, mais elle fonctionne pour moi. À toi maintenant de découvrir si elle te convient. Voici les règles à respecter :

1) Te faire accompagner d'une personne de ton choix (la présence de ton ex-mari est interdite).

2) Trouver un endroit tranquille où vous ne risquez pas de vous faire déranger.

3) Augmenter la dose de chaque élément au besoin (fortement recommandé par ton médecin traitant).

4) Suivre l'ordonnance jusqu'au bout sans te poser de questions.

Je ne peux pas te garantir la guérison totale, mais je te promets une diminution significative de ton malheur au fur et à mesure que le traitement sera appliqué.

Et pour te guérir complètement, j'ai glissé une petite surprise pour toi dans une seconde enveloppe. Je te conseille de ne même pas essayer de refuser mon présent.

Ton cadeau de Noël suivra sous peu. N'oublie jamais que tu es la personne la plus importante de ta vie et que toi seule peut en prendre soin.

À bientôt !

Annick

Malgré toute leur bonne volonté, les deux amies n'ont pas encore eu l'occasion de se voir. L'été dernier, Annick avait prévu venir au Québec, mais sa belle-mère s'était cassé une jambe une semaine avant son départ. Vu que c'était elle qui devait garder les enfants, le voyage avait dû être annulé. Mais au moins, elles s'appellent une fois par mois. Il fallait les entendre la première fois qu'elles se sont parlé, elles avaient l'air de deux petites filles.

Maintenant que Monique n'est plus de ce monde, Annick et Hélène sont les seules personnes de qui Agathe reçoit des colis. Depuis leurs retrouvailles, Agathe envoie toujours un cadeau à Annick à Noël et à son anniversaire. Elle déchire vivement le papier et ouvre la boîte. Elle enlève le papier d'emballage que son amie avait mis pour empêcher les objets de s'entrechoquer et de se briser. Agathe sourit en voyant les surprises. Il y a une bouteille de champagne, deux grosses tablettes de chocolat aux noisettes, un paquet de craquelins, un pot de foie gras, une grande feuille de papier blanc ainsi qu'un crayon feutre et un ensemble de six fléchettes. Un court message inscrit au stylo explique la marche à suivre. *Tu n'as qu'à écrire en gros caractères ce que tu veux oublier et à lancer les fléchettes jusqu'à ce qu'il ne reste plus rien de ce que tu auras noté.*

Agathe sait déjà quoi écrire : un mot de sept lettres commençant par un *P.*

En plus de la faire sourire, l'attention d'Annick la touche profondément. Agathe a l'intention de suivre ses recommandations. Elle appellera Anna ce soir pour lui proposer de l'accompagner dans sa « cure ».

Agathe trouve une enveloppe au fond de la boîte, tel qu'Annick l'avait décrit. Elle se demande bien ce qu'elle peut contenir. Quand elle l'ouvre, Agathe y découvre un billet d'avion pour Paris. Elle se met aussitôt à pleurer à chaudes larmes. Elle a du mal à croire qu'Annick, qu'elle n'a encore jamais rencontrée, lui paie un billet d'avion. Un petit mot accompagne le billet. Agathe s'essuie les yeux et renifle un bon coup avant de le lire : *Tu n'as qu'à me prévenir de ta date d'arrivée.*

Pour Agathe, c'est une grande surprise. Jamais elle n'aurait imaginé recevoir en cadeau de son amie française un billet d'avion aller-retour pour Paris. Elle n'en revient tout simplement pas qu'Annick soit si généreuse. Agathe s'assoit sur une chaise et laisse libre cours à ses émotions. Cette fois encore, ce sont des larmes de joie.

La sonnerie du téléphone se fait entendre au moment où Agathe allait ranger son cadeau dans sa chambre. Elle attrape l'appareil au passage et répond gaiement. À l'autre bout du fil, Jacques sourit. Il commençait à se demander si, un jour, sa fille retrouverait sa joie de vivre. Il la salue rapidement et ajoute :

— J'ai un cadeau pour toi, ma belle fille. Cécile et moi avons décidé de te donner notre auto. Nous avions l'intention de la changer seulement au printemps. Mais depuis que nous t'avons vue, nous estimons que tu dois avoir un véhicule maintenant que tu te retrouves seule avec quatre enfants. Qu'en penses-tu ?

— Ce serait merveilleux d'avoir mon autonomie ! s'exclame Agathe avec un trémolo dans la voix. J'étais justement en train de me dire que je devais trouver une solution avant de devenir complètement folle. Je perds énormément de temps à seulement chercher quelqu'un pouvant conduire les enfants à leurs activités. Merci, papa. Sincèrement, Cécile et toi, vous m'enlevez une épine du pied.

— Crois-tu que tu pourrais te libérer demain matin pour qu'on aille au bureau d'immatriculation ?

— Votre heure sera la mienne.

Ensuite, Agathe remercie sa tante personnellement.

— Tout ce qu'on veut, déclare Cécile, c'est te faciliter la vie.

Agathe lui parle du cadeau d'Annick.

— Ça, c'est une bonne nouvelle ! s'écrie Cécile. Tu n'auras qu'à nous avertir quand tu voudras y aller, et nous nous occuperons des enfants avec plaisir. Je suis vraiment très contente pour toi, ma belle Agathe. Il commençait à être temps que le vent tourne.

Agathe est survoltée après avoir reçu autant de bonnes nouvelles. Cette nuit, elle n'a pratiquement pas dormi, mais elle est si heureuse que sa fatigue s'est envolée. Elle se prépare un café, puis elle compose le numéro d'Anna au travail. Elle doit absolument lui raconter les récents événements. Quand elle colle l'appareil contre son oreille, elle entend une voix d'homme.

— Allô! Est-ce que je suis chez Agathe?

Sa première réaction est de s'excuser et de raccrocher. Elle s'est sûrement trompée de numéro. Mais comment se fait-il que l'inconnu sache son nom alors qu'elle n'a pas encore ouvert la bouche? En plus, elle serait prête à jurer qu'elle connaît cette voix.

— Oui, répond-elle du bout des lèvres. Qui parle?

— C'est Vincent.

Agathe est si émue qu'elle reste bouche bée. C'est son beau médecin!

— Agathe, est-ce que ça va? Je peux te rappeler si je tombe à un mauvais moment.

Ces quelques paroles suffisent pour qu'elle se ressaisisse.

— Non, non! Figure-toi que ton appel est entré au moment même où je composais le numéro de ma sœur Anna.

— C'est curieux, car je viens justement de lui parler. Elle m'a appris que tu avais laissé un message à ma mère pour que je te rappelle. Maman éprouve de sérieux problèmes de mémoire depuis un peu plus d'un an. Heureusement qu'Anna m'a téléphoné parce que je n'aurais jamais su que tu m'avais contacté. Je suis si heureux d'entendre ta voix. Comment vas-tu?

— Anna ne t'a rien dit d'autre?...

— Elle m'a seulement confié que tu cherchais à me joindre. Est-ce que tu vas bien ?

— J'ai connu des jours meilleurs, mais le simple fait de te parler me fait du bien. Est-ce qu'on pourrait se voir ?

Agathe se dépêche d'ajouter :

— Mais si tu as quelqu'un dans ta vie, je comprendrai.

— Rassure-toi, je suis encore célibataire.

Si Agathe était devant lui, Vincent constaterait à quel point ce dernier mot sonne doux à l'oreille de son interlocutrice.

— Je peux me libérer pour le dîner, si tu veux.

— Ce sera difficile pour moi, répond Agathe à contrecœur. Je suis à pied.

— Pas de problème ! Je viendrai te chercher aux alentours de midi.

— D'accord !

Avant de raccrocher, Vincent lance :

— Tu m'as tellement manqué !

Agathe s'empresse de communiquer avec Anna pour la remercier de s'être mêlée de sa vie, une fois de plus.

* * *

Agathe n'est pas la seule à avoir un rendez-vous galant ce midi. France rencontrera le médecin qui travaille avec Mylène. Elle l'attend impatiemment au restaurant où ils doivent se voir. Mylène le lui a décrit comme étant un bel homme, mais ça l'inquiète de se retrouver avec quelqu'un qu'elle ne connaît ni d'Ève ni d'Adam alors que lui l'a déjà vue en photo. C'est pourquoi elle est arrivée un peu en avance juste pour le regarder entrer et voir ce qu'il dégage avant qu'il se retrouve assis devant elle. En plus, samedi prochain, elle fera un saut à Québec pour rencontrer Philippe, le beau-frère de Suzie.

— Je ne voudrais surtout pas que tu te fasses de fausses idées, lui avait dit Suzie. Philippe est charmant, mais il ne roule pas sur l'or. Comme je te l'ai mentionné, il est commis à la librairie de son frère. Il ne pourra pas t'emmener dans les grands restaurants, ni te payer un voyage autour du monde.

— Arrête de t'en faire avec ça, avait riposté France, je ne prétendrai pas que je n'aime pas l'argent, mais je ne suis pas obsédée par ça non plus.

Philippe et France avaient convenu qu'elle le rejoindrait à la librairie et qu'ils décideraient ensuite de l'endroit où ils iraient souper. France avait trouvé qu'il avait une très belle voix au téléphone.

— Ne sois pas trop dure avec lui, avait formulé Suzie d'une petite voix. C'est mon préféré.

France se sent comme une adolescente. Depuis des mois, c'est le calme plat dans sa vie sentimentale, et voilà qu'elle a deux rendez-vous dans la même semaine. Si cela ne fonctionne pas avec aucun des hommes, elle fera affaire avec une agence de rencontre. Il est hors de question qu'elle termine sa vie toute seule.

Les dernières nouvelles que France a eues de Patrick, c'est par l'intermédiaire d'Agathe qu'elle les a reçues. Au fond, c'est aussi bien ainsi. Elle n'a pas apprécié qu'il la place dans une telle situation. Elle a bien l'intention de lui manifester son mécontentement lorsqu'elle le reverra. Patrick s'est très mal conduit, et ce n'est pas parce qu'Agathe est son amie que France pense ainsi. Elle a toujours détesté les gens qui blessent les autres délibérément. En laissant traîner son carnet, Patrick a exactement agi ainsi. France ne pourra jamais le lui pardonner. En plus, il a manqué de respect à toutes les femmes dont il a noté le nom à l'intérieur.

Perdue dans ses pensées, France ne voit pas le grand brun ténébreux qui s'avance vers sa table d'un pas assuré. Il est devant elle et il lui sourit lorsqu'elle lève les yeux.

— Bonjour, France, lance-t-il en lui tendant la main. Je m'appelle Yves Legault. Je suis le collègue de Mylène. Est-ce que je peux m'asseoir ?

— Enchantée ! Je vous ai attendu pour commander à boire.

Ils discutent allègrement jusqu'à ce que France quitte pour se rendre à un rendez-vous d'affaires. Ils ont échangé leurs numéros de téléphone et se sont promis de se revoir après s'être fait la bise. Une fois seule dans son auto, France songe que, sur une échelle de dix, elle ne donnerait guère plus que sept à Yves. Il a fière allure, il est gentil et cultivé, mais elle n'a pas eu un seul papillon dans le ventre pendant le dîner. Cela n'annonce rien de bon pour établir une relation amoureuse. Et elle ne se voit pas au lit avec lui, même en grande période de disette. Par contre, elle apprécierait sa compagnie pour sortir à l'occasion, s'il pouvait se contenter d'un tel arrangement. Ce soir, elle appellera Mylène pour lui dresser un compte rendu de sa rencontre.

* * *

Contrairement à France, Agathe, elle, a des papillons dans le ventre tout le temps qu'elle passe avec Vincent. Aussitôt qu'elle monte dans l'auto du médecin, son cœur se met à battre la chamade. Elle sent une vague de chaleur envahir tout son corps lorsqu'il l'embrasse doucement sur la joue.

— Tu es encore plus belle que dans mon souvenir, murmure-t-il en lui caressant le visage.

— Je suis tellement contente de te voir.

— Où aimerais-tu aller ?

— Chez toi, répond Agathe d'une petite voix. Mais je dois rentrer à la maison pour quatre heures.

— Et moi, je devrai retourner à l'hôpital…

Ils ont tant de temps à rattraper que, dès leur arrivée chez Vincent, ils se jettent à corps perdu dans une course passionnelle qui ne se calme que lorsqu'ils sont rassasiés l'un de l'autre. Après, ils se dirigent vers la cuisine.

— J'aime autant t'avertir, dit Vincent en souriant. On va être chanceux si on trouve quelque chose à se mettre sous la dent. Je passe très peu de temps ici.

Vincent sort du réfrigérateur un grand plat rectangulaire recouvert d'un papier d'aluminium, qu'il retire aussitôt.

— Heureusement que ma mère m'a apporté des lasagnes ! J'espère que tu aimes les pâtes.

Agathe le regarde béatement. Elle se sent si bien qu'elle pourrait jeûner sans problème. Elle ne raffole pas des lasagnes, mais cela fera l'affaire.

— C'est parfait pour moi. Si tu m'indiques où tu ranges tes napperons, je pourrais dresser la table.

— J'aimerais mieux que tu me racontes ce qui t'arrive. Ce n'est pas que je me plaigne, bien au contraire, mais j'aimerais que tu m'expliques ta subite réapparition dans ma vie.

— Dans ce cas, prépare-toi à entendre des horreurs.

Après qu'Agathe a tout raconté, Vincent la prend dans ses bras.

— Ma pauvre chérie…, lui souffle-t-il à l'oreille. Que comptes-tu faire maintenant?

— J'ai entamé les procédures de divorce.

Agathe pose ses mains de chaque côté du visage de Vincent. Elle lui confie, en le regardant droit dans les yeux:

— Je n'ai jamais cessé de penser à toi.

— C'est pareil pour moi. Mes amis m'ont présenté une fille après l'autre, mais aucune ne te valait. Je suis vraiment désolé de tout ce qui t'est arrivé, mais je suis heureux d'avoir enfin une chance de faire partie de ta vie plus de deux heures à la fois. Je sais bien que c'est prématuré, mais je tiens à ce que tu saches que je t'ai aimée à la seconde où je t'ai vue pleurer dans le stationnement de l'hôpital.

Comme c'est agréable à entendre! Agathe effleure de son index les lèvres de Vincent et elle lui sourit. Elle nage dans le bonheur, elle qui espérait tant être bercée un jour par de telles paroles.

— Je ne peux rien te promettre pour le moment, mais sache que je ne retournerai jamais avec Patrick.

Après une courte pause, elle ajoute:

— J'ai l'intention d'aller passer une semaine en France après les fêtes. Aimerais-tu venir avec moi ? Mon amie et son mari sont tous les deux médecins, alors vous devriez bien vous entendre.

— Je serais ravi de t'accompagner. Il y a très longtemps que je n'ai pas pris de vacances. Tu n'auras qu'à me donner les dates de départ et de retour et je m'organiserai pour me libérer.

***

Pendant qu'elle prépare le souper, Agathe repense à sa rencontre avec Vincent. Elle a eu du culot de l'inviter à aller en France avec elle. Mais elle n'a de comptes à rendre à personne puisqu'elle est séparée de son mari. C'est une mère heureuse qui accueille les enfants lorsqu'ils reviennent de l'école. À part Isabelle qui est toujours grincheuse, les garçons sont contents de voir qu'elle va mieux.

Agathe leur apprend qu'elle possédera une auto le lendemain.

— Vas-tu pouvoir m'apprendre à conduire ? lui demande aussitôt Sébastien. Papa m'avait promis de le faire, mais ça n'a jamais adonné.

— Avec plaisir ! On ira chercher ton permis temporaire cette semaine. Ensuite, on commencera tes leçons.

— Mais tu conduis mal ! lance Isabelle sur un ton dédaigneux.

Agathe pourrait faire semblant qu'elle n'a rien entendu, mais aujourd'hui elle ne veut pas. Elle se lève de table, met les mains sur ses hanches et s'écrie :

— Si tu n'as rien de plus intéressant à dire, tu peux aller manger dans ta chambre.

Surprise par la réaction de sa mère, Isabelle avale sa bouchée de travers. Ensuite, elle baisse la tête. Toutefois, Agathe n'a pas l'intention de la laisser s'en tirer aussi facilement. Ça suffit, les sautes d'humeur de sa « charmante » fille !

— Et si tu décides de rester avec nous, il y a deux conditions : tu t'excuses et tu changes d'attitude. À partir de maintenant, je ne tolérerai plus ce genre de commentaires à mon endroit. Je suis ta mère et tu me dois le respect, un point c'est tout.

Isabelle porte un morceau de poulet à sa bouche, sans faire le moindre cas des paroles d'Agathe.

— Dépose ta fourchette immédiatement, lui ordonne sa mère d'un ton autoritaire. Ce n'est pas sorcier : ou tu t'excuses, ou tu sors de table.

Agathe attend quelques secondes. Comme sa fille ne réagit pas, elle prend l'assiette d'Isabelle de sur la table et la tient dans les airs.

— Va-t'en dans ta chambre.

Isabelle ne bouge pas. Au moment où Agathe s'apprête à répéter sa requête avec encore plus d'intensité, sa fille chuchote :

— Je m'excuse, maman.

— J'accepte tes excuses, répond Agathe en posant sa main sur l'épaule de sa fille.

De retour à sa place, elle ajoute :

— Ça vous dirait de manger une fondue au chocolat pour dessert ?

Les quatre enfants confirment leur intérêt par un cri lancé en chœur. Tout le monde met la main à la pâte pour couper les fruits

et faire fondre le chocolat. Une fois les devoirs et les leçons terminés, ils jouent même une partie de Monopoly tous ensemble. Pour
une fois, c'est Steve qui gagne. Il est si content de sa victoire qu'il
met un temps fou à s'endormir. Mais c'est le cœur heureux qu'il
part au pays des rêves.

Chapitre 8

Jacques et Cécile vont au chalet été comme hiver depuis qu'ils ont acheté celui de Roger il y a près de deux ans. L'été dernier, ils avaient d'ailleurs passé le plus clair de leur temps là-bas. Ils ont pris soin de tout mettre à leur goût lorsqu'ils se sont installés. Le chalet n'était pas moche, bien des gens l'auraient gardé tel quel, mais Cécile estimait qu'il avait besoin d'une bonne cure de rajeunissement. Jacques et elle s'étaient débarrassés de tous les objets défraîchis, puis avaient repeint toutes les pièces. Ils avaient remplacé plusieurs meubles par d'autres achetés en magasin – car cela aurait demandé trop de travail à Jacques d'en fabriquer de nouveaux. Le couple avait consacré deux mois à ce projet, mais le résultat final vaut amplement leurs efforts.

Chaque fois que Cécile soulignait que tout ça coûterait cher, Jacques s'empressait de répliquer :

— On va tout faire à notre goût, sans compromis. De toute façon, tu n'as pas à t'inquiéter. Si un jour on vend le chalet, on récupérera notre mise, et plus encore.

Jacques avait réalisé le plus gros du travail. Il avait laissé carte blanche à Cécile pour la décoration. Elle était si contente qu'elle n'avait pas cessé de le remercier, ce à quoi il avait répondu :

— Crois-moi, c'est beaucoup mieux que ce soit toi qui te charges de cette partie. Je suis doué pour la conception de meubles, mais je ne vaux pas un clou côté décoration.

Aussitôt les travaux terminés, ils avaient invité les jeunes à venir prendre une bière. Tout le monde était tombé en pâmoison devant le résultat final. Le chalet n'avait plus rien à voir avec son aspect précédent.

— Je suis certain que mon grand-père aurait aimé tous ces changements, avait déclaré Francis, la voix remplie d'émotion. Je sais que je vous le dis souvent, mais je suis content que vous l'ayez acheté.

Francis n'a aucun regret d'avoir vendu le chalet de son grand-père, surtout à Jacques et Cécile. Par contre, ce jour-là, il avait songé qu'il aurait peut-être suffi d'un peu de peinture et de quelques heures de ménage pour qu'il cesse de voir Roger partout. En même temps, posséder le tiers du chalet d'à côté lui suffisait amplement.

Cécile et Jacques achèvent de vider la voiture lorsqu'ils entendent craquer la neige durcie derrière eux.

— Tiens, tiens! s'exclame Patrick d'un ton enjoué. Il me semblait bien que j'avais entendu arriver une auto. Resterez-vous longtemps dans le coin?

Le couple jette un regard noir à l'intrus. C'est drôle que Patrick se trouve devant eux, ils s'étaient justement demandé comment ils réagiraient dans l'éventualité où ils le rencontreraient. Évidemment, ils ne se doutaient pas que cela aurait lieu aussi rapidement. Patrick ne leur a rien fait, mais ils lui en veulent terriblement d'avoir tant blessé Agathe. Ils n'ont pas l'intention de couper les ponts avec lui, il est quand même le père de quatre de leurs petits-enfants, mais ils ne l'inviteront plus à Noël. Par son comportement, Patrick s'est sorti lui-même de leur vie.

— On ne le sait jamais d'avance, répond Jacques d'une voix glaciale. Et toi?

Si Patrick a remarqué qu'il n'est pas le bienvenu, il n'en laisse rien voir. Il avance de quelques pas.

— Je suis venu avec ma mère. Nous repartons demain matin.

— J'espère que Patricia va bien, dit Cécile d'une voix neutre. Tu la salueras de notre part.

La dernière fois qu'elle était venue au chalet des jeunes, Patricia avait passé une soirée à jouer aux cartes chez Cécile et Jacques. Annette les y avait rejoints. Cécile avait tout de suite sympathisé avec Patricia. D'ailleurs, elle s'était demandé comment une si bonne personne pouvait avoir engendré un individu comme Patrick.

— Venez donc faire un tour après le souper, suggère Patrick le plus naturellement du monde. Je suis certain qu'elle serait très contente de vous voir.

— Malheureusement, ce ne sera pas possible, tranche Jacques. Tu vas nous excuser, mais il faut qu'on aille chauffer le poêle si on ne veut pas geler tout rond. Le mercure descendra pas mal d'ici la fin de la journée.

Quelques secondes plus tard, Patrick se retrouve tout fin seul au beau milieu de la cour. Il secoue ses raquettes plus par nervosité que par nécessité d'enlever la neige accumulée puisqu'il n'y en a pratiquement pas. Il retourne ensuite d'où il vient. Il ne s'attendait pas à ce que ses beaux-parents lui sautent au cou, mais pas non plus à ce qu'ils se montrent aussi froids. Il sait fort bien qu'il n'a pas été un mari exemplaire, mais ce qui s'est passé avec Agathe ne les concerne pas.

— On ne peut pas dire qu'on a été très gentils avec lui, commente Cécile aussitôt qu'elle referme la porte. Pauvre gars !

— Tu ne voulais quand même pas qu'on l'invite à souper ?

— Non, mais je trouve qu'on a été pas mal secs avec lui.

— Après tout ce qu'il a fait endurer à Agathe, Patrick ne mérite pas mieux. Ça te dirait de nous servir un cognac pendant que je m'occupe de partir le feu ?

— Réalises-tu que c'est lui qui nous l'a donné, ce cognac ?

Jacques regarde tendrement sa femme en lui souriant. Il ne faudrait pas que Patrick se présente à leur porte à cet instant parce que Cécile l'inviterait probablement à entrer.

— À moins que tu préfères une bière ? suggère Jacques. J'en ai apporté quelques bouteilles.

— Non, non, je vais t'accompagner. Depuis le temps qu'il te l'a donné, ce n'est plus son cognac, mais bien le tien.

Cécile n'est pas très à l'aise avec cette situation. Comme elle l'avait expliqué à Jacques dans l'auto, c'est facile de déblatérer contre quelqu'un en son absence, mais c'est une autre paire de manches lorsqu'on se retrouve devant la personne concernée. Au fond, Patrick n'a pas changé. Depuis son entrée dans la famille, tout le monde sait qu'il aime flirter – d'ailleurs, il ne s'en cachait pas. Plusieurs de ses proches étaient au courant qu'il avait eu quelques aventures. Mais ce que tous ignoraient, c'est que cela n'avait rien d'occasionnel. Pour lui, la chasse était toujours ouverte…

* * *

Suzie a quitté l'agence un peu plus tôt que d'habitude. Elle a rapidement déneigé sa voiture et a pris le chemin de la maison. Elle était si énervée qu'elle n'arrivait pas à se concentrer. Ce midi, lorsqu'elle est venue dîner à la maison, les ouvriers lui ont dit que son bain thérapeutique pourrait être utilisé ce soir. Francis et elle avaient décidé de changer aussi la toilette et le lavabo durant les travaux. Pour une fois, elle s'est payé les services d'une décoratrice ; jusqu'à présent, elle est enchantée du résultat.

Suzie stationne son auto et se dépêche d'entrer dans la maison. Après avoir enlevé ses bottes et son manteau, elle file à la salle de bain. Lorsqu'elle voit le bain installé sur son podium, elle ne peut réprimer un cri d'admiration :

— Wow ! C'est vraiment beau ! Et puis, est-ce que je vais pouvoir l'essayer ce soir, finalement ?

— Bien sûr ! répond l'ouvrier, occupé à installer le nouveau lavabo. Je vous garantis que vous allez adorer votre nouveau bain. En tout cas, ma femme ne pourrait plus s'en passer.

— Il faudra me montrer à quoi servent tous ces boutons avant de partir. Mais il me semble qu'il vous reste encore pas mal de travail à faire… Êtes-vous bien certain que vous finirez avant Noël ? Je vous ai déjà dit que je recevais ma famille le 24. Je n'ai pas envie que nous soyons encore dans les travaux de construction le soir de Noël.

L'homme se tourne vers elle et déclare en souriant :

— Ne vous inquiétez pas. J'en ai pour deux jours à peine avant de mettre la touche finale.

Cela rassure Suzie. Elle se change avant de commencer la préparation du repas. Dans un peu moins d'une heure, les enfants rentreront de l'école. Elle a l'intention d'en faire le plus possible avant leur retour. Elle ouvre le réfrigérateur afin de sortir la viande hachée. Comme elle ne la voit nulle part – Francis devait la faire décongeler –, elle soupire et se rabat sur le congélateur. Suzie saisit un pot de sauce à spaghetti et le met à décongeler dans l'eau froide. Ce sera la deuxième fois en trois jours que la famille en mangera, mais tant pis. Sinon elle devra faire des crêpes. Étant donné qu'elle n'a aucune envie de passer un temps fou devant la cuisinière, elle supportera les commentaires des enfants. Vu son changement de programme, elle décide de faire un saut chez Agathe. Elles ne se sont vues que deux fois depuis le départ de Patrick. Récemment, Suzie a été débordée. Faute de pouvoir visiter son amie, elle l'a appelée presque tous les jours pour prendre de ses nouvelles.

Même si Agathe vit désormais seule avec les enfants, elle ne verrouille pas sa porte pour autant. Suzie sonne deux petits coups rapprochés avant d'entrer. Elle procède toujours ainsi pour qu'Agathe sache que c'est elle qui arrive.

— Je ne sais pas ce que tu as cuisiné, mais ça sent tellement bon que je veux que tu me donnes la recette! s'exclame la visiteuse. J'adore l'odeur du chocolat.

Agathe éclate de rire. Pour Suzie, tout ce qui sent bon ne peut tout simplement pas être mauvais.

— J'ai fait du fudge. J'en ai mis quelques morceaux de côté pour toi. J'attendais que Steve revienne de l'école pour lui demander de te les apporter.

— Il me faut absolument la recette.

— Mais goûtes-y avant! dit Agathe en lui tendant une boîte de métal remplie de petits carrés de fudge.

— Ce n'est pas nécessaire! Tout ce que tu fais est bon. Allez, sors-moi cette recette. Je la transcrirai pendant que tu me raconteras ce que tu as de nouveau depuis hier. C'est mon père qui sera content ; il adore le fudge. Je vais me prendre un stylo et une feuille dans le buffet pendant que tu vas la chercher.

Fudge de Monique

1 ⅔ tasse de sucre blanc

⅔ tasse de lait évaporé Carnation

Faire mijoter cinq minutes en remuant constamment. Retirer du feu et incorporer ce qui suit :

1 ½ tasse de petites guimauves ou 16 grosses guimauves coupées en quatre

½ tasse de noix hachées

1 ½ tasse de brisures de chocolat Chipits

1 cuillère à thé de vanille

¼ cuillère à thé de sel

Mélanger le tout jusqu'à homogénéité complète. Verser dans un moule carré de huit ou neuf pouces, beurré. Laisser refroidir et couper en petits carrés.

— Et pour terminer je vais dîner avec Vincent demain ! annonce Agathe. Tu sais tout, maintenant… enfin presque.

En prononçant ces derniers mots, Agathe savait dans quoi elle s'embarquait. C'est pourquoi elle ajoute, avant même que Suzie n'ait le temps d'intervenir :

— Vincent va m'accompagner en France. On va partir la dernière semaine de janvier.

— Wow ! C'est une occasion en or pour apprendre à mieux vous connaître. Est-ce que j'ai le droit de le dire à Francis ?

La première réaction d'Agathe serait de demander une discrétion absolue à Suzie – comme elle l'a fait avec Anna. Cependant, elle se ravise rapidement.

— Je n'ai rien à cacher, alors tu peux transmettre la nouvelle à qui tu veux. Je refuse de passer ma vie à faire attention à mes moindres faits et gestes.

— Et si ça vient aux oreilles de Patrick?

— Il serait très mal placé pour me faire la morale.

— Je suis très contente pour toi. Et pour Noël? J'espère que tu ne seras pas seule avec les enfants. Sinon je viendrai vous chercher – de force, s'il le faut!

Agathe aurait bien voulu accepter l'invitation de son amie. Mais devant le flot d'invitations qu'elle a reçues, elle a décidé d'aller passer le réveillon chez Anna. Son père et sa tante Cécile viendront les retrouver après la messe de minuit, et Céline et Pierre ont promis de venir manger le dessert avec eux.

Suzie est aussitôt rassurée. Elle avait passé quelques Noëls seule les années qui ont suivi son départ de la maison familiale. Elle ne souhaite cela pas même à son pire ennemi.

— J'ai une idée, lance-t-elle. Vous pourriez tous venir déjeuner chez moi le jour de Noël. Qu'en penses-tu?

— Pitié! l'implore Agathe. Les enfants et moi, nous nous coucherons aux petites heures du matin...

— Qui a dit qu'on devait absolument déjeuner à sept heures? On pourrait faire un déjeuner-dîner vers onze heures. On pourrait même rester en pyjama, si tu veux.

— Là, c'est mieux. Les enfants seront contents.

Pour Agathe, Noël est une fête de famille. Toutefois, actuellement, sa famille est plutôt divisée. Patrick ne lui a encore rien demandé en ce qui concerne la période des fêtes, mais cela viendra tôt ou tard. Savoir qu'elle devra partager la garde des enfants l'attriste énormément.

— Et Patrick?

— Moins je lui parle, mieux je me porte. J'ai tellement hâte que tout soit terminé…

— Tu as pris la bonne décision.

— Oui. Toutefois, ce n'est pas moins difficile pour autant. C'est dix-sept ans de ma vie que je devrai effacer de ma mémoire. Mais assez parlé de moi. Ça ne t'énerve pas trop de recevoir toute ta famille pour le réveillon?

— Pas vraiment. Ce n'est pas comme si j'étais obligée de tout faire. On a déjà réparti les tâches. J'avais refusé l'aide des autres, mais papa a vite tranché la question. Ou j'acceptais, ou personne ne venait. Figure-toi que je dois m'occuper des grignotines et de l'alcool. Tu conviendras avec moi que ce n'est pas trop compliqué!

En tant qu'aînée, Suzie se réjouissait de recevoir toute sa famille. Elle voulait faire les choses en grand pour que tous les siens passent un moment mémorable. Et elle n'y était pas allée de main morte en dressant le menu. Il ressemblait à un menu cinq étoiles semblable à ceux que servent les grands restaurants de Paris. Sylvain lui avait signifié que ça n'avait pas de bon sens, car elle devrait travailler jour et nuit pour tout préparer. Et elle serait si fatiguée qu'elle tiendrait à peine debout pendant le réveillon. Son père l'avait appelée le lendemain matin pour lui annoncer que tout le monde contribuerait au repas. Même si Suzie sait très bien que Sylvain a tout rapporté à leur père, elle ne lui en veut pas, bien au contraire.

Le menu a changé radicalement, mais cela fait son affaire de ne pas être obligée de tout cuisiner. Elle s'est reprise en achetant un cadeau à chacun de ses invités.

Quand Francis avait vu le nombre de présents sous le sapin, il s'était alarmé. Suzie l'avait vite rassuré :

— Ne t'inquiète pas. Ce ne sont que de petits cadeaux.

En ce qui concerne le format des présents, c'est la vérité. Mais pour ce qui est de leur prix, c'est tout à fait le contraire. En réalité, Suzie a dépensé sans compter. Elle a essayé de trouver LE cadeau qui ferait vraiment plaisir à chacun, et ce, sans se préoccuper du prix – jusqu'à une certaine limite, bien sûr. Malgré tout, Francis sursauterait s'il voyait les factures. Les affaires ont été excellentes cette année. Suzie a eu envie d'en faire profiter les siens, qui sont toujours là pour elle.

— J'avoue que ça aurait pu être pire ! laisse tomber Agathe sur un ton sarcastique.

— Mais tu sais à quel point je tenais à recevoir les membres de ma famille comme il se doit. Je sais qu'ils ont pris cette décision pour m'aider, mais j'aurais aimé qu'ils me consultent. Je me garderai d'en parler, mais j'ai bien l'intention de me reprendre à Pâques. Tu peux être certaine que, cette fois, je ne montrerai mon menu à personne.

— Tu ne trouves pas que tu t'en mets trop sur les épaules ? Tu as trois enfants et une entreprise qui ne cesse de prendre de l'expansion. L'important, c'est que vous soyez tous ensemble. Profite de ton Noël et ensuite tu verras si tu as encore le goût de recevoir à Pâques. Et puis tes frères vont sûrement vouloir inviter la famille, eux aussi.

Depuis qu'ils ont resserré les liens, Suzie et ses frères ont toujours passé les fêtes chez leurs parents. C'était un incontournable. D'ailleurs, Suzie avait dû argumenter fort pour que tous acceptent que la réception ait lieu chez elle cette année. Elle comprend que l'hiver ne soit pas la meilleure saison pour faire venir son père à Belœil, mais il fera d'une pierre deux coups, puisque Sylvain et Mylène habitent à deux maisons de chez elle.

— Je sais bien… J'espère que ça me passera un jour, mais j'ai toujours l'impression d'avoir une dette envers mes frères et mes parents. Peu importe ce que je fais, c'est comme si ce n'était jamais assez. Cependant, la pression ne vient pas de ma famille ; au contraire, tout le monde me reproche d'en faire trop. De par ma nature, je n'ai besoin de l'aide de personne pour m'en mettre trop sur les épaules.

— Crois-moi, tu n'es pas la seule dans ce cas. J'abats beaucoup de besogne dans une journée ; pourtant, je ne peux m'empêcher de toujours penser que je pourrais en faire plus. Et c'était pareil quand Patrick était là. Je courais partout comme une poule sans tête. Lui, assis confortablement dans son fauteuil, il me regardait m'activer.

— Au moins, tu n'as pas eu besoin de t'habituer à tout faire puisque tu te tapais déjà tout le travail ! plaisante Suzie.

Les deux filles s'esclaffent.

— Ça fait du bien de t'entendre rire comme ça, déclare Suzie. Fais-moi penser de remercier ton Vincent, si tu me le présentes un jour. Au fait, quand aurais-je l'honneur ?

Seule Anna a déjà vu Vincent. Quelques jours après qu'Agathe avait rencontré le médecin, Anna était allée à l'hôpital avec Myriam. Elle avait entendu une infirmière appeler Vincent.

Évidemment, elle l'avait observé avec un grand intérêt lorsqu'il s'était présenté au comptoir. Depuis, elle ne tarit pas d'éloges à son endroit. Quand les filles avaient appris qu'Anna l'avait aperçu, elles l'avaient bombardée de questions pour en savoir plus sur lui.

— Chaque chose en son temps, répond Agathe. As-tu eu des nouvelles de France dernièrement?

— Non, mais Philippe m'a appelée hier. Tu aurais dû l'entendre : il n'en finissait plus de l'encenser. D'après lui, elle n'a aucun défaut. Il la trouve très belle, intelligente, sensible, souriante, généreuse… Sans blague, je pense qu'il m'a énuméré toutes les qualités du *Larousse*! Ils sont supposés se revoir avant Noël.

— Tant mieux. Il serait temps pour elle de trouver l'amour.

France a beau jouer la femme forte, Agathe voit bien que le célibat est de plus en plus pénible pour son amie. Le passage du beau Cristoforo dans sa vie lui a fait autant de mal que de bien. Cette relation a été si intense qu'inconsciemment France recherche le même type d'expérience.

— Je suis d'accord avec toi, mais je suis loin d'être convaincue que Philippe est un homme pour elle. Comme tu le sais, mon beau-frère n'occupe qu'un simple emploi de commis à la librairie de Laura et Olivier. Tu comprends, je ne voudrais pas que France lui fasse du mal. Philippe a déjà eu sa dose de malheurs.

— Rien ne garantit que le contraire ne se produira pas. Il est majeur et vacciné, ton beau-frère, alors laisse-le vivre sa vie comme un grand. Tu connais France autant que moi ; elle ne se moque pas des hommes. Fais-lui confiance : si ça ne marche pas, elle le dira tout de suite à Philippe.

— Peut-être que tu vas me trouver bizarre, mais depuis qu'Olivier et Philippe sont revenus dans le droit chemin, j'ai envie de les protéger.

— Chère Suzie ! lance Agathe en posant sa main sur celle de son amie. Tu prends tellement bien soin de ton monde.

Chapitre 9

Jack s'apprête à sortir dîner lorsque le téléphone sonne. Il revient sur ses pas et décroche.

— Salut, Jack! C'est ton frère. Je suis de passage en ville et je voudrais récupérer le chandail que j'ai oublié chez vous.

Rémi n'a pas besoin d'ajouter quoi que ce soit pour que Jack sache de quoi il en retourne. S'il pouvait voir son frère à l'instant, il y penserait à deux fois avant de se pointer. C'est tout juste si la fumée ne sort pas des oreilles de Jack tellement il est furieux. Il savait que Rémi finirait par rappliquer, mais avec le temps il avait presque réussi à oublier son existence. À certains moments, il se prenait même à penser que son frère était peut-être en train de pourrir au fond du fleuve Saint-Laurent, s'il était revenu à Montréal, ou encore de l'Hudson, s'il était resté à New York — ou même dans l'océan Atlantique. Mais le pire, c'est que de telles réflexions ne suscitent aucun remords chez Jack. S'il y a des gens dont on désespère de ne pas avoir de nouvelles, ce n'est pas le cas pour Rémi. Moins il en entend parler, mieux il se porte.

— Je te rappelle que je travaille et que je ne peux pas m'absenter à ma convenance.

Cependant, Jack en vient rapidement à la conclusion que plus vite il se débarrassera de tout ça, plus vite il pourra tourner la page sur cet épisode. Reste maintenant à trouver un endroit où il ne risquera pas de croiser un de ses collègues du poste de police.

— C'est d'accord, ajoute-t-il. On se rejoint à la maison à midi et demi. Sois à l'heure parce que je dois absolument être revenu au bureau à une heure.

— Compte sur moi, j'y serai.

Jack passe à la banque pour récupérer les effets de Rémi dans le coffret de sûreté avant de rentrer chez lui. Son frère l'attend au volant d'une rutilante Cadillac noire lorsqu'il arrive à la maison. Aussitôt qu'il voit Jack, Rémi sort de l'auto et vient à sa rencontre. C'est à peine si Jack lui jette un regard.

— Entre une minute, dit-il d'une voix sourde. Je vais tout mettre dans un sac de sport.

— Je suis pressé, clame Rémi. Tu n'as qu'à me donner le paquet. Ensuite, tu n'entendras plus parler de moi.

— Ne rends pas les choses plus compliquées qu'elles le sont déjà. Suis-moi à l'intérieur ou fous le camp.

Rémi comprend très vite, à l'expression de Jack, qu'il ne lui donne pas le choix. Il le suit sans protester davantage. Jack va chercher son vieux sac de sport et il se dépêche d'y transvider le contenu du sac en papier brun. Il remonte la fermeture éclair, puis il va rejoindre Rémi qui l'attend dans l'entrée. Sans avertissement, il lui lance le sac en pleine poitrine. Il le balance si fort que Rémi en perd le souffle pendant une fraction de seconde.

Jack s'approche ensuite de son frère. À deux pouces du nez de Rémi, il déclare d'une voix forte :

— Tu peux y aller maintenant.

Même si Rémi s'est endurci au fil du temps, le fait que son frère le traite ainsi lui brise le cœur. Des larmes surgissent au coin de ses yeux, larmes qu'il s'empresse d'essuyer.

— Je suis vraiment désolé qu'on en soit rendus là, toi et moi, murmure-t-il. Peut-être que toi, tu réussiras un jour à m'oublier. Mais moi, même si je vivais jusqu'à cent ans, jamais je n'y parviendrais. Tu es mon frère et je t'aime.

Une minute plus tard, une Cadillac noire quitte la rue avec, à son bord, la personne que Jack a aimée le plus depuis que Dieu lui a prêté vie. Jack ferme la porte de la maison. Il va s'enfermer dans la salle de bain, où il laisse libre cours à toute la peine qui reflue en lui.

* * *

Agathe commence sérieusement à se tracasser au sujet de sa fille. Isabelle est chez Caroline, son amie de toujours. Agathe ne s'était pas trop inquiétée en ne la voyant pas se pointer pour l'heure du souper, surtout que chez Caroline le repas est servi seulement à six heures. Agathe a répété maintes fois à Isabelle qu'elle devait l'appeler en cas de retard. Mais l'adolescente semble souffrir de surdité sévère chaque fois que sa mère lui fait des recommandations.

Une fois le dernier ustensile rangé dans le lave-vaisselle, Agathe regarde l'heure et elle va chercher le téléphone. Elle peut comprendre qu'Isabelle ait quelques minutes de retard, mais là elle exagère. Elle devrait être rentrée depuis plus d'une heure. C'est pourquoi Agathe décide d'appeler chez Caroline.

— Isabelle n'est pas ici, lui apprend la jeune fille. Elle est partie à quatre heures.

Il n'en faut pas plus pour que l'inquiétude gagne Agathe, qui prend sur elle et revient à la charge.

— Est-ce que par hasard tu saurais où elle est allée ?

— Isabelle m'a dit qu'elle avait un devoir de chimie à finir. Cela m'a surprise, vu que le professeur de chimie est le seul qui ne nous donne jamais de devoirs – en tout cas, pas dans mon groupe.

— Pourrais-tu me dresser la liste des autres amis de ma fille ?

— Je ne sais pas trop quoi vous répondre… On est toujours ensemble, elle et moi. Isabelle connaît beaucoup de monde, mais, à ma connaissance, elle ne voit personne d'autre que moi après l'école. Mais pourquoi me demandez-vous ça ?

— Parce qu'elle n'est pas rentrée à la maison. Est-ce qu'elle t'aurait parlé de quelque chose de spécial avant de partir ?

Caroline réfléchit quelques secondes avant de répondre, car elle sait bien que ce qu'elle s'apprête à révéler risque de déplaire à Agathe.

— Vous êtes sûrement déjà au courant. Isabelle n'arrête pas de dire qu'elle veut habiter avec son père. On a passé l'après-midi à écouter des disques et elle ne m'a rien confié d'autre. Je suis désolée, mais c'est tout ce que je sais.

Lorsque Agathe raccroche, son inquiétude est à son paroxysme. Isabelle, sa petite fille, a disparu. Au bord de la crise de nerfs, elle se met à faire les cent pas dans la cuisine sans pouvoir s'arrêter. Son cerveau s'est transformé en une masse informe de Jell-O, et elle est incapable de penser. Si ce n'était de Sébastien qui vient lui poser une question, qui sait combien de temps elle aurait continué sa promenade sans lever le petit doigt pour retrouver sa fille.

— Maman, pourrais-tu m'aider à finir ma critique sur *L'étranger*? Je l'ai lu deux...

Sébastien se rend vite compte qu'elle ne l'entend pas puisqu'elle continue sa marche effrénée sans lui porter la moindre attention.

— Maman! hurle-t-il pratiquement pour qu'elle se tourne vers lui.

Agathe s'immobilise. Elle s'écrie:

— Ta sœur a disparu!

— As-tu appelé papa? Elle est peut-être allée chez lui.

— Elle est partie de chez Caroline à quatre heures. Si elle était avec Patrick, il m'aurait sûrement prévenue. Je vais tenter ma chance.

Le cœur rempli d'espoir, Agathe compose le numéro de Patricia. Lorsqu'elle entend le message de la boîte vocale, elle se laisse tomber sur une chaise et raccroche.

— Tu aurais dû laisser un message, maman, déclare Sébastien.

— Je vais téléphoner à Anna, lance Agathe sans tenir compte du commentaire de l'adolescent.

Mais Anna n'a eu aucune nouvelle de sa nièce. Elle tente de rassurer Agathe de son mieux avant de passer l'appel à Jack. Avec tout ce que son mari lui a raconté sur les disparitions d'enfants, Anna sait qu'il n'y a pas une minute à perdre quand un tel événement survient. Elle sait aussi que la police ne peut rien faire tant que la disparition de l'enfant ne remonte pas à vingt-quatre heures au moins.

Jack suggère à Agathe de dresser la liste des personnes qu'Isabelle connaît et de les appeler. Il lui conseille également de noter au fur et à mesure les actions qu'elle pose.

— Rappelle-moi aussitôt que tu auras contacté tout le monde. Si cela n'a rien donné, je viendrai chez toi. On établira ensemble un plan de match.

Les policiers détestent devoir travailler sur une disparition d'enfant. L'expérience leur a appris qu'ils disposent de peu de temps s'ils veulent avoir une chance de retrouver sains et saufs les disparus.

— Agathe, ajoute-t-il d'une voix qui se veut rassurante, ne t'en fais pas, je suis certain que tu vas la retrouver bientôt. Elle est probablement en train de placoter avec une de ses amies et elle a juste oublié de t'appeler pour t'avertir.

Agathe remercie son beau-frère et elle se met aussitôt au travail avec Sébastien.

— As-tu appelé grand-papa? s'enquiert l'adolescent.

Agathe n'obtient aucune réponse au bout du fil.

— Papa et Cécile sont probablement allés au chalet, lance Agathe. Isabelle est mieux d'avoir une maudite bonne excuse, sinon je la priverai de sortie jusqu'à sa majorité.

Pendant ce temps, Isabelle attend en grelottant le retour de son père et de sa grand-mère à la maison de Ville Saint-Laurent. Elle se protège comme elle peut du vent mordant qui vient de se lever en se collant sur le mur de la petite galerie qui donne sur la cuisine. Elle est tellement gelée qu'elle se mettrait à pleurer si elle ne se retenait pas. Après avoir passé deux heures dehors, elle ne sent plus ses pieds, pas plus que ses mains d'ailleurs. Elle n'a jamais envisagé une seconde que son père et sa grand-mère seraient absents. Elle a vérifié les deux portes pour vite se rendre compte qu'elles étaient barrées à double tour. L'idée de briser une fenêtre lui a traversé l'esprit, mais vu la température qu'il fait, elle a très vite changé d'avis. L'idée de faire une fugue lui est venue subitement en sortant de chez Caroline et elle n'avait pas prévu passer autant de temps au froid. Elle a eu très envie de voir son père et c'est la raison pour laquelle elle s'était rendue à Longueuil afin de prendre le métro pour traverser sur l'île. Comme elle n'avait que deux rues à parcourir pour se rendre chez Caroline, Isabelle porte son manteau le plus léger, et ce, sans foulard ni mitaines.

Agathe est de plus en plus découragée, car personne n'a vu Isabelle. Elle a ameuté tout le quartier, sans résultat. Mme Larocque est venue la retrouver après qu'elle l'eut prévenue. Sa présence fait beaucoup de bien à Agathe.

— Je vais rappeler Jack, dit Agathe en désespoir de cause.

Son beau-frère répond à la première sonnerie.

— Je m'en viens chez vous avec Pierre, annonce-t-il aussitôt. Francis viendra nous rejoindre.

Isabelle claque des dents, son nez coule et elle pleure. Si elle reste trop longtemps dehors sans bouger, elle finira par se transformer en glaçon. À bout de forces, elle prend son courage à deux mains et va sonner chez la voisine.

— Bonjour, dit-elle lorsque la porte s'ouvre. Je suis la petite-fille de Patricia, votre voisine. Est-ce que je pourrais téléphoner ?

La dame invite Isabelle à la suivre à la cuisine. En constatant l'état de la jeune fille, elle lui offre un chocolat chaud avant de lui tendre le téléphone. Le plus simple serait d'appeler sa mère, mais Isabelle compose plutôt le numéro de sa tante Anna.

— Isabelle! s'écrie Anna en l'entendant, où es-tu, ma belle? Ta mère te cherche partout.

— Chez la voisine de ma grand-mère Patricia. Peux-tu venir me chercher?

— Oui, bien sûr! Donne-moi vite l'adresse et j'arrive tout de suite.

Heureusement, Jack se trouve encore dans la cour. Anna lui fait signe de rentrer.

— Je viens de parler à Isabelle, annonce-t-elle joyeusement. Elle est allée chez sa grand-mère. Je vais la chercher; elle m'attend chez la voisine.

— Ça, c'est une bonne nouvelle! Mais je peux m'en charger, si tu veux.

— C'est gentil. Mais je vais appeler Agathe et ensuite je m'en occuperai.

Comme Anna s'y attendait, Agathe fond en larmes en apprenant qu'Isabelle est saine et sauve. Entre deux sanglots, elle demande à sa sœur de venir reconduire sa fille et elle la remercie plusieurs fois.

Au moment où Anna s'apprête à sortir de la maison, Jack lui conseille de ramener Isabelle chez eux.

— Je n'ai pas l'intention de lui faire la leçon, ajoute-t-il, mais je pense que quelqu'un devrait lui expliquer qu'il ne faut pas disparaître comme elle l'a fait. Et si tu n'y vois pas d'objection, je demanderais à Pierre de m'assister. Il y a plus de chances que le message passe si nous lui parlons tous les deux.

— C'est une excellente idée. On pourrait même la garder à coucher pour qu'Agathe ait le temps de décanter un peu. Je conduirai Isabelle chez elle demain matin.

En temps normal, Agathe aurait insisté pour qu'Isabelle revienne à la maison dès ce soir. Mais elle était si furieuse contre sa fille qu'elle n'avait pas protesté lorsque Anna lui avait appris qu'elle la gardait à coucher. Qui plus est, elle n'avait même pas demandé à parler à Isabelle. Agathe se fait couler un bain chaud. Elle y reste jusqu'à ce qu'elle se mette à grelotter. Elle prend ensuite deux aspirines pour enrayer son mal de tête. Elle se couchera en espérant qu'elle pourra s'endormir rapidement pour ne pas penser à la fugue d'Isabelle.

Malheureusement, comme elle le craignait, son cerveau se met à réfléchir. Demain, Agathe dira à Isabelle que si elle veut aller vivre avec son père, elle interviendra auprès de lui dans ce but. Savoir que sa fille n'habitera plus avec elle lui arrache le cœur, mais elle ne la gardera pas de force à la maison. Et puis, comme le lui a expliqué Mme Larocque, Isabelle sera en sécurité avec son père. Ce serait idéal si tout était si simple, mais si Patrick prend leur fille avec lui, celle-ci devra changer d'école – à moins qu'il vienne s'installer à Beloeil ou à proximité. Agathe n'a jamais voulu ça pour ses enfants, mais Isabelle devra prendre cette décision elle-même.

Agathe s'était retenue pour ne pas appeler Vincent quand elle était sortie du bain. Mais elle ne veut pas l'embêter avec ses problèmes familiaux. Pourtant, depuis qu'ils ont recommencé à se voir, il lui dit souvent que ce qui lui arrive l'intéresse et qu'elle ne doit pas hésiter à lui téléphoner. Il lui a même donné son numéro de téléavertisseur pour les urgences, mais il est hors de question qu'elle l'utilise pour si peu. Elle n'est quand même pas à l'article de la mort ; elle aurait seulement eu besoin d'un peu de réconfort. Comme il est déjà plus de minuit, elle se tourne sur le côté et essaie encore de trouver le sommeil. Elle pense à Vincent constamment. Elle aime se rappeler à quel point la vie est douce en sa compagnie. Elle ne l'a pas encore présenté aux enfants, car elle estime que ce serait prématuré.

Quand Vincent et elle en avaient discuté, Agathe avait déclaré :

— On va d'abord laisser passer la période des fêtes.

— Je ne veux pas que tu t'en fasses avec ça. Tu n'auras qu'à me le dire lorsque tu jugeras le moment venu. Je n'ai pas d'enfants, mais je peux très bien comprendre que cette situation n'est pas simple.

Agathe l'avait serré contre elle et ils s'étaient embrassés longuement. Elle aime se blottir dans les bras de son amoureux, mais elle aime par-dessus tout faire l'amour avec lui. Cet homme représente tout ce dont elle rêvait.

Le seul hic de leur relation, c'est qu'il est parfois difficile pour eux de se voir à cause de l'horaire chargé de Vincent. Il a même prévenu Agathe que cela risquait d'être encore pire pendant le long congé.

— Je vois difficilement comment tu pourrais travailler plus, avait lancé Agathe en le gratifiant de son plus beau sourire.

— Étant donné que je n'avais rien prévu de spécial avant que tu fasses irruption dans ma vie, je me suis porté volontaire pour travailler à l'urgence, en plus de mon horaire habituel.

— Le moins qu'on puisse dire, c'est que tu n'es pas un amoureux encombrant…

— Tu ne sais pas encore grand-chose sur moi. Mais sache qu'autant j'aime travailler, autant j'apprécie les congés et les vacances.

L'air narquois, Agathe l'avait fixé. Pour le peu qu'elle connaît de lui, elle a du mal à l'imaginer en train de se tourner les pouces.

— Ma mère aimerait beaucoup te rencontrer, avait-il indiqué. Qu'en dis-tu?

— J'en serais ravie. Mais il faudrait d'abord que tu trouves un peu de temps...

— Rassure-toi! Non seulement j'en réserverai pour elle, mais j'en garderai encore plus pour toi.

Être le point de mire d'un homme comme Vincent est si nouveau pour Agathe qu'elle a peine à croire à sa chance. D'ailleurs, chaque fois que son amant pose les yeux sur elle, cela lui rappelle que jamais elle n'a vu tant de passion dans le regard de Patrick. Certes, elle peut se tromper, mais elle a bien l'impression que Vincent est le prince charmant qu'elle a toujours espéré.

Chapitre 10

— Karine a tellement pleuré que je ne savais plus quoi faire, confie Francis. Évidemment, les gars ne se sont pas gênés pour la taquiner quand on est revenus au poste. Mais c'est vrai qu'elle avait les yeux pas mal rouges.

— Pauvre elle…, souffle Suzie.

— On ne s'habitue jamais à voir quelqu'un qui a tenté de se suicider et qui s'est manqué. Ce n'était pas le premier défiguré que je voyais, mais c'était de loin le pire cas. Pour ma part, je ne m'habituerai jamais à ce genre de scène. Je me contrôle mieux que Karine, mais je sais déjà que je ferai des cauchemars pendant des semaines. Il y a des fois où j'en ai assez d'être obligé de jouer au dur seulement pour qu'on me fiche la paix.

Depuis le temps que Francis travaille avec Karine, Suzie en a souvent entendu parler, mais elle ne l'a encore jamais rencontrée. Il faut dire que Suzie n'a pas pu assister aux derniers *partys*, alors que c'est la seule occasion pour elle de voir tout le monde du poste de police. En réalité, mis à part les anecdotes concernant le travail, elle ne sait pas grand-chose de la collègue de son mari.

— Est-ce qu'elle a un *chum*?

— Aux dernières nouvelles, elle était célibataire. Pourquoi me demandes-tu ça?

— Parce qu'après ce qu'elle vient de vivre ce serait important qu'elle puisse en parler à quelqu'un.

— Je lui ai conseillé d'aller consulter un psychologue.

Suzie sourit à Francis. Seul un homme peut émettre ce genre de commentaires. Même si son Francis est attentif aux autres, il n'y a aucun risque qu'il tombe un jour dans la sensiblerie.

— C'est bien, mais étant donné que nous sommes dans la période des fêtes, je serais très étonnée qu'elle obtienne un rendez-vous avant l'année prochaine. A-t-elle de la famille?

— Oui. Mais ils habitent tous autour de Rimouski.

— Elle a sûrement des amis…

— Je ne sais pas trop…

— Appelle-la et invite-la à venir souper avec nous. Ce n'est pas sain qu'elle reste seule après un tel choc.

Francis regarde sa femme d'un drôle d'air. Il se dit qu'il n'y a qu'elle pour se préoccuper d'une pure étrangère comme elle le fait. Étant donné qu'il a pleine confiance en son jugement, il sort un bout de papier de son porte-monnaie et compose le numéro de Karine. Celle-ci répond à la première sonnerie. D'après sa voix, Francis croit fortement qu'elle était en train de pleurer.

— Salut, Karine! C'est Francis. As-tu mangé?

— Je n'ai pas faim.

— Donne-moi ton adresse. Je vais passer te chercher et tu viendras chez moi. Selon ma femme, ce n'est pas bon que tu restes seule ce soir.

Sans hésiter, Karine transmet le renseignement demandé. Puis elle ajoute:

— Je t'avertis, je fais peur à voir. Je t'attendrai dans l'entrée.

Aussitôt qu'il raccroche, Francis confirme à Suzie qu'elle avait raison. Sa partenaire, habituellement si forte, n'en mène pas large.

— Voudrais-tu arrêter acheter une pinte de lait en revenant ?

Francis prend Suzie dans ses bras. Avant de l'embrasser, il murmure :

— Sais-tu seulement à quel point je t'aime, toi ?

Lorsque Suzie étreint Karine à son arrivée, la policière se met à pleurer comme une Madeleine. Suzie fait signe à Francis de s'éloigner, puis elle laisse à la jeune femme le temps d'évacuer sa peine.

Karine se confond en excuses dès qu'elle parvient à se ressaisir.

— Je ne vous connais même pas et je me mets à pleurer dans vos bras. Je suis vraiment désolée.

— Eh bien, maintenant, on se connaît ! plaisante Suzie. Et puis sache que je tutoie tous mes amis.

Karine est touchée par les paroles de Suzie. Elle a très peu d'amis. En réalité, depuis qu'elle vit à Montréal, Francis est le seul avec qui elle parle un peu. De nature réservée, elle ne se confie pas à n'importe qui, et surtout pas aux autres policiers. Ils lui font la vie dure depuis qu'elle est en poste, ce qui ne lui donne pas le goût de se rapprocher d'eux. Il y en a bien un qui lui fait les yeux doux, mais elle reste indifférente. Sa vie n'est pas aussi agréable que lorsqu'elle habitait à Rimouski. Elle n'avait pas beaucoup de compagnons là-bas non plus, mais elle en avait quelques-uns avec qui elle pouvait s'épancher et sortir. Il lui arrive d'aller voir un spectacle seule, et même d'aller manger au restaurant, mais ces activités sont beaucoup plus intéressantes lorsqu'on est accompagné.

— Viens ! lance Suzie en souriant. Je vais te présenter les enfants.

* * *

Agathe avait dû se démener pour que Patrick accepte de prendre Isabelle avec lui durant le congé des fêtes. Il lui avait servi mille et une excuses pour s'en sauver. À bout de patience, Agathe avait mis fin à ses jérémiades en brandissant la carte de l'avocat. Elle n'aime pas recourir à cet argument, mais il y a des limites à exagérer. Ils avaient finalement convenu que Patrick viendrait chercher Isabelle le jour où celle-ci tomberait en vacances. L'adolescente n'a pratiquement pas adressé la parole à sa mère depuis qu'Anna l'a ramenée à la maison. Agathe le prend très mal, d'autant qu'elle traite sa fille aux petits oignons puisqu'elle est revenue de son escapade avec une grosse grippe. Agathe ne lui a pas fait le moindre petit reproche. Selon Anna, Isabelle a eu sa leçon : Jack et Pierre l'ont vertement semoncée.

— Et tu prendras Shelby aussi, avait dit Agathe à Patrick. La pauvre bête a cessé de manger tellement elle s'ennuie de toi.

— Mais tu sais très bien que ma mère ne veut pas de chien dans sa maison. Et puis tu n'as qu'à demander à Suzie de l'emmener courir avec elle.

— On est au beau milieu de l'hiver. Alors, comme chaque année, Suzie s'entraîne au gymnase jusqu'au printemps.

— Elle va sûrement marcher de temps en temps.

Agathe avait menacé d'aller porter la chienne à la Société protectrice des animaux.

— Tu n'as pas le droit de faire ça ! s'était objecté Patrick. Les enfants s'ennuieraient beaucoup trop s'ils perdaient Shelby.

Agathe avait éclaté de rire.

— Tu es en feu aujourd'hui! Tu sais aussi bien que moi que les enfants ne font aucun cas de Shelby. C'est ton chien, pas le leur – ni le mien, d'ailleurs.

Pour un gars qui l'avait suppliée de le reprendre, Agathe trouve que Patrick s'est rapidement détaché d'elle et des enfants – et même de Shelby, ce qui n'est pas rien vu l'importance qu'il a toujours accordée à sa chienne. Elle n'arrive pas à s'expliquer son soudain revirement. Elle croit qu'il y a une femme là-dessous, mais en autant que Patrick honore ses obligations de père, elle s'en moque royalement. Elle a bien assez de ses affaires à gérer sans accorder d'importance à celles de son ex en plus.

Mais Agathe est loin de la vérité, car Patrick se tient à carreau avec les femmes depuis sa séparation. Et l'idée de rappeler ses anciennes maîtresses ne lui a même pas effleuré l'esprit. La vérité, c'est que, plus les jours passent, plus il est mort de peur à l'idée d'avoir les enfants avec lui, et ce, même pour quelques jours. Il est nul en cuisine et il déteste au plus haut point tout ce qui touche l'entretien ménager. Aussi, il n'est pas très bon pour communiquer avec sa marmaille ; il est plutôt de nature à bougonner et à crier au moindre écart de conduite de ses enfants. Et puis, tant qu'il habitera chez sa mère, ce sera difficile pour lui d'en exiger plus de Patricia. Patrick sait qu'il se fiera à sa mère et se la coulera douce, comme depuis qu'il s'est installé chez elle. Ce n'est pas l'endroit idéal pour vivre, car il se sent à l'étroit dans la petite maison de ses parents, et encore plus dans son ancienne chambre. Par contre, le gîte et le couvert sont gratuits, et sa seule tâche est de nettoyer l'entrée et la galerie. Il a offert à sa mère de l'aider à apporter quelques améliorations à la maison – et il se serait exécuté avec plaisir. Mais à son retour du chalet, il s'était rendu compte qu'à part quelques petites rénovations ici et là il valait mieux baisser le prix de vente que d'entreprendre les grands travaux que la maison nécessite. Patrick se demande qui voudra acheter une demeure qui exige autant d'ouvrage. Elle est habitable, mais pratiquement tout est à refaire : les fenêtres, les armoires de cuisine et les couvre-planchers doivent être remplacés, la salle de bain et la toiture sont à refaire au complet. Le prochain propriétaire devra aimer le travail manuel et avoir beaucoup de temps devant lui.

* * *

Agathe aurait voulu expérimenter la médecine d'Annick avant Noël. Mais à cause de la fugue d'Isabelle, elle a décidé de reporter l'expérience le temps que les choses se replacent. Anna et elle passeront à l'action après le jour de l'An. Agathe n'est pas guérie de Patrick. Mais chaque fois qu'elle constate son manque d'engagement face aux enfants, sa plaie cesse automatiquement de la faire souffrir.

Affairée à cuisiner, Agathe pense à la fragilité de la vie. Alors qu'elle croyait avoir pigé la bonne carte, en réalité elle tenait un joker. Elle secoue la tête à quelques reprises afin de chasser ses pensées. Prendre conscience de sa propre naïveté lui donne envie de vomir. Elle se met à pleurer. Ses larmes coulent sur sa pâte à tarte, mais elle n'en fait aucun cas. Agathe ignore combien de temps elle reste prostrée dans cet état. C'est l'arrivée de Mylène qui l'en fait sortir.

— Ne te dérange pas ! crie la visiteuse. J'enlève mes bottes et j'arrive. Je ne sais pas si tu es sortie aujourd'hui, mais je dirais que c'est la journée la plus froide depuis le début de l'hiver.

Lorsque Mylène constate la tristesse de son amie, elle lui enlève des mains le rouleau à pâte et la serre dans ses bras.

— Ma pauvre Agathe ! Je prendrais volontiers une part de ta peine, si je le pouvais.

— Je ne te laisserais pas faire ! proteste Agathe en reniflant. C'est moi qui me suis mise dans ce pétrin, personne d'autre. Je suis trop bête de pleurer sur une histoire que je connaissais par cœur, mais dont je refusais de changer la conclusion.

— Tu devrais plutôt dire que tu as cru en Patrick. L'amour naît parfois en quelques secondes entre deux personnes. Mais lorsque l'un des deux abandonne le navire, ça prend du temps à l'autre pour guérir ses plaies. Personne ne se marie avec l'intention de divorcer un jour.

— Parfois, j'ai l'impression de progresser. Mais la minute d'après, je plonge encore plus profondément dans ma peine.

Mylène voudrait connaître une formule magique pour pouvoir soulager les gens affligés par un deuil ; cela simplifierait tant son travail. Dans certains cas, une séparation est plus difficile à vivre que la mort d'un proche.

— C'est normal. Selon mon directeur de thèse, il faut laisser au temps le temps de faire son temps. Riche ou pauvre, personne ne peut échapper à cette réalité.

— Tu n'es pas très encourageante, gémit Agathe. Mais le pire, dans tout ça, c'est que je ne suis pas en peine d'amour. L'escapade de Patrick à Québec m'avait donné un grand coup ; j'ignore encore pourquoi j'avais accepté de continuer avec lui. Des fois, je me dis que c'est ça qui me fait le plus mal.

— Parce que tu t'étais mariée pour la vie.

— C'est ce que mes parents m'ont répété tout le long de mon enfance et de mon adolescence. Je dois t'avouer qu'il m'arrive encore de penser que j'aurais peut-être dû essayer un peu plus fort.

Mylène la regarde curieusement. Elle n'a pas l'habitude de se mêler des affaires des autres, mais si jamais Agathe décide de revenir auprès de Patrick, elle la trouvera sur son chemin. Mylène s'est toujours sentie mal à l'aise en présence de son voisin. Maintenant, elle comprend pourquoi. Patrick jouait avec Agathe, comme le chat avec la souris. Elle ne pourrait prétendre qu'elle se doutait qu'il trompait Agathe, ce serait trop facile. Cependant, elle avait détecté quelque chose de malsain chez lui.

— Je t'avertis, je ne te laisserai pas faire. Pas cette fois! Tu sais aussi bien que moi que Patrick ne changera jamais – pas plus que toi ou moi. Il te l'a prouvé à plus d'une reprise : il peut faire des efforts pendant un certain temps, mais sa vraie nature reprend le dessus tôt ou tard. C'est bien beau de présenter l'autre joue, et c'est ce que la religion catholique nous a appris; toutefois, il y a des limites. Et je déteste le verbe *mériter* parce que, selon moi, tout le monde devrait avoir droit au bonheur. Mais ce n'est pas le cas. Toi, tu mérites mieux que Patrick… beaucoup mieux.

Agathe savait que Mylène tenait à elle, mais elle ignorait que c'était à ce point. Elle s'approche de son amie et dépose un baiser sonore sur sa joue.

— Est-ce que je t'ai déjà dit que je t'aime beaucoup?

— Et c'est réciproque! lance aussitôt Mylène. Maintenant, parle-moi de ton voyage en France.

— Je vais faire mieux que ça: je vais te montrer mes billets d'avion. La France ne faisait pas partie des pays que je voulais visiter en premier, mais je me trouve vraiment privilégiée. Et j'ai très hâte de voir enfin Annick. J'ai l'impression qu'elle n'a pas vieilli quand je lis ses lettres ou que je lui parle au téléphone. Mais est-ce que ce sera la même chose quand je serai devant elle? Je l'ignore, et ce n'est pas sans m'inquiéter un peu.

Agathe s'empresse d'aller chercher l'enveloppe dans laquelle elle les a rangés. Contrairement à son bateau dans la bouteille de verre, elle l'a mise bien en vue. Elle a même pris soin de la montrer aux enfants. Évidemment, elle a averti Steve de ne pas y toucher. Elle n'a pas eu besoin de mentionner le bateau pour qu'il sache la raison de cette mise en garde. Chaque fois qu'Agathe le prévient à propos d'une chose à laquelle elle tient, il lui dit, en mettant les mains sur ses hanches, qu'il n'est plus un bébé. Pour toute réponse, elle sourit à son fils et lui pince une joue.

— Les voilà! annonce-t-elle en brandissant les billets. Vincent et moi avons commencé à noter tout ce qu'il y a à visiter dans les environs. On n'aura pas le temps de tout voir en une semaine. De toute façon, comme ce ne sera pas la haute saison touristique, plusieurs choses vont s'éliminer d'elles-mêmes.

— Je ne suis jamais allée en Europe. Mais si je me fie à ce que la mère de François raconte, il y a autant à voir dans l'espace de deux coins de rue que dans le Vieux-Montréal au grand complet. En tout cas, Sylvie manifeste un grand enthousiasme quand elle en parle. Je rêve de fêter mes trente ans là-bas.

— Je te promets de prendre une tonne de photos pour toi. Est-ce que ça te tenterait de te promener dans la rue Sainte-Catherine avec moi?

Les yeux de Mylène se mettent aussitôt à briller. Quelle femme refuserait une telle offre? Pour qui aime magasiner, nul doute que la rue Sainte-Catherine est l'endroit rêvé.

— Tu n'as qu'à me dire quel jour te convient et je m'organiserai. Cette année, j'ai décidé de me faire un cadeau: je prendrai congé entre Noël et le jour de l'An.

— Quelle bonne idée! Moi, je vais devoir travailler un peu parce que j'ai une grande murale à livrer après la fête des Rois. Je ne l'ai même pas encore commencée. Tu ne sais pas la dernière? Manon, ma voisine de derrière, est venue me voir hier soir. Elle m'a commandé deux murales – et pas des petites, à part ça. Elle les mettra dans ses commerces.

— Les affaires vont bien, à ce que je vois. Je suis contente pour toi!

Agathe ne peut se plaindre de ce côté-là. On lui a passé plusieurs commandes pour de grandes murales ces dernières semaines. De plus, elle a reçu la confirmation d'une autre exposition de ses œuvres; elle aura lieu durant la période de Pâques à la même galerie que lors des deux années précédentes. Il lui reste maintenant à jongler avec son agenda pour arriver à respecter les délais de livraison, à organiser sa nouvelle vie de mère monoparentale, à finaliser le divorce… Elle ne remet pas en question sa décision en ce qui concerne Patrick et elle, mais le fait qu'elle soit aussi occupée l'aide à tenir bon. Prendre une décision parce que c'est tout ce qui s'offre à nous et passer à l'action se situent parfois à des années-lumière l'un de l'autre. Agathe en sait quelque chose.

— Mais ce n'est pas tout! s'exclame Agathe. Je vais vendre des vêtements La Relance à domicile dès mon retour de voyage. Tu t'en souviens sûrement, je t'en avais parlé il y a un peu plus d'un mois. Ces vêtements se vendent cher, mais ils sont de grande qualité et ont énormément de style. J'ai demandé à France si je pouvais faire ma première démonstration chez elle. Elle m'a répondu que ça n'aurait pas pu mieux tomber puisqu'elle doit justement renouveler sa garde-robe. Tu aurais dû l'entendre se plaindre qu'elle n'a plus rien à se mettre sur le dos.

— Je voudrais bien avoir sa garde-robe…

— Une chose est certaine : si France avait la mienne, elle pleurerait toutes les larmes de son corps chaque matin quand viendrait le temps de s'habiller !

De toutes les amies d'Agathe, incluant Anna et Céline, France est celle qui possède le plus de vêtements. Elle en a même plus que Suzie. Cette dernière a été forcée de réduire ses dépenses il y a quelques années. Depuis, elle n'achète que deux ou trois nouveaux vêtements chaque année. Heureusement, le fait de sortir des magasins les bras chargés de paquets ne lui manque plus.

— De toute façon, avait-elle dit aux filles, je finis toujours par mettre les mêmes morceaux. Vous ne me croirez peut-être pas, mais certains de mes vêtements ont encore leur étiquette. Pourtant, je les ai achetés il y a longtemps.

Celle qui investit le moins dans son habillement est sans contredit Céline. Avec elle, les vêtements prolongent leur vie. Chaque fois que ses sœurs et ses amies la complimentent, elle se dépêche de raconter la petite histoire qui se cache derrière sa tenue du moment.

— Bah ! C'est une jupe qui traînait dans le fond de ma garde-robe depuis au moins dix ans. Je l'ai raccourcie un peu et lui ai ajouté un petit biais de couleur dans le bas. Quant au chemisier, je lui ai enlevé ses manches ; elles étaient trouées aux coudes.

— Tu es certaine que tu veux devenir comptable ? lui avait demandé France. D'après moi, tu t'amuserais pas mal plus à retoucher des vêtements qu'à compter des colonnes de chiffres à longueur de journée.

— Cela te surprendra, mais je déteste coudre. Si je le fais, c'est parce que j'ai une sainte horreur d'aller magasiner, en particulier pour m'habiller. De toute façon, je trouve que c'est de l'argent gaspillé.

Céline est évidemment la seule du groupe à tenir ce discours. Même si Anna ne dépense pas une fortune en vêtements, elle aime paraître à son avantage et adore s'offrir une journée de magasinage de temps en temps – surtout pendant les soldes. Quant à Mylène, comme elle porte une blouse blanche toute la semaine pour travailler, elle n'a pas besoin d'une garde-robe très élaborée. Malgré tout, elle aime bien s'acheter des vêtements quand l'occasion se présente. Voir le regard que porte Sylvain sur elle quand elle étrenne un nouveau morceau vaut largement la dépense, selon elle. Pour sa part, Agathe raffole de courir les magasins. Elle ne bénéficie pas des moyens financiers de France ou Suzie, mais cela ne l'empêche pas d'aimer fouiner et d'essayer des vêtements, même si elle ne peut se les payer. Magasiner est une forme de thérapie pour elle. Il lui arrive encore de penser au jour où elle avait accompagné Anna lorsque cette dernière était allée choisir sa robe de mariée. Sa sœur avait acheté la première qu'elle avait essayée. Comme Agathe n'était pas rassasiée, elle avait feint qu'elle allait se marier et avait essayé un tas de robes rien que pour le plaisir.

— Arrête un peu, Agathe ! clame Mylène. Tu es toujours bien habillée.

— Peut-être, mais je porte souvent les mêmes vêtements. À quelques différences près, ma garde-robe ressemble étrangement à celle de ma mère. J'ai une robe pour les enterrements, deux pour les mariages et les baptêmes, quelques jupes et quelques chemisiers réservés à mes rencontres avec mes clients, deux paires de jeans et des t-shirts. Crois-moi, si tu me voyais chaque jour, tu te rendrais vite compte que je suis tout le temps habillée pareil. Dans mon cas, quelques nouveaux vêtements ne seraient pas un luxe. La bonne nouvelle, c'est qu'en vendant les articles de La Relance je pourrai m'en payer. Accepterais-tu de faire une démonstration chez toi ?

— Bien sûr! J'inviterai les filles avec qui je travaille. Il y en a qui dépensent une vraie fortune en vêtements. Elles sont toujours impatientes d'enlever leur blouse blanche pour nous montrer ce qu'elles viennent de s'acheter.

Chapitre 11

France est littéralement tombée sous le charme de Philippe, et le plus merveilleux, c'est que c'est réciproque. Elle se rue sur le téléphone aussitôt que sa fille est couchée afin de parler à sa nouvelle flamme. La preuve qu'il attend son appel : jusqu'à maintenant, il a toujours décroché à la première sonnerie. Ils peuvent discuter de tout et de rien pendant des heures et passent leur temps à rire comme deux adolescents. Le fait qu'ils vivent loin l'un de l'autre les embête un peu, mais cela leur permet de faire plus ample connaissance avant de décider si leur histoire ira plus loin. Depuis leur première rencontre, ils ont passé plus de temps à se parler au téléphone qu'en personne. France et Philippe aimeraient se revoir, mais cela est compliqué. À l'approche des fêtes, France travaille davantage afin de satisfaire tous ses clients. Philippe est dans la même situation ; Noël est l'occasion rêvée pour offrir un livre aux gens qu'on aime. La veille, il lui a confié que ses clients les moins aimables étaient souvent les plus fortunés. Ils veulent des suggestions de livres, Philippe passe un temps fou à essayer de leur dénicher la perle rare, mais ils finissent immanquablement par acheter le livre qu'ils désiraient au départ. Contrairement à Olivier, Philippe est un fin connaisseur en matière de littérature. Il a lu tous les livres de la bibliothèque de la prison pendant son séjour là-bas. Depuis qu'il sait lire, il dévore tous les livres qui lui tombent sous la main, mais il préfère de loin les biographies. Son coup de cœur demeure l'autobiographie de René Lévesque, *Attendez que je me rappelle* – l'histoire d'un des plus grands Québécois que notre belle province ait connus.

La première intention de Laura en l'engageant à la librairie était de l'aider, mais quand elle a vu à quel point il s'y connaissait en littérature, et surtout à quel point il aimait ça, elle a été enchantée.

— Et certains clients sont tellement radins, avait ajouté Philippe. Tu devrais les entendre marchander.

— Je ne suis pas étonnée, avait déclaré France. Mon père te dirait que ce n'est pas pour rien qu'ils sont devenus riches. Contrairement à nous, ils ne dépensent jamais un sou inutilement. Un des amis de papa est propriétaire d'une grande entreprise. Un jour, il l'a invité à aller à New York avec lui en reconnaissance de tous les services que mon père lui avait rendus pendant la dernière année, en refusant chaque fois de se faire payer. À son retour, mon père avait déclaré qu'il comprenait mieux pourquoi son ami était devenu riche, et lui non. L'homme comptait tout deux fois plutôt qu'une et il laissait très peu de pourboire au restaurant. Papa nous avait bien fait rire quand il nous avait raconté qu'il passait toujours derrière son ami pour «engraisser» les pourboires.

— J'aime autant ne jamais devenir riche, si c'est pour être obnubilé par l'argent.

Le petit côté naïf de Philippe plaît beaucoup à France; elle le trouve rafraîchissant et drôle. Elle se sent aussi légère qu'une plume avec lui et elle a l'impression de rajeunir lorsqu'ils sont ensemble. Leur relation n'est en rien comparable à celles que France a eues jusque-là. Philippe et elle n'ont pas encore évoqué un avenir commun. Philippe ne lui a rien caché de sa vie. Il lui a raconté ses années sombres et lui a parlé de sa nouvelle vie depuis qu'il a recouvré sa liberté.

— Comme tu peux le constater, je n'ai pas été un enfant de chœur. Je pourrais fournir un tas d'excuses pour justifier mes actes, mais je ne le ferai pas. À une époque, j'ai choisi le mauvais chemin.

Je ne serai jamais le fils préféré de mon père, peu importe ce que je pourrais accomplir pour me racheter, car je l'ai trop déçu.

— Je te trouve dur avec toi-même. Les parents aiment leurs enfants envers et contre tout.

— Pas mon père. Tu comprendras si tu fais sa connaissance. Mon père est un homme au service de la loi, un individu d'une rare droiture. Il peut se montrer aussi entêté que tout un troupeau de bourriques. Il a suivi les traces de son père sans se poser de question, et il attendait la même chose de ses cinq garçons. À ses yeux, Olivier et moi sommes les moutons noirs de la famille – et nous le resterons jusqu'à ce qu'il ferme les yeux pour de bon.

France ne doute pas des paroles de Philippe, mais elle le trouve sévère à l'endroit de son père. En même temps, elle sait que les policiers aux idées arrêtées sont légion. On devrait vite se tourner vers un autre métier si on n'a aucun goût pour l'ordre et les règlements… et le pouvoir, bien sûr.

— J'ai recommencé à aller aux rencontres de famille l'année dernière, avait confié Philippe. Mon père est assez froid avec moi. J'ai remarqué qu'il était plus chaleureux avec Olivier, mais mon frère m'a dit que c'était seulement depuis qu'il était marié avec Laura que notre père avait changé d'attitude avec lui. J'ignore pourquoi, mais c'est clair qu'il l'apprécie. Et c'est tant mieux pour Olivier.

— Et ta mère ?

— C'est un ange, avait répondu Philippe en souriant. Je me demande encore comment elle a pu endurer mon père si longtemps. Elle nous a toujours défendus contre lui et sa panoplie de règlements excessifs. Je ne suis jamais rentré dans l'armée, mais je suis certain que ça ressemble à ce que j'ai vécu quand j'étais jeune. Je te jure que lorsque mon père était à la maison, on marchait au doigt et à l'œil.

Plus France écoutait Philippe, plus elle s'attachait à lui. Plus que tout, elle aime sa franchise et son authenticité. Il n'essaie jamais de se cacher derrière des excuses et il dit les choses comme elles sont sans ajouter de fioritures pour se justifier. Philippe est un homme vrai, et c'est ce qui lui plaît.

— Au risque de me répéter, je n'ai pas grand-chose d'autre à t'offrir à part ce que tu as vu… Avoue que ce n'est quand même pas si mal ! J'ai un petit emploi pour le moment, mais je l'adore, et jamais tu ne m'entendras me plaindre à ce sujet. Aujourd'hui, Laura m'a confié qu'elle pensait à ouvrir une librairie à Lévis et que, si ça m'intéressait, je pourrais être en charge de l'endroit. Je lui ai tout de suite confirmé mon intérêt, mais elle a semblé surprise quand j'ai ajouté que j'aimerais posséder des parts dans le commerce. Elle n'a pas dit non. Elle m'a promis d'y réfléchir. Olivier a beaucoup de chance d'avoir croisé sa route – et moi aussi, par la même occasion.

Comment ne pas être touchée par tant de sincérité ? France ne risque pas de traîner dans les grands hôtels de Montréal avec Philippe, mais elle a une chance de pouvoir construire une relation stable. Le passé chaotique de son soupirant ne la dérange pas puisqu'il y a longtemps qu'elle a compris que si elle fouillait dans le passé des hommes de sa vie elle finirait par trouver des squelettes dans le placard de chacun d'eux. Ce n'est pas parce que quelqu'un porte un complet qu'on peut lui donner le bon Dieu sans confession. Le proverbe populaire a raison : l'habit ne fait pas le moine. Ce n'est pas non plus parce qu'on endosse un costume qu'on est l'image qu'on projette. France ne s'est jamais sentie aussi bien avec un homme qu'avec Philippe et elle a bien l'intention de continuer dans cette voie. Au pire, si ça ne mène nulle part, elle souffrira.

Mais dans le meilleur des cas, peut-être que pour une fois, elle vivra une relation amoureuse à la hauteur de ses attentes.

Contrairement à Patrick, qui a choisi délibérément son style de vie, France n'a jamais voulu multiplier les aventures. Certes, elle aime beaucoup la compagnie masculine, elle en a besoin. Mais comme la plupart de ses amies, elle a toujours désiré avoir une relation stable. France n'a pas choisi non plus de vivre les grandes traversées du désert qui ont parsemé son existence, où tout ce qui lui reste, c'est d'envier le bonheur de ses copines en couple. Ces périodes sont très difficiles à vivre. Elle aime être en relation avec un homme. Elle a une soif insatiable de sentir qu'elle est importante pour quelqu'un, qu'elle le fait vibrer, et réciproquement.

— Sais-tu seulement à quel point tu me manques? lui avait demandé Philippe à brûle-pourpoint. Si je ne me retenais pas, je sauterais dans mon auto et je descendrais chez toi.

— Quelle bonne idée! s'était exclamée joyeusement France. Je t'attends!

* * *

— Ouach! s'écrie Steve de sa petite voix haut perchée. Shelby a encore fait pipi sur le plancher et j'ai mis les deux pieds dedans.

Agathe laisse tomber la cuillère de bois qu'elle tient avant de courir rejoindre son fils dans sa chambre. Aussitôt qu'il aperçoit sa mère, Steve demande:

— Pourquoi c'est toujours dans ma chambre qu'elle fait ça?

Agathe aimerait bien répondre à son fils, mais pour cela il faudrait qu'elle comprenne pourquoi Shelby se comporte ainsi. La pauvre bête est comme une âme en peine depuis que Patrick est parti. Avant, elle avait toujours été propre dans la maison, et ce, même lorsqu'elle restait seule durant toute une journée.

— Je te promets que c'était la dernière fois, déclare Agathe d'une voix trahissant sa colère. Je te promets aussi qu'elle ne sera plus là quand tu viendras dîner. Change de chaussettes, je vais chercher ce qu'il faut pour nettoyer. À part l'odeur de la mouffette, j'ai rarement senti quelque chose d'aussi infect.

De retour dans la cuisine, Agathe saisit le téléphone. Elle compose le numéro de sa belle-mère. Cette fois, Shelby a dépassé les bornes. C'est seulement à la troisième sonnerie que Patricia répond d'une voix endormie. Agathe la salue en vitesse et lui demande de lui passer Patrick.

— Mais il est couché. Il n'est pas encore sept heures.

— Allez le réveiller, s'il vous plaît, lui ordonne Agathe. C'est urgent.

Agathe se met à trépigner sur place en attendant que Patrick lui réponde. Lorsqu'elle l'a enfin au bout du fil, elle lui lance tout de go :

— Shelby a encore fait pipi sur le plancher de la chambre de Steve. C'était une fois de trop. Je te donne exactement deux heures pour venir la chercher. Sinon j'irai la porter à la Société protectrice des animaux.

— Tu es malade ou quoi ? jette Patrick d'un ton impatient. Il fait encore noir dehors.

— Deux heures, pas une minute de plus.

Avant de nettoyer le dégât dans la chambre de Steve, elle part à la recherche de Shelby. Elle l'appelle en faisant le tour de la maison, mais elle ne trouve nulle trace de la chienne. Agathe sent la colère et l'impatience l'envahir un peu plus à chaque instant. Il ne lui reste qu'à aller vérifier au sous-sol. Elle n'est pas encore au milieu de l'escalier que Sébastien s'écrie :

— Maman, tu ne seras pas contente. Shelby a fait ses besoins sur le tapis de la salle de jeu.

Agathe arrive au pied des marches en un temps record. En apercevant Shelby, elle se retient de la prendre par le cou et de la traîner à l'extérieur. De toute façon, la chienne ne se laisserait sûrement pas faire. Agathe soupire avant de demander à Sébastien d'emmener Shelby dehors au plus vite.

— Mais elle va geler…, proteste-t-il.

— Pas avec l'épaisseur de poil qu'elle a. Et puis ne t'inquiète pas pour elle, ton père va venir la chercher tantôt.

— Pour quelques jours ?

— Non, pour toujours.

Agathe remonte, pour aller chercher ce qu'il lui faut pour nettoyer. Décidément, elle n'avait pas besoin de ça en plus de tout le reste.

Agathe n'a pas pris la peine de ramasser les besoins de Shelby à l'extérieur depuis que Patrick est parti. Quand elle sort les poubelles ou regarde dans la cour, elle voit des dizaines de petits tas éparpillés sur la neige. Chaque fois, elle se dit que jamais elle n'aura de chien. Toutefois, un jour, elle aimerait bien avoir un chat.

* * *

Suzie s'est levée très tôt ce matin. Elle sort son violon et se met à en jouer aussitôt que les enfants ont quitté pour l'école. Plus le réveillon approche, plus elle est nerveuse à l'idée de s'exécuter devant tous les membres de sa famille. Tout d'abord, elle avait refusé, mais avait fini par céder devant l'insistance de son père.

— Je vais jouer une seule pièce.

— C'est parfait pour moi, avait répondu Robert. Depuis le temps que tu suis des cours, il est venu le moment de nous montrer de quoi tu es capable.

— Mais je suis loin d'être une virtuose ! avait-elle protesté. Je ne sais pas si tu es au courant, mais ce n'est pas facile d'apprendre à jouer du violon. C'est à Pierre-Luc que vous devriez demander de faire une prestation.

— Il me semblait que je te l'avais dit… Je lui ai demandé la dernière fois que je suis venu travailler à l'agence. Ton fils m'a répondu qu'il jouerait autant de pièces que je le voudrais.

Contrairement à sa mère, Pierre-Luc adore se produire en public. D'après les professeurs de l'école de musique où il suit ses cours, il est très talentueux. La semaine dernière, son enseignant a dit à Suzie qu'elle devrait envisager la possibilité de doubler les heures de cours de Pierre-Luc si elle voulait qu'il continue à progresser. Il lui a suggéré le nom d'une école réputée où le garçon aurait des chances d'être accepté.

— Je ne peux rien vous garantir, a dit le professeur, je n'ai pas de boule de cristal avec moi, mais croyez-moi, votre fils a tout ce qu'il faut pour faire carrière.

Suzie l'avait écouté avec attention même si Francis et elle n'avaient jamais envisagé que la musique puisse tenir une place si importante, un jour, dans la vie de Pierre-Luc. Leur fils suit des cours de violon comme d'autres garçons de son âge suivent des cours de karaté. Suzie n'a jamais été obligée d'insister pour qu'il pratique depuis son premier cours, au contraire, plus souvent qu'autrement, elle doit lui dire d'arrêter. Et il joue de mieux en mieux à chaque leçon.

À son retour à la maison, elle s'était dépêchée d'en parler avec Francis. Il l'avait fixée avec étonnement.

— Notre fils pourrait faire carrière comme violoniste ? Je n'ai rien contre, mais si nous l'encourageons dans cette direction, nous ne sommes pas près d'arrêter de travailler. Sais-tu tout ce que cela peut impliquer ? Quand j'étais petit, un de mes amis étudiait le piano. Il était tellement doué que ses parents ont tout fait pour qu'il vive de la musique. Tu ne peux pas t'imaginer ce que ça leur a coûté. Leur fils a étudié dans les plus grandes écoles de musique, et pas seulement au Québec.

Impressionnée, Suzie avait attendu la suite avec impatience.

— Ça a pris des années, avait-il finalement énoncé, mais aujourd'hui il joue avec les plus grands orchestres.

— Et ce n'est que maintenant que tu m'en parles ?!

— Je l'ai perdu de vue depuis un sacré bout de temps. Mais si tu veux, j'appellerai ses parents pour savoir quand il viendra jouer à Montréal.

Quand Pierre-Luc joue du violon, Suzie l'écoute attentivement et gonfle la poitrine de fierté. Il s'exécute si bien comparativement à elle qu'elle pourrait l'écouter pendant des heures. Même Tommy et Édith viennent s'asseoir près de lui quand il répète. Il faut voir Édith fermer les yeux et se laisser bercer par la musique. Elle demande souvent à Pierre-Luc comment il réussit à faire pleurer son violon.

— Je peux t'apprendre, si tu veux.

— Non, non! s'empresse-t-elle toujours de répondre. J'aime mieux t'écouter.

Devant l'intérêt de sa fille pour la musique, Suzie avait proposé de l'inscrire à des cours avec l'instrument de son choix. Mais la petite avait répliqué qu'elle voulait être une danseuse de ballet, pas une musicienne.

— Moi, je veux porter des robes de princesse et danser avec des beaux princes quand je serai grande.

Suzie lui a réitéré son offre plusieurs fois, mais Édith n'a jamais changé de discours.

L'idée que Pierre-Luc ait des chances de faire carrière comme musicien plaît de plus en plus à Suzie. Par contre, elle ne veut pas imposer quoi que ce soit à ses enfants. Si son fils souhaite s'engager dans cette voie professionnelle, elle est prête à investir tout ce qu'il faut pour qu'il atteigne son objectif.

— J'ai une question à te poser, Pierre-Luc, mais tu n'es pas obligé de me répondre tout de suite, lui avait récemment dit Suzie. Si tu avais un seul souhait à formuler, quel serait-il?

À peine avait-elle terminé de poser sa question que Pierre-Luc lui avait lancé avec tout l'aplomb d'un garçon de onze ans:

— Moi, je voudrais jouer du violon toute la journée. Quand je suis à l'école, je compte les heures qui restent avant que les cours finissent.

Surprise par la réponse de son fils, Suzie lui avait dit qu'il pouvait y réfléchir jusqu'au lendemain et qu'elle lui reposerait sa question.

— Ça ne sert à rien, car je vais te répondre la même chose… Jouer du violon est ce qui m'intéresse le plus.

— Plus que le patin de vitesse ?

— Oui ! J'aime patiner, mais pas toute une journée. Quand je patine, je repose mes doigts.

Suzie, qui répète sa pièce depuis un bon bout de temps, est très déçue de commencer à peine à la maîtriser. Il est hors de question qu'elle s'humilie devant les siens. Elle avale une gorgée de café et reprend ensuite son archet, plus déterminée que jamais. Il lui reste une demi-heure pour répéter avant d'aller travailler, ce qui ne sera pas de trop. Elle aurait bien voulu attendre Francis qui a travaillé toute la nuit, mais elle a un rendez-vous. Par ailleurs, elle n'a pas encore acheté le cadeau de Noël de son époux ; il est temps de s'en occuper. Depuis qu'ils sont mariés, c'est la première fois qu'elle est à court d'inspiration. Elle a beau chercher, elle ne trouve rien qui ferait son bonheur. Contrairement à son habitude, elle lui a même demandé des suggestions.

— Je suis sûrement en train de rêver ! avait-il lancé sur un ton moqueur. La spécialiste du cadeau en personne me demande de lui donner des idées. Pourtant, tu devrais savoir que je suis un homme comblé. J'ai trois enfants fantastiques et une femme merveilleuse. Je propose qu'on ne se fasse pas de cadeau et qu'à la place on se paie un voyage.

— Tu n'y penses pas sérieusement ! avait objecté Suzie. On va avoir l'air de quoi, s'il n'y a rien sous le sapin ?

— On va ressembler à des gens qui ont déjà tout ce dont ils ont besoin.

Évidemment, l'argument de Francis n'a pas réussi à la convaincre. Suzie finira bien par trouver ce qui ferait plaisir à son mari. Une idée de génie lui vient soudainement. Elle dépose son violon sur la table et court chercher un papier pour la noter. Si elle ne se trompe pas, son père pourra l'aider sur ce coup-là.

Chapitre 12

— J'aime mieux ne pas penser à ce que me coûtera cette partie de hockey, se plaint Jack. J'ai pratiquement perdu la moitié d'une dent. Ça a frappé tellement fort quand je suis entré dans la bande que j'ai cru que j'allais éclater en mille morceaux.

— Le grand Fabien joue toujours en fou, dit Francis. J'espère au moins qu'il s'est excusé.

— Oui, mais ça ne m'a pas redonné mon morceau de dent pour cela. Il serait peut-être temps que j'accroche mes patins une fois pour toutes.

Francis regarde Jack en fronçant les sourcils. Son ami manque de vitalité ces derniers jours. On croirait qu'il porte le monde sur ses épaules, et il ne rit plus aussi souvent qu'avant.

— J'espère que tu n'es pas sérieux. Tu n'as même pas quarante ans. C'est quoi, la prochaine étape? Tu vas t'inscrire dans une ligue de pétanque, peut-être?

— C'est seulement que je n'ai pas envie de me blesser. Je m'en suis bien tiré aujourd'hui, mais qui sait comment ça se passera, la prochaine fois?

— Veux-tu bien arrêter de vivre dans la peur! Je croirais entendre ma grand-mère du temps où elle vivait. Un coup parti, tu devrais demander à Suzie le nom de sa tireuse de cartes et prendre un rendez-vous. Elle pourrait sûrement te dire si tu devrais arrêter de jouer au hockey, et te mettre plutôt aux poches. Voyons donc, Jack! Tu ne vas quand même pas t'encabaner chez vous et passer ton temps à te bercer en regardant passer les autos par la fenêtre du salon !

Jack sait que Francis se moque de lui, mais ça lui importe peu. Il n'est pas dans son assiette depuis la visite éclair de Rémi. Il est distrait et, par le fait même, beaucoup moins efficace – autant au travail qu'au hockey. Lorsque Francis, Pierre et lui étaient allés manger avec Patrick, il n'avait pratiquement pas parlé. Les gars lui avaient demandé à plusieurs reprises s'il avait un problème. Afin d'expliquer son comportement, il avait prétexté avoir passé quelques mauvaises nuits d'affilée.

Mais ce n'est pas tout. Jack a recommencé à avoir des hémorroïdes depuis le passage de son frère. C'est si douloureux qu'il a du mal à s'asseoir. Anna ne cesse de lui répéter qu'il devrait aller voir le médecin. Comme il sait d'avance ce qui l'attend, il repousse l'échéance autant que possible. Il ne veut absolument pas passer sous le bistouri. De plus, il a une sainte horreur des hôpitaux et de toutes ces blouses blanches quand c'est lui qui joue le patient.

En plus, Jack a honte de ce qu'il a fait pour son frère. Son geste allait à l'encontre du métier qu'il exerce, mais en plus cela le bousculait dans ses valeurs personnelles. Il en a beaucoup discuté avec Anna sans arriver à trouver le moindre réconfort dans ces conversations. Il se sent piégé comme un lion en cage, alors que tout ce qu'il aurait à faire, c'est ouvrir la porte et sortir, ce dont il est incapable.

Francis n'a pas quitté son ami des yeux. Il voit que Jack a le cœur lourd. Cette fois, il ne le laissera pas partir sans qu'il ait lâché le morceau.

— J'ignore ce qui se passe dans ta vie, ajoute Francis d'une voix plus douce. Mais quoi que ce soit, ça te ferait sûrement du bien d'en parler. Vas-y, je t'écoute.

Jack réfléchit quelques instants. Il décide de tout raconter à son compagnon.

— Tu ne pouvais pas t'attendre à autre chose de la part de ton frère, commente Francis après avoir entendu toute l'histoire. Rémi allait forcément venir chercher ce qui lui appartenait, mais il est quand même culotté de débarquer comme ça. Un jour, tu m'as conseillé d'aller voir l'aumônier. Je t'ai écouté, ce qui m'a fait beaucoup de bien. C'est maintenant à mon tour de te suggérer de prendre rendez-vous avec lui.

— Tu n'y penses pas! rouspète Jack d'une voix sourde. Dans mon cas, il ne s'agit pas d'un vulgaire mal de dos. Réalises-tu l'ampleur de ce que j'ai fait? Je suis policier et j'ai caché de l'argent volé pour un membre de la mafia.

— Je sais tout ça. Mais il faut absolument que tu te confies à quelqu'un parce que cela est en train de te tuer de l'intérieur. Parle avec l'aumônier, ou bien avec un psychologue, mais dépêche-toi de prendre rendez-vous avec quelqu'un.

Anna lui tient exactement le même discours, mais Jack n'arrive pas à se décider à aller consulter. Il a toujours la gorge nouée et, quand il mange, chaque bouchée passe difficilement. Il vivait plutôt bien avec la situation quand l'argent se trouvait dans le coffret de sûreté. Mais maintenant qu'il en est débarrassé, Jack n'arrive pas à reprendre une vie normale. Il est fatigué, nerveux, impatient, distrait et il pense constamment à ce qu'il a fait. Ça le gruge jusqu'aux os.

Devant le silence de Jack, Francis revient à la charge.

— Ton frère ne mérite pas que tu te mettes dans un tel état à cause de lui. Promets-moi que tu vas prendre rendez-vous avec quelqu'un dès demain. Si tu veux avoir le nom d'un bon psychologue, tu n'as qu'à appeler Mylène. Je peux te donner son numéro de téléphone.

— Je te remercie, mais je vais aller voir l'aumônier.

— Bonne idée !

Chaque fois qu'il parle de Rémi avec Jack, Francis remercie le ciel de ne pas avoir un frère comme lui. Olivier et Philippe n'ont pas toujours eu beaucoup de scrupules, mais c'est de la petite bière comparativement à Rémi. Et la bonne nouvelle, c'est qu'ils se sont réhabilités tous les deux. Francis n'en a jamais parlé à qui que ce soit, mais il n'aurait pas parié sur les chances de ses frères de revenir dans le droit chemin un jour. La famille doit une fière chandelle à Laura.

— Sais-tu ce que je vais m'offrir comme cadeau de Noël ? lance Francis.

Pour toute réponse, Jack se contente de hausser les épaules.

— J'ai décidé d'arrêter de fumer une fois pour toutes.

Jack passe près de s'étouffer avec sa gorgée de bière. C'est au moins la dixième fois qu'il entend cette phrase. Le plus drôle, c'est que c'est presque toujours à la période des fêtes que Francis la lui sort.

— Tu me fais penser aux gens qui prennent la résolution de faire de l'exercice pour maigrir après le jour de l'An et qui l'ont déjà oubliée à la fin du mois de janvier. Je suis content pour toi, mais je n'y crois pas du tout.

De toutes les fois que Francis lui a annoncé qu'il allait arrêter de fumer, c'est la première fois que Jack ose lui dire en pleine face qu'il n'y arrivera pas. Si l'objectif de son compagnon était de le piquer au vif, il a réussi.

— Je vais te prouver que je peux y arriver.

Jack esquisse un sourire en coin.

— Je ne demande pas mieux que de te croire. J'espère même que tu réussiras.

Les deux amis lèvent leurs verres et les frappent ensemble pour sceller le défi de Francis.

— Au fait, il faut que je t'annonce ma grande nouvelle, déclare Francis. J'ai décidé d'embarquer avec Pierre dans son projet de construction de logements. On va commencer par construire un immeuble de deux étages près de chez ton beau-père. On va signer les papiers pour le terrain après le jour de l'An. Jacques nous a promis qu'il viendrait nous aider quand on sera rendus à la finition.

Jack se retient à grand-peine de ne pas décourager Francis. Celui-ci se rendra vite compte que ce genre de projet n'est pas de tout repos. Mais il est vrai qu'il est plus facile de bâtir des édifices que de rénover des bâtisses déjà existantes. Ce n'est pas arrivé juste une fois à son père de s'être fait avoir en achetant un bâtiment construit il y a plusieurs années. Parfois, les problèmes ont été si bien camouflés que ce n'est qu'avec le temps que le propriétaire s'aperçoit qu'il a acheté un gros paquet d'ennuis.

— Est-ce que ça signifie que la construction se fera dès janvier?

— Non, non! On a plusieurs choses à faire avant de pouvoir commencer les travaux: choisir le modèle d'immeuble, les plans, la finition, les couvre-planchers… En tout cas, ton père connaît vraiment son affaire. Il nous a mis en garde contre plusieurs trucs. Grâce à lui, on a déjà épargné pas mal de temps.

— Tant mieux pour vous! J'espère que vous ne m'en voudrez pas si je ne vais pas vous aider…

— Pourquoi on t'en voudrait? C'est notre *trip*, pas le tien.

* * *

France et Marie-Josée viennent à peine de s'asseoir à table lorsque la sonnerie du téléphone retentit. Étant donné qu'elle n'attend pas d'appel, France laisse sa fille répondre.

— Maman, dit-elle, c'est pour toi.

Puis, sur un ton plus bas, elle ajoute:

— C'est un monsieur qui casse son français et j'ai de la misère à l'entendre.

Quelle n'est pas la surprise de France lorsqu'elle reconnaît la voix de Cristoforo. Elle fait signe à sa fille de continuer à manger et elle s'en va dans sa chambre pour pouvoir parler en paix.

— Je serai à Montréal à la mi-janvier pour quelques jours, annonce Cristoforo. Je me demandais si on pourrait se voir.

Il y a quelques semaines, France aurait sauté sur l'occasion. Mais maintenant que Philippe est entré dans sa vie, elle n'a pas l'intention de tout gâcher pour une partie de jambes en l'air. Elle ne connaît pas l'avenir avec Philippe, mais le fait que le bel Italien refasse surface après des mois de silence ne l'émeut pas beaucoup. France ignore pourquoi il avait cessé de l'appeler, et franchement elle s'en contrefout. Elle ne se fait pas d'illusions: il trouvera facilement quelqu'un d'autre. Et de toute façon, Philippe le surpasse largement – autant sur le plan sexuel qu'émotionnel.

— Je suis désolée, mais ce ne sera pas possible.

France pourrait lui en révéler davantage, mais elle s'arrête là. Il en sait déjà suffisamment sur elle et sur sa vie, alors que tout ce qu'elle connaît de lui est son nom…

— Je te souhaite de très joyeuses fêtes, Cristoforo.

Elle raccroche et va ensuite retrouver Marie-Josée à la table. L'appel de Cristoforo lui a fait réaliser à quel point elle tient à Philippe.

— Est-ce que ça te dérangerait si j'invitais quelqu'un à venir réveillonner avec nous ? demande France.

— Parles-tu de l'homme qui a dormi ici l'autre jour ? Parce que si c'est lui, je suis d'accord. Je lui ai parlé avant qu'il parte et je l'ai trouvé très gentil. Et il est beau aussi.

— C'est bizarre, il ne m'en a rien dit.

— C'est normal ; je lui avais demandé de garder le secret. Est-ce que tu penses qu'on pourrait inviter Dominique aussi ?

— Je voudrais bien, mais ton ami passera la soirée chez sa tante Anna. Si tu veux, on pourrait l'inviter à manger le jour de Noël. Qu'en penses-tu ?

— C'est parfait pour moi !

France regarde sa fille en se demandant ce qu'elle pourrait bien devenir sans elle. C'est fou ce que Marie-Josée a grandi cette année, et elle est de plus en plus belle. Elles ne s'entendent pas toujours, mais dans l'ensemble mère et fille ont une très bonne relation. Marie-Josée lui a demandé si elle était obligée d'aller voir son père aussi souvent lorsqu'elle est revenue de sa dernière fin de semaine avec lui.

— J'aimerais mieux rester avec toi, maman.

— Je vais voir ce que je peux faire, mais je ne te promets rien, avait répondu France.

Le reste du repas se déroule dans la joie et la bonne humeur. Quand arrive le temps du dessert, Marie-Josée propose à sa mère de préparer une fondue au chocolat.

— Crois-tu que je pourrais inviter Dominique ? Il adore ça.

— Pourquoi pas ?

La jeune fille se dépêche d'appeler son ami. Ce n'est un secret pour personne que ces deux-là s'aiment beaucoup. Jusqu'à maintenant, nul ne s'en préoccupait outre mesure. Mais maintenant que l'adolescence frappe à la porte, France estime qu'il est temps qu'elle discute avec sa fille de la sexualité. Il n'est jamais trop tôt pour aborder un sujet aussi important. Et comme elle sait très bien que le père de Marie-Josée refusera d'en parler avec elle, France devra prendre les devants. Mais elle va d'abord laisser passer les fêtes. De plus, elle glissera un mot à Agathe pour s'assurer que Dominique aura droit lui aussi à un cours 101.

— Dominique sera ici dans quelques minutes, dit Marie-Josée. Mais toi, pourquoi tu n'inviterais pas ton amoureux à venir nous rejoindre ?

— Impossible ! Il habite à Québec et il travaille jusqu'à neuf heures ce soir. Au fait, il s'appelle Philippe.

Chapitre 13

Steve est la seule personne qui accompagne Agathe chez Suzie en ce jour de Noël. Isabelle est chez son père et Dominique a accepté avec joie l'invitation de Marie-Josée d'aller passer la journée avec elle. Il en a mis, du temps, juste pour se préparer. Agathe, qui le surveillait du coin de l'œil, souriait en l'observant déployer tant d'efforts. Voir entrer Dominique dans l'adolescence la boulverse énormément. Quant à Sébastien, elle savait qu'il ne serait pas avec eux aujourd'hui. Comme à chaque année, il partage le jour de Noël entre les familles de ses parents décédés. Agathe est toujours surprise de constater avec quel aplomb son fils vit tout ça.

— N'oublie pas, lui avait-elle dit. S'il y a quoi que ce soit, tu m'appelles sans hésiter. Je serai chez Suzie une partie de la journée, et ensuite je reviendrai à la maison.

À quelques reprises, Agathe s'est inquiétée à l'idée que Sébastien décide d'aller habiter avec Patrick. Cela lui foutait les jetons. L'autre jour, elle lui en a glissé un mot, mais le jeune homme a vite mis fin à ses appréhensions.

— À moins que ça te cause un problème, maman, c'est avec toi que je veux rester.

C'est immanquable, Agathe a les larmes aux yeux chaque fois que Sébastien l'appelle maman. Elle se souvient encore de la première fois qu'elle l'a rencontré chez le notaire. Elle l'avait aimé aussitôt qu'elle avait posé les yeux sur lui et, à voir la relation qu'ils ont aujourd'hui, c'était probablement réciproque.

— Je veux que tu saches que, partout où j'irai, tu auras toujours ta place.

Comme leurs amis se plaisent à le dire, Patrick et elle ont bien réussi avec Sébastien. C'est un jeune homme charmant, et brillant en plus. Une seule chose titille Agathe : elle trouve qu'il est trop sérieux pour son âge. Le jeune homme vient de compléter sa première session au cégep en sciences pures ; il a obtenu d'excellents résultats. Il souhaite devenir médecin. Agathe a pris le temps de discuter avec lui de tout ce que cette décision impliquait. Elle voulait s'assurer qu'il comprenait dans quoi il s'embarquait.

— Je suis prêt à faire tous les efforts pour réaliser mon objectif.

Agathe a beaucoup d'admiration pour son fils. Entreprendre des études aussi exigeantes demande beaucoup de détermination. Nul doute que Sébastien atteindra son but.

— Et moi, je suis prête à t'aider autant que je le pourrai.

* * *

À son arrivée chez Suzie, Steve appuie sur la sonnette et tourne la poignée sans attendre qu'on vienne lui ouvrir. S'ils étaient ailleurs, Agathe gronderait son benjamin. Mais chez les Galarneau, c'est un peu comme sa deuxième maison. À peine Steve est-il entré qu'il enlève ses bottes et son manteau et file rejoindre ses amis au sous-sol.

— Joyeux Noël ! s'écrie Agathe en brandissant un petit paquet.

Suzie embrasse chaleureusement son amie.

— Tiens ! lance Agathe. J'ai réussi à te garder un morceau du gâteau au chocolat que Céline a fait.

Depuis le temps que Suzie connaît les filles Royer, leurs talents culinaires n'ont plus de secrets pour elle. La première fois qu'elle a goûté au fameux gâteau au chocolat de Céline, elle a été charmée par son goût exquis et unique.

— C'est trop gentil! s'exclame Suzie en saisissant le présent. Mais moi, je n'ai pas de cadeau pour toi.

— Veux-tu bien arrêter! C'est seulement pour te faire rire que je t'ai donné un morceau de gâteau.

— Suis-moi, j'ai ce qu'il faut pour nous préparer un bon café.

Agathe n'a pas besoin que Suzie en dise davantage pour comprendre qu'une bouteille de Baileys les attend sur le comptoir de la cuisine.

— Mais j'y pense! clame soudain Suzie. Qu'est-ce que tu as fait du reste de ta famille?

Agathe lui explique où est passé tout son monde.

— As-tu eu un beau réveillon? s'informe Suzie.

— Oui. Imagine-toi donc qu'on a joué aux «cennes» jusqu'à cinq heures ce matin. On a ri comme des fous.

— As-tu gagné au moins?

— Tu sais bien que je ne gagne jamais aux cartes. C'est Sébastien qui a tout raflé, mais c'est parce que Patrick n'était pas là. Je n'ai jamais vu quelqu'un d'aussi chanceux que lui aux cartes. Je n'arrêtais pas de lui dire d'aller au casino pendant la période où on avait des problèmes d'argent.

Entendre Agathe parler ainsi de Patrick inquiète un peu Suzie. Ce n'est pas qu'elle en veuille à Patrick, mais avec tout le chemin qu'a parcouru Agathe depuis qu'elle l'a mis dehors, elle ne voudrait pas que son amie retombe dans le piège. Patrick est comme il est et, à moins d'un miracle, il n'y a aucune chance qu'il change, même d'un poil.

— Tu n'es pas en train de me dire que…

Agathe ne la laisse pas finir sa phrase.

— Il n'est pas question que je le laisse revenir, ni maintenant ni jamais. Même si c'est difficile parfois, c'est encore plus facile que de partager ma vie avec lui. D'ailleurs, je vais te montrer ce que je me suis offert comme cadeau de Noël.

Agathe sort son porte-clé et en prend une dans sa main qu'elle présente à Suzie.

— C'est la clé de ma liberté, que tu vois là. Je ne veux plus jamais être dépendante d'un homme comme je l'ai été de Patrick.

Suzie regarde attentivement le petit objet en or. Il est si fin qu'il pourrait être suspendu à une chaîne.

— Tu n'as pas pensé à porter cette clé comme pendentif ?

— Non. Si je veux me souvenir de mon ancienne vie, il faut que je voie la clé. Ce bijou semble fragile, mais la vendeuse m'a garanti qu'il était beaucoup plus résistant qu'il en avait l'air. Et si ce n'est pas le cas, je n'aurai qu'à me racheter une clé. Et toi, as-tu passé un beau réveillon ?

— Oh oui ! Tout compte fait, je pense que ça a été le plus beau de ma vie. Voir ma famille réunie, et surtout tout le monde heureux, valait son pesant d'or. Et étant donné que je n'avais rien eu à cuisiner, j'étais en pleine forme.

— As-tu joué du violon, finalement ?

— Oui. Et je suis très satisfaite de ma performance. Mais tu n'es sûrement pas au courant pour Mylène?...

Agathe s'interroge sur ce qui a pu lui arriver, d'autant plus qu'elle lui a parlé juste avant de partir pour aller chez Anna.

— Imagine-toi donc que Sylvain l'a demandée en mariage avant que nous passions à table. Mylène était si surprise qu'elle s'est mise à pleurer comme une Madeleine. À un moment donné, on doutait qu'elle finisse par se calmer. Même Sylvain s'inquiétait de savoir si c'était des larmes de joie. Le pauvre, il pâlissait à vue d'œil. Dès qu'elle s'en est aperçue, Mylène a crié : «Oui je le veux» entre deux sanglots avant de se mettre à rire avec autant d'ardeur que lorsqu'elle pleurait. Mais ce n'est pas tout : avant de manger le dessert, c'est elle qui a surpris Sylvain en lui annonçant qu'elle était enceinte. Et mon frère s'est mis à pleurer comme un veau.

Agathe se réjouit pour Mylène et Sylvain. Depuis que le frère de Suzie est entré dans la vie de son amie, on dirait qu'une bonne étoile s'est installée au-dessus de sa tête pour veiller sur elle. À part sa piètre relation avec sa mère, absolument tout sourit à Mylène.

— Wow! s'exclame-t-elle. Je suis si heureuse pour eux. Est-ce qu'ils ont fixé la date du mariage?

— Ils attendront que le bébé soit là. Tu sais à quel point c'est important pour Mylène de se marier en blanc, et encore plus de se montrer sous son meilleur jour.

— Mais dis-moi donc... As-tu reçu des cadeaux lors du réveillon?

— Oui! Presque autant que j'en ai donné.

Même si Agathe voulait la croire, elle ne le pourrait pas. Elle était découragée par le nombre de cadeaux placés sous le sapin la dernière fois qu'elle était venue chez les Galarneau. Elle l'avait été doublement lorsque Suzie lui avait confié tout ce que contenaient les petits paquets.

— Tu n'en reviendras pas du cadeau que Francis m'a offert. Tu sais à quel point j'aime Madonna, George Michael, les Rolling Stones… Eh bien figure-toi que Francis va m'emmener voir un d'entre eux à deux heures d'avion autour de Montréal. Te rappelles-tu comme j'ai râlé quand j'ai manqué le spectacle que Madonna a donné au Forum?

Même si Agathe voulait l'oublier, elle en serait incapable. Suzie s'était plainte pendant des semaines à ce propos.

— Et ce n'est pas tout, poursuit Suzie. Francis m'a aussi donné une pile de billets de loterie. Il a plaisanté en disant que si jamais je gagnais suffisamment d'argent je pourrais payer moi-même mon billet pour aller voir le spectacle de mon choix. Ça ne prenait que lui pour penser à ça.

— As-tu gagné quelque chose?

— Je ne sais pas encore, je n'ai pas vérifié. Tu aurais dû me voir quand je les ai reçus: j'étais folle comme un balai! Si je me fie à ce que la dernière tireuse de cartes m'a dit, je devrais être sur le point de mettre la main sur un gros lot. Et toi? As-tu reçu beaucoup de cadeaux?

Agathe a toujours été impressionnée par la capacité d'émerveillement de Suzie. Au salaire qu'elle gagne, son amie peut se payer autant de billets de loterie qu'elle le veut, ce qui ne l'empêche pas d'être contente d'en recevoir en cadeau. Agathe a toujours trouvé que, à moins d'être certain d'offrir un billet gagnant, ce n'est pas un vrai cadeau.

— J'ai reçu des petits présents. Mon père et tante Cécile m'avaient déjà donné mon cadeau. Les enfants m'ont offert des boucles d'oreilles et Anna, un beau sac de voyage pour mon séjour en France.

— Et Vincent ?

— Rien pour le moment… Mais cela me fait réaliser que je ne lui ai rien acheté ! s'indigne soudainement Agathe. Mais je ne suis même pas certaine de le voir pendant les fêtes. La dernière fois que je lui ai parlé, c'était le 23 décembre. Il n'avait dormi que cinq heures en deux jours. Alors m'acheter un cadeau de Noël est sûrement le cadet de ses soucis en ce moment.

Les yeux d'Agathe brillent chaque fois qu'elle parle de Vincent. Elle aurait aimé profiter du réveillon pour le présenter à sa famille. Mais après y avoir réfléchi, elle avait jugé que cela aurait été prématuré. Cela fait moins d'un mois qu'elle a mis fin à son mariage avec Patrick. Son entourage a beau connaître leurs déboires en tant que couple, il est vrai qu'elle n'a pas perdu de temps avant de se retrouver dans les bras de Vincent.

— On ne sait jamais ce que la vie nous réserve, la taquine Suzie. Maintenant, si tu veux me donner un coup de main, on va dresser la table. Je ne sais pas si Steve a déjeuné, mais mes enfants n'ont rien avalé depuis qu'ils sont levés. Cependant, je te préviens : le repas n'aura rien d'extraordinaire. Il y a tellement de restes d'hier qu'on en aura amplement. Voudrais-tu un autre café ?

— Tu sais bien que je ne dirai pas non, mais avec un peu plus de crème, cette fois !

Les deux copines éclatent de rire.

— Comme on n'est jamais si bien servi que par soi-même, dit Suzie en tendant la bouteille de Baileys à Agathe, je te laisse le soin d'en mettre dans ta tasse avant de verser le café. Je m'étais toujours demandé pourquoi le café était meilleur pendant le temps des fêtes !...

C'est entre deux éclats de rire des femmes que Francis fait son entrée dans la cuisine. Il s'approche d'Agathe et l'embrasse chaleureusement sur les joues en ne manquant pas de lui souhaiter un très joyeux Noël.

— À toi aussi ! dit Agathe. Es-tu en congé pour longtemps ?

— Non, je travaille demain soir. Tu as l'air en forme...

— Disons que ça va assez bien. Mais entre toi et moi, ça ira encore mieux quand tout sera réglé avec Patrick.

Lorsqu'un couple se défait et que les conjoints ont les mêmes amis, ça ne peut que créer quelques malaises dans l'entourage. Si Agathe est invitée, Patrick ne peut l'être. D'ailleurs, depuis qu'il a appris la séparation de ses voisins, Francis se demande comment ils se débrouilleront avec le chalet. Que Patrick ou Agathe garde la part, l'autre ne pourra pratiquement plus y mettre les pieds. Francis sait bien que c'est ainsi que les choses se passent, mais il trouve ça injuste.

— C'est normal. Voudrais-tu quelque chose à boire ?

— Je te remercie, mais j'ai déjà mon Baileys... euh... je veux dire mon café.

Sa boutade fait rire Francis. Il aime beaucoup Agathe et il est content qu'elle soit amie avec Suzie. Comme ça, il continuera de la voir.

— Mais dis-moi, est-ce que Suzie t'a gâté, au moins? lance Agathe.

— Oui, beaucoup. Je suppose que tu es déjà au courant de mon association avec Pierre…

Agathe acquiesce d'un signe de la tête.

— Eh bien Suzie m'a acheté des outils, mais des bons, reprend Francis. Je ne les ai pas encore essayés, mais je sais qu'ils ne sont aucunement comparables à ceux que j'ai l'habitude d'utiliser. Elle a vraiment eu une excellente idée.

Depuis que Francis a fait son apparition dans la cuisine, une question brûle les lèvres d'Agathe. Elle se décide enfin à la poser.

— Tu vas sûrement me trouver bizarre, mais aurais-tu une cigarette pour moi?

Instantanément, Suzie se tourne vers son amie et elle la regarde d'un drôle d'air. C'est la première fois qu'elle entend qu'Agathe fume.

— Depuis quand fumes-tu? l'interroge-t-elle avant que Francis ait le temps de répondre.

— Je ne fume pas vraiment, se défend Agathe. Ce sera seulement ma deuxième cigarette à vie.

— Tu n'as pas de chance, lance Francis. J'ai arrêté de fumer hier et j'ai jeté toutes les cigarettes qui me restaient dans la poubelle juste pour être sûr de ne pas être tenté de fumer.

— Ce n'est pas grave, indique Agathe avant de prendre une bonne gorgée de café.

— Si j'ai un conseil à te donner, dit Francis, ne commence pas ça. Une fois qu'on en a pris l'habitude, c'est très difficile d'arrêter.

Ce n'est certainement pas aujourd'hui qu'Agathe va se mettre à fumer. Elle en a grillé une avec Pierre la nuit dernière et elle n'a pas détesté ça, mais jamais au point d'aller s'acheter un paquet. Elle a encore en mémoire l'odeur nauséabonde qui régnait dans la maison de sa tante Cécile lorsque cette dernière fumait comme une cheminée. Chaque fois qu'Agathe le lui faisait remarquer, sa tante reniflait plusieurs fois avant d'en arriver à la même conclusion : c'était sûrement son nez qui faisait défaut puisque ça ne sentait rien dans la maison.

— Francis, savais-tu que ton frère Philippe est dans les parages ? demande Agathe.

— Non ! répond-il promptement, attendant la suite.

— Je suis entrée souhaiter un joyeux Noël à France en allant déposer Dominique chez elle tout à l'heure. C'est Philippe qui a ouvert. C'est fou ce qu'il te ressemble !

— Il est quand même un peu moins beau que mon Francis ! laisse tomber Suzie.

Sa remarque suscite aussitôt un rire collectif.

Francis n'est pas vexé que son frère ne lui ait rien dit. Il savait que France et lui se fréquentaient, et il est content pour eux.

— J'ignore s'il est plus beau que moi puisque je ne vois pas plus les ressemblances que je distingue les couleurs, mais je suis heureux pour lui.

— Et moi, je le suis doublement ! s'exclame Suzie.

***

Lorsque Agathe rentre à la maison, elle la trouve bien grande et beaucoup trop calme. Comme si ce n'était pas suffisant, Steve lui annonce qu'il va aller se reposer un petit peu. C'est tellement silencieux qu'elle pourrait entendre les flocons de neige se déposer sur le toit s'il neigeait. En plus, elle a au moins deux bonnes heures devant elle avant que les garçons reviennent. Elle prend quelques secondes pour réfléchir à ce qu'elle pourrait faire, et la seule chose qui lui vient en tête, c'est d'imiter Steve. Elle saisit le téléphone au passage, puis elle va s'étendre sur le divan. Elle a toujours été incapable de s'allonger sur son lit le jour. Elle étend la jetée sur ses jambes et ferme les yeux. C'est alors que le téléphone se met à sonner. Dès qu'elle entend la voix de Vincent, elle se redresse et sourit comme si elle voulait lui montrer à quel point elle est contente de lui parler.

— Je ne pourrai pas te parler longtemps, annonce-t-il d'emblée. Mais je tenais à te souhaiter un joyeux Noël.

— C'est très gentil.

— Ton premier Noël seule ne s'est pas trop mal passé, j'espère?…

— Ça s'est passé beaucoup mieux que je l'avais imaginé. J'ai réveillonné chez ma sœur Anna, et là, je reviens de chez Suzie et Francis. Il n'y a que mon plus jeune à la maison. Et toi?

— Il n'y a pas grand-chose à signaler, à part que je n'ai pas arrêté de travailler et…

Vincent fait une brève pause avant de poursuivre:

— … de penser à toi. C'est fou ce que tu peux me manquer. Crois-tu que demain tu pourrais te libérer quelques heures? J'ai pris congé pour la soirée.

— Je m'arrangerai, répond promptement Agathe d'une voix enjouée. Je peux même aller te rejoindre chez toi, si tu veux. Je pourrais apporter tout ce qu'il faut pour souper.

— C'est bien plus que j'aurais espéré. Je t'attends à six heures. Je vais laisser la porte déverrouillée ; ainsi, si tu arrives pendant que je suis sous la douche, tu n'auras qu'à entrer. J'ai très hâte à demain, ma chérie !

Savoir qu'elle va passer quelques heures avec Vincent la ravit et l'entendre dire qu'elle lui manque à ce point-là est la plus douce des musiques à ses oreilles. Elle s'était faite à l'idée qu'ils ne se verraient pas avant les Rois, mais c'était seulement parce qu'elle n'avait pas d'autre choix. Au lieu de se recoucher, Agathe décide de se lever et elle va tout de suite voir ce qu'elle pourrait apporter pour le souper de demain. Compte tenu des événements, ses réserves ne se comparent pas avec celles des années précédentes. Elle ouvre le réfrigérateur et vérifie s'il y a quelque chose qui pourrait faire l'affaire. Comme elle ne trouve rien, elle regarde dans le congélateur. À première vue, elle ne repère rien de bien intéressant là non plus. Il reste le congélateur du sous-sol. Si elle ne se trompe pas, elle doit avoir encore quelques portions de bœuf bourguignon et de potage aux légumes. Elle prend un pot de chacun, elle remonte à l'étage et les met dans le réfrigérateur. Les plats auront largement le temps de décongeler avant son départ.

Agathe appelle ensuite ses sœurs en Abitibi pour leur offrir ses vœux. Elle commence par Geneviève. Celle-ci n'est pas très chaleureuse depuis qu'Agathe a donné la bague de leur mère à Anna. Les seuls moments où leurs conversations durent un peu plus longtemps que d'habitude, c'est lorsque Geneviève appelle pour se plaindre ou pour parler contre l'une ou l'autre de leurs sœurs. Agathe sait fort bien que Geneviève n'a pas accepté non plus que leur père lui donne son auto, mais elle se fout royalement de ce qu'elle peut penser. Ce n'était pas la première crise de jalousie qu'elle faisait, et ce ne sera pas la dernière non plus. À l'écouter, on jurerait que la terre entière tourne autour d'elle. Comme Anna le dit : « Si le nombril de madame va bien, la vie peut continuer. »

— J'étais justement en train de me demander si tu allais m'appeler.

— Tu as perdu mon numéro de téléphone ? lance aussitôt Agathe. Et pour quelle raison je ne l'aurais pas fait alors que je le fais à chaque année ?

— Arrête de faire semblant, je sais très bien qu'Anna t'a dit que je trouve ça complètement injuste que ce soit toujours vous deux qui ayez tout.

La remarque de Geneviève ne fait pas réagir Agathe, même que si elle n'était pas si bien élevée elle lui rirait au nez.

— C'est à papa que tu dois te plaindre, pas à Anna. Et de toute façon, je t'appelais simplement pour te souhaiter un joyeux Noël, ainsi qu'à ta famille.

Geneviève met quelques secondes à réagir.

— À toi aussi, dit-elle sur un ton teinté d'agressivité. Je ne peux pas te parler plus longtemps, car je reçois ma belle-famille à souper. À la prochaine !

Cette fois, Agathe ne se retient pas pour éclater de rire. Ça, c'est du Geneviève tout craché : elle raccroche dès qu'il y a quelque chose qui ne fait pas son affaire. Elle en oublie même la bienséance la plus élémentaire.

Agathe se met à parler toute seule en prenant la pose :

— Moi? Je te remercie, je vais assez bien. Au cas où tu ne serais pas au courant, j'ai mis Patrick dehors parce que je n'en pouvais plus d'être le dindon de la farce. Je me suis même débarrassée du chien. Ah oui! Et puis, devine quoi? J'ai un nouvel homme dans ma vie, et je l'aime beaucoup. D'ailleurs, demain soir, je vais souper chez lui. Inutile de préciser qu'on ne fera pas que manger… enfin, je n'ai pas besoin de te faire un dessin.

Et Agathe se remet à rire de plus belle. Elle prend le temps de se calmer un peu avant de joindre Madeleine et Nathalie. Heureusement, celles-ci lui réservent un bien meilleur accueil.

Satisfaite, Agathe retourne s'étendre sur le divan. Elle ferme les yeux. Elle ne se réveille que lorsque Dominique entre dans la maison.

Chapitre 14

Philippe était allé saluer Francis avant de retourner à Québec. Ce dernier était si content que son frère ait pris le temps de passer le voir qu'il lui avait offert une bouteille de cognac. De plus, il avait insisté sur le fait que Philippe devait absolument venir manger à la maison la prochaine fois qu'il descendrait dans le coin.

— Ça risque d'arriver plus vite que tu penses, avait dit Philippe, le sourire fendu jusqu'aux oreilles. J'en parlerai à France.

— Je suis très content pour toi, avait lancé Francis, tu mérites tout ce qui t'arrive.

— Et moi donc! Mais ce n'est pas tout. Laura pense sérieusement à ouvrir une nouvelle librairie à Lévis et elle m'a proposé de m'en occuper. Ce n'est pas encore officiel, mais ça augure vraiment bien.

Laura en avait glissé un mot à Francis la dernière fois qu'elle lui avait parlé. Elle avait également mentionné à quel point elle était satisfaite du travail de Philippe et contente de ses connaissances en littérature – connaissances dont elle ne soupçonnait même pas l'existence avant de l'engager. Elle lui avait aussi dit que Philippe voulait avoir des parts dans la librairie s'il acceptait de s'en occuper. Comme elle l'a déclaré à Francis, elle n'avait pas encore pris de décision à ce sujet, mais de prime abord elle ne voyait aucune objection pour ne pas accepter.

— Tant mieux! Mais j'imagine que tu n'as pas encore vu les parents?

— J'ai l'intention d'appeler maman en finissant de travailler aujourd'hui. Mais entre toi et moi, je vais sûrement m'arranger pour passer quand le père ne sera pas là. C'est loin d'être l'amour fou entre lui et moi. Tu le connais ; tout ce qu'il trouve à faire, c'est de se planter devant moi droit comme un piquet et de m'examiner des pieds à la tête sans dire un mot. Je te jure, un peu plus et je me croirais dans l'armée, en pleine inspection. Je ne me pointerais plus à Saint-Georges si ce n'était pas de maman.

Philippe n'avait pas eu besoin d'en rajouter pour que Francis voie le tableau. Il aime son père, mais il sait bien qu'il vaut mieux être de son bord si on veut avoir une chance avec lui. Il est très bien placé pour le savoir. Paul lui fait la tête chaque fois qu'ils se voient depuis que son grand-père lui a légué son chalet. De plus, il n'a pas accepté que Francis vende l'endroit sans donner un sou à aucun membre de la famille. Pire encore, Paul n'est pas venu le voir à Belœil une seule fois depuis qu'il a hérité. Annette essaie toujours d'excuser son mari par tous les moyens, mais Francis connaît suffisamment son père pour ne pas être dupe. C'est pourquoi il sait fort bien à quel point Paul peut se montrer mesquin à l'égard de Philippe, qui a osé emprunter un autre chemin que celui qu'il avait planifié pour tous ses fils.

Les deux hommes avaient discuté rondement jusqu'à ce que Philippe soit forcé de partir.

— Il faut vraiment que j'y aille. Je travaille cet après-midi et, avant, je dois passer me changer à mon appartement. Ça m'a fait très plaisir de te parler. Je te ferai signe dès que je reviendrai dans le coin.

* * *

Une fois seul, Francis commence à défaire le sapin en se disant que ce sera ça de moins pour Suzie. En y pensant bien, il est le seul dans cette maison qui prend plaisir à faire cette tâche. S'il n'en tenait qu'à sa femme et aux enfants, l'arbre traînerait probablement dans le salon jusqu'à la Saint-Valentin sous prétexte qu'ils trouvent ça beau. Étant donné que le sapin a été monté au début du mois, tout le monde a eu amplement le temps de l'admirer. C'est pourquoi Francis n'a aucuns remords à tout ranger.

Après avoir rangé les boîtes de boules et toutes les décorations à leur place, il revient au salon, prend le sapin pour le mettre au chemin. Chaque année, au moment d'aller le porter dehors, il se dit que ce serait bien moins compliqué d'acheter un arbre artificiel. Il en a parlé plusieurs fois à Suzie, mais il s'est vite rendu compte qu'elle tenait mordicus à la tradition d'avoir un sapin naturel.

— Pourquoi? lui avait-elle demandé. C'est bien plus beau quand c'est un vrai. Et puis as-tu pensé aux enfants? Ils adorent aller le choisir avec nous.

— C'est peut-être plus beau, mais c'est plus salissant. Et plus dangereux pour le feu, aussi.

Francis a raconté à sa femme plusieurs histoires d'horreur à propos d'un sapin dont les lumières ont surchauffé. Malgré tout, il n'a jamais eu gain de cause auprès d'elle sur ce plan-là. À bout d'arguments, il a fini par se laisser convaincre que rien ne vaut un vrai sapin.

Le froid est tellement mordant que Francis dépose l'arbre sur la galerie. Il est mieux de s'habiller chaudement s'il ne veut pas être malade pendant un mois. Tant et aussi longtemps qu'il est dans son auto de patrouille, ça va. Mais s'il est obligé de sortir du véhicule, il a intérêt à être habillé convenablement pour la saison.

Étant donné qu'il lui reste encore un peu de temps avant que Suzie revienne de chez Sylvain avec les enfants, il sort les photos des maisons que Pierre et lui trouvaient intéressantes et se met en frais de dessiner celle qu'ils pourraient construire à partir d'éléments sélectionnés sur les photos. De son côté, Pierre fera le même exercice.

* * *

Isabelle trouve le temps drôlement long à Ville Saint-Laurent. Sa grand-mère est en train de lire et son père regarde la télévision. Ils sont allés réveillonner chez sa tante Josée la veille. Isabelle ne dira pas qu'elle s'est éclatée là-bas, mais c'était quand même bien. Les Gauthier sont des couche-tôt, contrairement à la famille de sa mère qui aime fêter. Il n'était pas encore deux heures du matin quand ils étaient rentrés chez sa grand-mère. Évidemment, Isabelle n'avait plus sommeil. Il était quatre heures la dernière fois qu'elle avait entendu sonner l'horloge. Son père, sa grand-mère et elle ont passé la journée de Noël à végéter. Et quand elle a demandé à son père de l'amener chez son amie Caroline, il lui a dit qu'il était trop magané de la veille et qu'il n'avait pas envie de prendre son auto. La situation n'est pas tellement différente aujourd'hui. Isabelle déteste tout de cette maison, et ce n'est pas d'hier. Elle n'est pas seulement vieille, elle est laide et elle sent bizarre aussi. Il faut voir l'état de la chambre dans laquelle sa grand-mère l'a installée. La tapisserie est à moitié déchirée et le tapis est usé à la corde. Quant au couvre-lit, sa mère n'en voudrait même pas comme tapis pour le chien.

Une demi-heure plus tôt, Isabelle avait demandé à son père quand il avait l'intention de prendre un appartement. La réponse ne l'avait pas enchantée.

— Je ne sais pas. Qu'est-ce qui te presse tant ? On est bien ici.

Comme sa grand-mère était dans les parages et qu'Isabelle l'aime bien, elle n'avait pas osé livrer le fond de sa pensée.

— Bien, c'est parce que…

En voyant sa petite-fille s'enfarger dans ses mots, Patricia est venue à sa rescousse.

— Patrick, il faudrait peut-être que tu fasses un effort pour la comprendre un peu, s'est-elle empressée de dire. Tu serais bien mieux en appartement. Si tu veux mon avis, tu devrais en louer un à Belœil pour que les enfants n'aient pas besoin de changer d'école.

Patrick a regardé sa mère sans dire un mot ; il sait bien qu'elle a raison, mais il est incapable de poser ce geste pour le moment. Il y a des fois où il se dit qu'Agathe va finir par le supplier de revenir à la maison et qu'elle va lui dire qu'elle l'accepte tel qu'il est, mais il y a d'autres fois où il se dit qu'il l'a perdue pour toujours et qu'il vaudrait mieux qu'il s'installe avant de commencer son nouvel emploi. Il n'a jamais été un maniaque du temps des fêtes, mais celui qu'il est en train de passer est certainement le plus désolant et ennuyeux qu'il ait connu. Agathe parvenait toujours à lui faire apprécier les petites subtilités de Noël et tout ce que ça implique.

Isabelle se demande sérieusement s'il s'agit d'une bonne idée d'aller habiter avec son père. D'un autre côté, elle a encore moins envie de rester avec sa mère. La jeune fille ignore pourquoi elle est aussi méchante avec elle et pourquoi elle cherche à lui pourrir la vie chaque fois qu'elle la voit, alors que la seule chose qu'Agathe veut, c'est embellir son existence. Isabelle sort de sa chambre et va rejoindre son père, qui est écrasé dans le salon.

— Je comprends que tu ne veuilles pas m'amener à Belœil, lance-t-elle tout de go, mais j'ai l'intention de retourner chez nous avec ou sans toi.

Patrick est vraiment surpris par les paroles de sa fille, tellement qu'il se redresse aussitôt sur sa chaise. Il doit vite trouver une solution s'il ne veut pas perdre la face devant Agathe.

— Il est hors de question que tu partes d'ici toute seule.

— Ne t'inquiète pas pour moi. Je te rappelle que je n'ai plus cinq ans. Je vais prendre le métro jusqu'à Longueuil, et ensuite l'autobus.

Patrick soupire bruyamment, car il connaît suffisamment Isabelle pour savoir qu'il n'arrivera pas à la faire changer d'idée.

— Appelle d'abord ta mère pour vérifier. Si c'est correct avec elle, je te conduirai moi-même à Belœil.

Agathe acquiesce sur-le-champ à la demande de sa fille. Elle désire ensuite parler à Patrick.

— Est-ce que c'est OK pour toi ? le questionne-t-elle.

— Quand bien même ce ne serait pas le cas, je n'ai pas le choix. Ou je la ramène, ou elle va s'arranger pour y aller de toute façon. Elle sera à la maison dans une heure tout au plus.

Agathe se doute bien que ça ne fait pas l'affaire de Patrick juste au ton qu'il a utilisé. D'un autre côté, à moins qu'il soit devenu un homme nouveau lorsque le prêtre a béni les fidèles à la messe de minuit, et ça c'est à la condition qu'il y soit allé, il n'a jamais été très doué avec les enfants. Agathe se garde bien de crier victoire en ce qui concerne Isabelle. Si cette dernière préfère sa marâtre de mère à son petit papa d'amour, c'est que la vie ne doit pas être très jojo chez Patricia.

Agathe compte bien parler à Patrick quand il ramènera Isabelle. Si leur fille s'entête à vouloir vivre avec lui, elle sera obligée de changer d'école. Mais si c'est pour la changer encore dans un mois parce qu'il aura pris un appartement, ce n'est plus pareil. L'idéal serait bien sûr qu'il vienne habiter à Belœil, mais la seule chose qu'Agathe peut faire, c'est de suggérer et d'espérer que le gros bon sens finisse par l'emporter.

C'est ce soir qu'elle va chez Vincent. Elle est fébrile à l'idée de le revoir. Elle a eu très envie de lui acheter un cadeau, mais après réflexion elle a décidé de n'en rien faire. Lors de leur dernière rencontre, Vincent lui a dit qu'il avait perdu son foulard et qu'il n'avait pas eu le temps de s'en acheter un autre. Agathe a donc pigé dans sa réserve de foulards tricotés et lui en a emballé un. Elle pense qu'il va l'aimer. Sinon ça aura au moins l'avantage de le tenir au chaud en attendant qu'il aille magasiner.

Une neige fine tombe doucement en ligne droite, ce qui donne des airs de carte postale au paysage. À part les froids sibériens qui ne manquent pas de se pointer en janvier, Agathe adore l'hiver. Avec tout ce qui est arrivé dernièrement, elle n'a pas encore eu le temps de chausser ses raquettes, ni même ses patins, mais elle se promet bien de se reprendre à la première occasion. Lorsqu'elle verra Patrick, elle lui annoncera qu'il peut garder le chalet s'il le souhaite. Elle n'en a pas encore parlé à son père, mais Agathe sait qu'elle pourra toujours se rabattre sur le sien quand elle aura envie de prendre un petit bain de nature. Évidemment, rien ne sera plus jamais pareil, mais elle n'a pas d'autre choix que de s'adapter. Elle a hâte que tout soit terminé entre Patrick et elle. Récemment, l'avocate a complété l'inventaire de leurs avoirs et de leurs dettes; il ne reste plus qu'à établir le partage. Agathe se doutait qu'un divorce n'enrichissait aucune des parties en cause, mais elle en a maintenant la preuve. Sera-t-elle capable de garder la maison? Elle l'ignore, mais elle va tout faire pour y parvenir. Les enfants ont déjà assez de subir le divorce de leurs parents ; il ne faudrait pas en plus qu'ils soient obligés de déménager du nid familial.

* * *

Patrick monte dans son auto et sort de la cour de son ancienne maison. En passant devant la résidence de Suzie et Francis, il décide d'arrêter. C'est Suzie qui vient ouvrir.

— Patrick ? Quelle belle surprise ! Entre vite et viens t'asseoir à la table avec nous.

— Je suis désolé. Je n'avais pas remarqué que c'était l'heure du dîner.

— Il n'est pas question que je te laisse partir. Allez, donne-moi ton manteau !

L'accueil de Suzie lui fait chaud au cœur. Patrick se demandait comment ses amis agiraient avec lui après sa sortie remarquée et surtout remarquable. Il a eu l'occasion de constater qu'il n'y avait rien de changé avec Francis, Jack et Pierre, mais il ignorait totalement comment Suzie réagirait en le revoyant. Plusieurs fois, il avait pensé à l'appeler, mais il raccrochait toujours au moment de composer le dernier chiffre en se disant qu'elle était avant tout l'amie d'Agathe. Il ne se résout pas non plus à communiquer avec Anna.

Suzie l'entraîne à la cuisine. Francis se lève de table pour lui serrer la main, puis les enfants le saluent tour à tour. Une fois installé, Patrick réalise à quel point les repas familiaux lui manquent. Qu'adviendra-t-il de sa propre famille ? Aura-t-il encore seulement la chance de manger avec tous ses enfants en même temps ?

— As-tu fêté Noël, au moins, Patrick ? lui demande joyeusement Suzie.

— Ma sœur Josée nous a tous reçus pour le réveillon. Nous ne sommes pas la famille la plus portée sur les *partys*. Je dirais même que, comparativement à celle d'Agathe, ma famille est pas mal ennuyeuse.

— Comment ça se passe chez ta mère ?

— À part le fait que je n'ai pas besoin de lever une paille, c'est loin d'être facile pour moi. Il va falloir que je commence à penser à me chercher un appartement. Ma mère attend que les fêtes soient passées pour mettre sa maison en vente. Mais peut-être que vous êtes déjà au courant…

D'après l'expression de Francis et de Suzie, Patrick devine qu'ils ne savent rien à ce sujet.

— Vous n'ignorez pas que ma mère et Annette s'entendent très bien. Figurez-vous que ma mère a décidé de déménager à Saint-Georges-de-Beauce pour se rapprocher d'elle.

— Wow ! s'exclame Francis. C'est tout un changement.

— Je suis très contente pour ces deux-là ! s'écrie Suzie. Depuis le temps qu'Annette se plaint de ne pas avoir d'amis à Saint-Georges… Quelle bonne idée a eue ta mère !

— Le moins qu'on puisse dire, c'est qu'elle n'y a pas réfléchi trop longtemps. Elle a soupé chez Annette quand on est allés au chalet ensemble, et elle m'a appris la nouvelle à son retour. Depuis, elle fredonne à longueur de journée. Pour tout vous dire, elle est tellement motivée qu'elle a même commencé à faire des boîtes. Hier, quand je lui ai dit qu'elle devrait peut-être attendre un peu, au cas où sa maison ne se vendrait pas aussi vite qu'elle le souhaite, elle m'a répondu que je n'avais pas le droit de briser ses rêves. En passant, c'est très bon, Suzie.

En entendant le compliment de Patrick, Francis lui lance le morceau de pain qu'il venait de prendre dans le panier.

— Espèce de traître ! s'écrie-t-il. Ce n'est pas Suzie qui a préparé le dîner, c'est moi.

Patrick renchérit :

— Ah ! je comprends tout maintenant… ça explique le petit arrière-goût. Moi, je voulais juste être poli.

Un nouveau morceau de pain vole en direction de Patrick, ce qui le fait éclater de rire.

— Et toi, Patrick, comment vas-tu ? lui demande Suzie en le regardant droit dans les yeux.

— Pour être honnête, ça dépend des heures, et parfois même des minutes. J'ai mal agi, c'est vrai, mais jamais je n'aurais pensé que notre histoire se terminerait un jour.

Suzie aurait envie de répliquer qu'il devrait plutôt se compter chanceux d'avoir pu rester aussi longtemps en couple après tout ce qu'il a fait endurer à Agathe. Mais elle se retient, pour la simple et unique raison que, malgré tout ce qu'il a pu imposer à son épouse, elle aura toujours du plaisir à le côtoyer.

— Ma tête comprend que ça ne pouvait pas finir autrement, poursuit-il. Toutefois, ce n'est pas plus facile. Ma vie ne sera plus jamais pareille sans Agathe à mes côtés. Ça ne paraissait peut-être pas beaucoup, mais je l'aimais…

C'est alors que la fameuse question à laquelle Patrick n'a jamais pu répondre surgit dans la tête de Suzie. Sans hésiter, elle la lui lance en plein visage :

— Finalement, aimais-tu Agathe autant que ton père aimait ta mère ?

Patrick n'a pas besoin de réfléchir avant de répondre.

— Il faut croire que non, parce que j'ai passé mon temps à lui mentir, au point qu'elle a fini par me larguer. Entre vous et moi, j'ignore si je saurai comment aimer un jour. J'ai perdu Agathe par ma faute et je m'en mords les doigts, mais ce qui est fait est fait. Reste à souhaiter que ça me serve de leçon...

— Excuse-moi, dit Suzie. Je n'aurais pas dû te poser cette question.

Suzie s'est montrée odieuse avec Patrick et elle s'en veut beaucoup. Après tout, lui a toujours été correct avec elle.

— Ce n'est pas grave, la rassure Patrick. Depuis le temps que j'aurais dû te répondre...

— Avez-vous décidé de ce que vous ferez avec le chalet ? s'enquiert Francis.

— Je suis très content. Agathe vient de me dire que je pouvais le garder. Maintenant, ça ne dépend plus de moi. Il faut que tout le monde accepte.

— Si j'étais à ta place, je ne m'inquiéterais pas trop, déclare Francis. Jack est d'accord et Anna est ton amie. Quant à Suzie et moi, on ne sera pas difficiles à convaincre.

Savoir qu'il peut garder sa part dans le chalet est une bonne chose en soi pour Patrick, mais reste à voir maintenant comment ils vont pouvoir gérer la situation au quotidien. Enfin, pour l'instant, la seule chose qu'il puisse faire, c'est régler les choses une à la fois. Dire qu'il avait trouvé qu'organiser leur mariage était compliqué… Il est en train de se rendre compte qu'organiser un divorce est dix fois plus exigeant et surtout beaucoup plus lourd de conséquences lorsqu'il y a des enfants dans la balance.

* * *

Agathe est fin prête pour son rendez-vous avec Vincent. Elle avait prévu demander à Sébastien de garder, mais France est passée lui dire bonjour et elle s'est offerte pour s'occuper des enfants pendant son absence.

— Pars en paix, lui dit-elle. Et ne t'en fais pas avec l'heure.

Il neige à plein ciel lorsque Agathe monte dans son auto. Aussitôt qu'elle sort de la cour, elle se rend compte à quel point la chaussée est glissante. Contrairement à bien des gens, elle adore conduire d'hiver. Elle aime relever le défi que la conduite d'hiver amène, mais elle ne fait jamais pour autant de manœuvres dangereuses.

Plus Agathe avance, plus la neige redouble d'ardeur, au point qu'elle peine à voir la route lorsqu'elle croise des voitures. Elle ralentit et elle porte encore plus attention à sa conduite. Il fait si mauvais qu'Agathe aurait rebroussé chemin si Vincent n'habitait pas si près. La météo ne prévoyait pas de tempête, mais ça commence à ressembler drôlement à ça – en tout cas à Sainte-Julie. Agathe respire un peu mieux lorsqu'elle s'engage enfin dans la rue de Vincent. Elle se stationne dans l'entrée et se dépêche de sortir de l'auto. Elle se sent comme une petite fille qui s'apprête à déballer son cadeau de Noël. Elle sonne et, la seconde d'après, elle tourne la poignée de la porte. La maison est silencieuse. Agathe enlève vite ses bottes et son manteau, puis elle se lance à la recherche de Vincent. Elle sourit lorsqu'elle le voit étendu sur son lit. Le pauvre, il était si fatigué qu'il s'est endormi. Elle dépose un chaste baiser sur ses lèvres en faisant bien attention de ne pas le réveiller. Elle décide de le laisser dormir pendant qu'elle réchauffera le souper. Elle recule d'un pas. Dans le temps de le dire, elle se retrouve étendue sur Vincent de tout son long. Les amoureux se mettent tous deux à rire.

— Je t'ai bien eue! s'écrie Vincent. J'étais en train de m'habiller lorsque tu es arrivée. Je me suis dépêché de m'étendre sur le lit pour te faire croire que je m'étais endormi. Alors, tu ne m'embrasses pas?

Agathe ne se le fait pas dire deux fois. Elle colle ses lèvres sur celles de son docteur et ils s'embrassent passionnément. Il s'ensuit un duel amoureux qui n'a de fin que lorsque les amants sont rassasiés l'un de l'autre.

— Ça te tenterait qu'on prenne une bouchée? demande Agathe.

— Bien sûr! Mais avant, j'aimerais que tu déballes ton cadeau de Noël. Attends-moi ici, je vais aller le chercher.

Lorsqu'il revient dans la chambre, Vincent tient une petite boîte au creux de sa main. À sa grosseur, Agathe devine qu'il s'agit d'un bijou.

— Joyeux Noël, ma chérie! murmure Vincent en lui tendant le paquet.

Agathe n'a pas été aussi émue depuis fort longtemps. Après avoir secoué doucement la boîte, elle se décide enfin à déchirer le papier d'emballage. Vincent l'observe attentivement. Lorsque Agathe voit la bague en or sertie d'un superbe diamant, elle se sent défaillir tellement elle a chaud. Deux larmes apparaissent au coin de ses yeux. Elle se jette dans les bras de Vincent et le serre de toutes ses forces en lui chuchotant que la bague est magnifique.

— Donne-la-moi, dit Vincent. Je vais la passer à ton doigt.

Vincent aurait pu glisser la bague à l'annulaire de la main droite d'Agathe, mais il choisit celui de sa main gauche. Il procède en fixant son amoureuse. L'émotion atteint son paroxysme. Agathe se met à sangloter. Elle comprend le geste de Vincent, mais elle craint de l'avoir mal interprété.

Vincent se rend compte de l'état dans lequel elle est, il se dépêche de la rassurer :

— Tu as très bien compris, mon amour. Je serais l'homme le plus heureux de la terre si tu acceptais de devenir ma femme.

Agathe lui caresse la joue en souriant. Elle pourrait lui répondre que cette demande est prématurée et qu'elle sort à peine d'un mariage raté. Mais elle n'en fait rien parce qu'elle aime cet homme de toutes ses forces et qu'elle n'a aucune intention de laisser filer le bonheur pour une question de jours ou de semaines.

— J'ai très envie d'accepter.

Vincent l'embrasse à en perdre haleine.

Ce soir-là, avant de se rendre à l'hôpital, Vincent escorte Agathe jusque chez elle. Et pour la première fois, c'est à sa fiancée qu'il souhaite bonne nuit.

Chapitre 15

Une odeur délicieuse embaume toute la maison. Trois heures auparavant, Agathe a mis à cuire la plus grosse dinde qu'elle a pu trouver à l'épicerie. Elle a beau avoir la plus large rôtissoire qui soit, la bête n'aurait pas rentrée dedans si elle avait pesé une livre de plus. C'est au tour d'Agathe d'accueillir sa famille. Sa tante Cécile voulait recevoir pour le souper du jour de l'An, mais elle a accepté de reporter le tout aux Rois devant l'insistance de sa nièce. Cette dernière tenait absolument à recevoir les siens avant de reprendre le travail. Elle a beaucoup de pain sur la planche avant de faire ses valises ; c'est demain qu'elle a décidé de s'y remettre sérieusement.

Étant donné qu'elle a pratiquement tout préparé hier et que Céline a insisté pour se charger des desserts, Agathe peut se la couler douce jusqu'au moment de dresser la table. Elle complète une grille de mots croisés pendant que les enfants vaquent à leurs occupations un peu partout dans la maison. Isabelle n'a pas manifesté le désir de retourner voir son père depuis Noël. Elle n'est pas devenue un ange pour autant, mais elle fait des efforts d'amabilité. Elle s'est échappée à quelques reprises, mais chaque fois elle a pris soin de s'excuser avec sincérité aussitôt que les paroles étaient sorties de sa bouche.

Quand Agathe lui avait offert de la conduire chez sa grand-mère si elle le souhaitait, Isabelle s'était dépêchée de répondre que ce ne serait pas nécessaire.

— J'aime mieux rester ici pour voir mes amis.

Ravie d'avoir sa fille avec elle, Agathe n'avait pas insisté. Elle finira par accepter qu'un des enfants aille vivre avec Patrick, mais ce n'est certainement pas elle qui va les pousser à le faire. Il lui arrive de penser qu'au final elle ne s'échine pas tellement plus fort pour arriver à tout faire depuis que Patrick ne vit plus avec eux. Au fil du temps, elle avait oublié que les responsabilités reposaient entièrement sur ses épaules, tandis que monsieur se contentait plus souvent qu'autrement de jouer au chef d'orchestre.

Agathe entend un bruit bizarre en provenance de la cuisine au moment où elle écrit la dernière lettre dans la grille de mots croisés. Elle se précipite aussitôt pour aller voir ce qui s'y passe. Le bruit a été tellement soudain et fort que la mère et les quatre enfants se retrouvent tous dans la pièce.

— J'ai l'impression que le frigidaire vient de rendre l'âme, commente Sébastien.

En raison de tout ce que le réfrigérateur contient, Agathe prie pour que ce ne soit pas le cas.

— Ce ne serait vraiment pas le bon moment, s'écrie-t-elle, il est plein à craquer.

Elle ouvre lentement la porte. C'est très mauvais signe, car il n'y a même plus de lumière.

— Aide-moi à le tirer, dit-elle à Sébastien, on va le débrancher.

Tous ont un petit frisson de dégoût en voyant la poussière qui roule derrière l'électroménager.

— Ma foi du bon Dieu, on dirait que j'ai oublié de nettoyer derrière le frigo quand j'ai fait le grand ménage! clame Agathe. Il faut que vous me juriez de n'en parler à personne…

Quatre paires d'yeux la regardent en souriant. Ils auraient beau promettre, Agathe n'en croirait pas un mot. Elle sait que les enfants se feront un malin plaisir de le dire à tout le monde ce soir. Et elle serait prête à parier qu'Isabelle vendra la mèche la première.

Agathe rebranche le réfrigérateur une minute plus tard. Mais l'appareil n'émet aucun bruit. Elle soupire. Puis, sur un ton trahissant sa déception, elle lance :

— Bon ! Maintenant je vais avoir besoin d'aide pour tout apporter dans le frigo du sous-sol.

— Ça veut dire que je vais avoir un nouveau frigidaire pour mettre mes autocollants ? se réjouit Steve.

Alors qu'Agathe s'apprête à lui dire que, dans la mesure où elle sera obligée de le changer, il ne sera pas question qu'il en mette partout sur la porte du nouvel appareil, Isabelle lui lance :

— Tu ne trouves pas que tu es un peu trop vieux pour mettre tes autocollants sur le frigidaire ? Juste au cas où tu ne l'aurais pas remarqué, ce n'est pas un tableau d'affichage.

Steve se tourne instantanément vers sa mère. Il roule des yeux dans l'espoir qu'elle lui donnera son appui.

— Ta sœur a raison, approuve Agathe. Si je suis obligée d'acheter un frigo, je ne veux pas voir un seul autocollant dessus.

Agathe se retient de rire devant l'air ahuri de son fils. Depuis le temps que ça dure, elle n'a jamais compris quel plaisir il trouvait à couvrir la surface du réfrigérateur d'autocollants.

— Ne te mets surtout pas à pleurer, Steve, l'implore-t-elle. Je vais t'acheter un cahier exprès pour tes autocollants. De cette manière, tu pourras les regarder quand tu voudras.

— Mais moi, pleurniche le garçon malgré la mise en garde de sa mère, c'est sur le frigidaire que je veux les mettre, pas dans un cahier. On est les seuls à avoir un beau frigidaire.

Ce n'est pas qu'Agathe veuille mettre fin à la discussion mais, plus vite ils mettront tout ce que le réfrigérateur contient au frais, mieux elle se portera.

— Au travail, maintenant! ordonne-t-elle d'une voix forte sans porter attention aux jérémiades de Steve.

À cinq, cela ne prend que quelques minutes pour tout transférer. Agathe remercie chaleureusement les enfants de leur aide, puis elle retourne à ses mots croisés. Il ne reste qu'à souhaiter que le réfrigérateur du sous-sol tienne le coup, car il était déjà dans la maison quand Patrick et elle ont emménagé. D'après la couleur et le modèle, il ne date pas d'hier, ni d'avant-hier non plus. Agathe préférerait de loin que l'appareil de la cuisine soit réparable. Non seulement, elle est encore capable de le supporter malgré tout ce que Steve a collé dessus, mais l'achat d'un nouveau réfrigérateur n'est pas du tout prévu dans ses dépenses.

* * *

Anna voit bien que quelque chose tracasse Jack depuis un moment, et ce, malgré tous les efforts qu'il fait pour avoir l'air jovial et enjoué. Elle a essayé de lui tirer les vers du nez à plusieurs reprises, mais il a toujours trouvé un moyen d'ignorer sa question. Aujourd'hui, Jack semble encore plus accablé. Anna est déterminée: elle ne le laissera pas tranquille tant qu'il n'aura pas vidé son sac. Elle se dépêche de mettre les enfants au lit pour leur sieste et elle file à la cuisine afin d'y prendre deux bières. Ensuite, elle va rejoindre son mari au salon. Elle lui en tend une et ferme la télévision.

— À ta santé, mon amour! s'écrie-t-elle.

Jack la regarde et il lui sourit. Il remercie encore le ciel d'avoir mis cette femme sur son chemin. Il l'aime tellement qu'il paverait son chemin de pétales de roses s'il le pouvait. Au lieu de ça, il lui fait subir les contrecoups de ses histoires de famille et ça le désole au plus haut point.

Aussitôt sa gorgée de bière avalée, Anna se lance:

— Bon, il faut qu'on parle sérieusement, tous les deux. Et je t'avertis: on ne bougera pas d'ici tant que tu ne m'auras pas dit ce qui ne va pas.

— Mais tout va bien! se défend Jack avec énergie. Je manque un peu de sommeil, mais pour le reste, tout est OK.

— Je t'en prie, l'implore Anna, ne rends pas les choses plus compliquées qu'elles le sont. Raconte-moi ce qui te tracasse.

Jack baisse la tête. Depuis qu'Anna et lui sont mariés, c'est la première fois qu'il lui cache quelque chose. Le jour où Rémi est passé à la maison, il voulait tout confier à Anna, mais il avait trop honte de ce qu'il avait fait pour lui en parler. Il sait qu'il ne peut rien changer, mais ses actes le hantent quand même toutes les nuits. Même s'il tente de se convaincre qu'il n'avait pas le choix, sa conscience n'est pas du même avis.

Anna l'observe en silence. Elle attend patiemment qu'il se décide à parler, ce qu'il ne tarde pas à faire.

— Je n'irai pas par quatre chemins, Rémi est venu reprendre ses affaires.

— Depuis le temps qu'on n'avait pas eu de ses nouvelles, j'avais presque oublié son existence. Je veux tout savoir.

Jack s'exécute. Quand il se tait, Anna revient à la charge :

— Parle-moi de toi, maintenant.

Jack songe à se défiler. Mais il y renonce dès qu'il voit le regard qu'Anna lui jette.

— Je suis très mal à l'aise avec ce que j'ai fait. Essaie juste d'imaginer le tableau un instant. Je suis policier et j'ai caché de l'argent sale pour mon frère qui travaille pour la mafia. Et comme si ce n'était pas assez, j'ai même caché une liste de noms que plusieurs s'arracheraient s'ils connaissaient son existence. Je ne te mens pas, je n'arrive plus à me regarder dans le miroir.

Anna est contente de savoir enfin de quoi il retourne. Toutefois, elle ignore ce qu'elle peut faire pour aider Jack à traverser cette épreuve. Elle connaît la droiture de son mari et sait que cela l'avait beaucoup affecté lorsqu'ils avaient découvert la magouille dans les jouets de Myriam. Jack semblait pourtant avoir passé par-dessus.

Comme s'il lisait dans ses pensées, Jack se dépêche d'ajouter :

— J'avais fini par surmonter tout ça, comme toi. Figure-toi que j'avais même oublié le numéro du coffret de sécurité. Mais la dernière chose que je voudrais, c'est que tu t'inquiètes pour moi. J'ai pris rendez-vous avec l'aumônier de la police, afin de discuter du problème. Je le rencontrerai mardi prochain. Je n'ai aucune idée où cela me mènera. Si cela ne fonctionne pas avec lui, j'irai voir un psychologue.

— Tu n'as pas le choix d'en parler à quelqu'un, déclare Anna.

— Je n'en suis plus aussi certain…

Anna pourrait argumenter qu'on ne joue pas avec des gens comme Rémi. Jack et elle ont tenu pour acquis que c'était son argent, alors qu'il n'en est peut-être rien. Anna se dépêche de changer le cours de ses pensées avant de prendre peur. Ils l'ont fait une fois, mais ils ne le referont plus jamais.

— C'est une excellente idée, Jack.

Le simple fait de connaître ce qui pousse son mari à agir ainsi la rassure beaucoup. Elle en veut toujours autant à Rémi de les avoir placés dans une telle situation, et il y a fort à parier qu'elle ne vivra jamais assez vieille pour lui pardonner ce qu'il a fait un jour, mais elle se sent déjà beaucoup mieux en sachant que Jack ira consulter. Rémi restera toujours le frère de son mari et il risque de faire encore des apparitions dans leur vie au moment où ils s'y attendront le moins, mais Jack et elle n'ont aucun contrôle là-dessus.

— Ça te tenterait qu'on demande à ta mère de garder les enfants vendredi soir ? On sortirait juste tous les deux. On pourrait aller danser…

Jack fixe sa femme en souriant. Il reconnaît une fois de plus la chance qu'il a de l'avoir à ses côtés. Avec tout ce que ses collègues racontent à propos de leurs femmes, il s'estime chanceux d'être tombé sur une perle comme Anna. Son amour pour elle n'a cessé de croître depuis le jour de leur rencontre.

— J'appelle tout de suite ma mère, répond-il sans hésiter.

— Tu ne crois pas que ça pourrait attendre que les petits se réveillent ? lance Anna en lui tendant la main.

Ils sont encore au lit lorsque les enfants se lèvent. Faire l'amour n'a pas tout réglé, mais Jack se sent beaucoup mieux depuis qu'il s'est confié à Anna. Une bataille d'oreillers à quatre se déclenche, et le rire monte si haut qu'ils en ont mal aux oreilles.

***

Agathe aurait aimé que Vincent puisse se libérer pour venir fêter le jour de l'An avec sa famille et elle, mais c'était absolument impossible. Elle devrait le voir demain s'il n'y a pas de changement. Comme il le lui a expliqué, la période des fêtes est une des plus achalandées de l'année à l'urgence.

— Cela m'étonne toujours de constater à quel point certaines personnes sont seules, avait-il ajouté.

— Mais ce n'est pas une raison pour aller engorger l'urgence.

— Je le sais bien, mais c'est reconnu, celui qui s'ennuie a bien plus de malaises que celui qui est bien entouré et qui est occupé. N'oublie pas une chose : on a bien plus de temps pour penser à tout ce qui ne fonctionne pas parfaitement dans notre vie quand on est seul que lorsqu'on a une famille. Prenons ton cas. Même si tu as un petit malaise, tu as tellement à faire que tu finis par passer par-dessus. Il y a bien trop de personnes qui dépendent de toi pour t'attarder à un mal de gorge, par exemple.

— Tant qu'à ça. Mais toi, pourquoi travailles-tu toujours pendant les fêtes ?

— Parce que je suis plus utile à l'hôpital qu'à me ronger les sangs chez moi. Et puis ma mère va toujours passer le temps des fêtes chez sa sœur à Ottawa.

Ce genre de discussions fait réaliser à Agathe que l'humain a tendance à tenir pour acquis que tout le monde a une situation identique à la sienne, alors qu'il n'en est rien. Aucune famille n'est parfaite, mais en avoir une est ce qui peut nous arriver de mieux.

Agathe effectue une dernière vérification avant que les premiers invités se pointent. Elle a pris soin de sortir une bonne bouteille de cognac pour faire plaisir à son père. Elle a envie de rire chaque fois qu'il s'extasie sur cet alcool. Jusqu'à ce que Patrick lui fasse profiter de ses cadeaux, Jacques se contentait le plus souvent de son gros gin et il ne s'en plaignait aucunement. Il aime tellement le cognac maintenant que, l'autre jour, il a confié à Agathe qu'il n'avait même pas acheté de gros gin pour les fêtes.

Agathe songe parfois que Patrick aurait dû apporter ses bouteilles lorsqu'il a quitté la maison, mais la plupart du temps elle est d'avis qu'elle a mérité de les garder. Même si elle n'aime pas le cognac autant que Patrick, elle l'apprécie de plus en plus. Il lui arrive régulièrement de s'en servir une once, qu'elle sirote tranquillement avant d'aller au lit.

Les enfants surgissent en trombe aussitôt que la sonnette de la porte retentit. Le ton a tellement monté qu'on se croirait au cœur d'une ruche d'abeilles en quelques secondes seulement.

Agathe a promis à Suzie qu'elle ne commencerait jamais vérita-blement à fumer, mais elle doit se retenir de toutes ses forces pour ne pas demander une cigarette à Pierre. Elle ne comprend vraiment pas ce qui lui arrive. Elle tente par tous les moyens de se changer les idées. Cependant, à peine cinq minutes plus tard, elle quête une cigarette à son beau-frère. Évidemment, son geste ne passe pas inaperçu.

— Ah non! s'exclame son père. Tu ne vas pas te mettre à fumer toi aussi! En tout cas, ne compte pas sur moi pour t'encourager. Je ne peux pas croire que tu aies oublié que je toussais comme un perdu pendant une bonne demi-heure à chaque matin à l'époque où je fumais.

— Ce n'est pas si pire que ça, le beau-père, lance Pierre en allumant la cigarette d'Agathe.

Si Agathe savait pourquoi elle a tant envie de fumer, il est fort probable que cela réglerait le problème. Mais comme elle n'en a aucune idée, elle se laisse porter par ce désir soudain qu'elle ressent sans porter attention plus qu'il faut à ce que son père vient de lui dire. Agathe se souvient très bien des nombreuses fois où elle l'a entendu tousser à s'en étouffer, mais rien ne prouve que cette toux était uniquement causée par la cigarette. Pour le moment, elle prend plaisir à fumer occasionnellement, et cela lui suffit. Et puis fumer deux cigarettes dans une vie n'a jamais fait mourir personne.

La dinde d'Agathe est tellement bonne que tout le monde en redemande, et, au moment de dépecer ce qui reste, Agathe se rend très vite compte qu'elle en a tout juste assez pour faire un riz frit, et encore.

Une fois la cuisine rangée, tous prennent place pour jouer aux cartes. Comme ils sont trop nombreux à vouloir tenter leur chance, ils s'installent à deux tables. Sébastien remporte le magot à sa table, tandis qu'à l'autre c'est Agathe qui gagne.

— Le moins qu'on puisse dire, s'écrie Jacques, c'est que vous êtes chanceux dans cette maison… Ou bien vous êtes d'excellents tricheurs !

— Il faut bien payer la dinde ! plaisante Agathe.

Craignant de perdre l'argent qu'il vient de gagner, Sébastien s'empresse de préciser :

— Je suis désolé, maman, mais ne compte pas sur moi pour contribuer.

Tout le monde éclate de rire sans essayer de savoir ce qu'il compte faire avec son argent.

— En tout cas, clame Anna, la prochaine fois que Sébastien jouera à la même table que moi, je sauterai mon tour. Il est beaucoup trop bon. Au fait, qui t'a appris ?

— Je me faisais garder par ma grand-mère maternelle quand j'étais petit. On pouvait jouer aux cartes pendant des heures. Elle m'a montré comment jouer à l'argent avec des macaronis. Mais aussitôt que j'ai été assez bon, je suis arrivé avec ma tirelire et je lui ai dit qu'on était aussi bien de jouer pour vrai.

Sébastien se voit encore déposer toute sa fortune sur la table de la cuisine. Sa grand-mère avait eu beau lui répéter qu'il risquait de perdre tout son argent et qu'elle ne lui redonnerait pas un sou, il n'avait rien voulu entendre. Il aimait jouer aux cartes, mais ce qu'il préférait, c'était gagner. Il s'était dit qu'il ne risquait pas grand-chose, sauf d'augmenter son pécule ; il ne s'était pas trompé. À peine un mois plus tard, il avait doublé son avoir. Sa grand-mère avait alors déclaré que tous deux devaient ralentir leurs élans, si elle voulait être capable de payer son loyer à la fin du mois.

— Ta mère était-elle au courant ? s'enquiert Anna.

— Bien sûr que non ! Tu aurais dû entendre tout ce qu'elle a dit à grand-maman quand elle a découvert qu'elle m'avait appris à jouer aux cartes à l'argent. Je pensais qu'elle n'arrêterait jamais de chialer après elle. On a cessé de jouer pendant un petit bout de temps, puis on a recommencé. C'est grâce à ma grand-mère si j'adore jouer aux cartes.

— Tu m'aurais dit le contraire que je ne t'aurais pas cru ! commente Anna. Est-ce que tu penses que tu pourrais m'enseigner ?

Sébastien regarde sa tante et lui dit avec son plus beau sourire :

— Pour que tu me battes à plate couture chaque fois qu'on jouera à la même table?... C'est hors de question.

Tout le monde s'esclaffe.

Chapitre 16

— Enfin! s'exclame Hélène en entendant la voix d'Agathe au bout du fil. Je commençais sérieusement à craindre que tu ne m'appellerais plus jamais. As-tu reçu mon cadeau, au moins?

Chaque fois qu'elle reçoit un colis, Agathe est aux anges, et ce, même s'il ne renferme qu'une tasse remplie de grains de café comme c'est le cas aujourd'hui. Le fait que quelqu'un ait pensé à elle la touche profondément. Elle avait lu la lettre d'Hélène en diagonale, puis elle avait sauté sur le téléphone.

— Je viens tout juste de l'avoir. Je tenais à te remercier. C'est très gentil d'avoir pensé à moi.

Hélène se retient d'éclater de rire, car depuis le temps qu'elles s'offrent des cadeaux à Noël, celui-ci est le plus ordinaire qu'elle ne lui ait jamais offert. D'autant plus que, à ce qu'elle sache, son amie ne possède même pas de moulin à café.

— Tu aurais dû me voir au bureau de poste, s'excuse Hélène, j'étais presque gênée de te l'envoyer.

— Mais tu n'aurais pas dû. Je suis vraiment très contente. Et comme le disait ma mère, c'est l'intention qui compte… Je vais demander à Mylène de me prêter son moulin à café, et le tour sera joué.

C'est à cet instant qu'Hélène éclate de rire dans ses oreilles. Convaincue de n'avoir rien dit de si drôle, Agathe se demande bien pourquoi son amie réagit ainsi.

— Je ne t'ai pas demandé de m'appeler aussitôt que tu recevrais mon colis pour rien, parvient enfin à dire Hélène. Ce n'est pas ton vrai cadeau, c'est seulement un indice. Je sais très bien que la tasse est laide, mais c'était voulu. Écoute-moi attentivement. Paul et moi avons décidé de t'inviter à venir avec nous au Brésil en septembre. La seule chose que tu auras à payer, c'est ton billet d'avion ; nous nous chargerons de tout le reste. Paul y va pour son travail. Mais toi et moi, nous pourrons…

Les paroles d'Hélène prennent un certain temps à se frayer un chemin dans la tête d'Agathe. Elle n'arrive tout simplement pas à croire ce qu'elle vient d'entendre. Est-ce que Paul et Hélène l'invitent réellement à les accompagner en Amérique du Sud, ou bien hallucine-t-elle ? Énervée comme une puce, elle interrompt brusquement sa copine au beau milieu de sa phrase.

— Hélène, arrête de parler une minute ! Est-ce que j'ai bien compris ou c'est une blague ?

— Comme je viens de te le dire, on t'invite à venir avec nous au Brésil en septembre. Et tout ce que tu auras à payer, c'est ton billet d'avion. On part une semaine. Je sais que c'est un peu court comme voyage, mais si le pays nous plaît, nous n'aurons qu'à y retourner. Alors, tu viens ?

«C'est trop beau pour être vrai», songe Agathe. Elle s'est fait offrir un billet d'avion pour Paris, et maintenant Paul et Hélène l'invitent au Brésil. Il faudra qu'elle demande à son père et à sa tante Cécile s'ils pourront s'occuper des enfants pendant son absence. Mais puisque le voyage aura lieu seulement en septembre, il n'y a rien qui presse sur ce plan.

Devant le silence prolongé d'Agathe, Hélène reprend la parole.

— C'est certain que le billet d'avion n'est pas donné. Le Brésil, ce n'est pas la porte d'à côté. Mais on devrait s'en tirer à bon compte si on s'y prend d'avance. Remarque que je comprendrais si…

— Je suis désolée! J'étais déjà en train de réfléchir à qui pourrait venir garder les enfants. C'est certain que j'ai envie d'y aller. Je suis vraiment très contente. Merci, Hélène.

— Il me semblait aussi, mais cette fois ce n'est pas moi que tu dois remercier mais Paul. C'est lui qui a pensé à t'inviter, tu sais à quel point il t'apprécie.

— Et c'est réciproque. Je lui écrirai un petit mot pour le remercier. Je n'en reviens pas! Je serai dans la Ville lumière dans deux semaines et au Brésil en septembre. Wow! Je n'en reviens tout simplement pas, ma vie n'a jamais été aussi palpitante du temps où j'étais avec Patrick. Merci, Hélène. Au fait, tu devrais recevoir mon cadeau d'une journée à l'autre.

— J'espère seulement que tu ne m'a pas envoyé une horrible tasse remplie de grains de café! blague Hélène. Parle-moi de toi, maintenant.

Agathe n'a encore soufflé mot à personne de la demande en mariage de Vincent. Elle était passée à deux doigts de s'échapper au jour de l'An. Mais elle en était venue à la conclusion qu'il valait mieux que la nouvelle ne vienne pas aux oreilles de Patrick tant que leur divorce ne sera pas réglé. D'un autre côté, la distance géographique qui la sépare d'Hélène est si grande que cela minimise le risque de fuite.

— Je vais d'abord te faire une confidence. Imagine-toi donc que Vincent m'a offert une bague sertie d'un diamant et… qu'il m'a demandée en mariage.

— Wow! On se croirait en plein conte de fées.

— Je sais bien que ça n'a aucun sens, car je ne suis même pas encore divorcée, mais j'ai accepté sans hésiter.

— Au contraire, je trouve que tu as bien fait. Ne le prends pas mal, mais je pense que ton mariage s'est terminé le jour où Patrick a eu sa crise de cœur. Je ne voudrais surtout pas t'offenser, mais vous avez fait du temps plus qu'autre chose. Et pour être franche, je me demande encore comment tu as réussi à tenir le coup aussi longtemps.

Il est certain que ces paroles peuvent sonner durement, mais en même temps Agathe est forcée de reconnaître qu'Hélène a raison sur toute la ligne. Les derniers temps qu'elle a passés avec Patrick n'ont pas été les plus exaltants de sa vie. Plus souvent qu'autrement, elle se prenait à rêver d'un monde meilleur où elle se sentirait en confiance. Elle n'a plus jamais demandé à son mari si elle pouvait l'accompagner à un congrès, pas plus qu'elle n'a eu envie d'aller le surprendre. Sa dernière incartade lui avait enlevé les quelques illusions qu'il pouvait lui rester. Elle vivait dans la même maison que lui, mais les choses n'ont plus jamais été pareilles après. Elle ne pouvait plus avoir confiance en son homme, et ça la minait un peu plus chaque jour.

— Franchement, je ne le sais pas moi-même. J'étais mariée jusqu'à ce que la mort nous sépare et je n'arrêtais pas de me dire que ce serait pire si je le quittais. Ce que je peux t'affirmer aujourd'hui, c'est que je vivais à côté de Patrick et non avec lui. Et je ne lui ai plus parlé de ses écarts de conduite après ça, pas même une seule fois.

— Étais-tu capable de faire l'amour avec lui, malgré tout?

— Ça va peut-être te paraître lâche, mais oui. Il y avait quelque chose de brisé entre nous, quelque chose d'irréparable, mais en dépit de tout ce que je savais on arrivait quand même à se rejoindre sur le plan sexuel. Je n'irais pas jusqu'à dire que c'était le nirvana chaque fois, mais il lui arrivait de me faire grimper au septième ciel à l'occasion. Était-ce réellement avec moi qu'il faisait l'amour dans ces moments ou avec le souvenir d'une ancienne conquête? Ça, je ne le saurai jamais, et honnêtement, ça n'a plus la moindre importance.

Hélène a écouté avec attention. Elle n'a rien vécu de semblable avec Réjean, mais ce n'était pas mieux pour autant. Quand elle repense à tout ce que son ex-mari a pu inventer pour passer plus de temps avec sa nouvelle flamme, il lui arrive encore de lui en vouloir de toutes ses forces. Il ne se faisait pas mieux qu'elle en matière de naïveté, elle gobait tout sans jamais poser de question. Bien qu'il lui verse religieusement une pension pour Pierre-Marc, il y a plus d'un an qu'elle ne lui a pas parlé. Hélène trouve ça dommage pour son fils mais, d'un autre côté, elle se dit que, tant qu'à avoir un père comme lui, il vaut parfois mieux ne pas en avoir. Aux dernières nouvelles, il a fait deux demi-frères à Pierre-Marc, et pourtant il disait à qui voulait l'entendre qu'il ne désirait pas avoir d'autre enfant.

— Le moins qu'on puisse dire, c'est qu'on ne l'a pas eu facile, toi et moi, confie Hélène.

— Une chose est certaine, on était trop bonnes.

— Pas bonnes, je dirais plutôt qu'on était bonasses.

— Tant qu'à ça, tu as raison. Je vois très mal France, Céline ou même Anna endurer seulement la moitié de ce que nos valeureux maris nous ont fait subir. Elles les auraient évincés en deux temps, trois mouvements. J'aimerais être un peu plus comme elles.

— Moi aussi! Heureusement que les hommes ne sont pas tous comme Patrick et Réjean. Et ta nouvelle trouvaille m'a tout l'air d'être un homme bien.

Agathe a pensé qu'elle ne pourrait plus jamais faire confiance à un homme de sa vie le jour où elle a mis la main sur le petit carnet noir de Patrick. Après réflexion, elle s'était rendu compte que cela n'avait aucun sens. Elle n'avait pas cinquante options; ou elle repartait complètement à neuf, ou elle était aussi bien de rester avec Patrick. C'est ainsi que la première fois qu'elle a revu Vincent elle a recommencé avec une page complètement blanche. Elle mourait d'envie de lui faire confiance et elle ne l'a pas regretté jusqu'à présent.

— Je ne veux plus me mettre la tête dans le sable, mais je veux croire que je peux lui faire confiance. C'est ce que j'ai décidé de faire. C'est ça, ou je ne pourrai plus jamais aimer personne.

***

Patrick s'est finalement décidé à appeler Anna, et ils se sont donné rendez-vous dans un petit restaurant à proximité du bureau de cette dernière.

— Je suis contente de te voir, dit Anna en l'embrassant chaleureusement sur les joues. Pourquoi as-tu mis autant de temps à me téléphoner?

— Qu'est-ce que je pourrais bien te dire? Parce que j'avais honte et que j'avais peur que tu m'envoies promener ou que tu ne veuilles plus jamais me parler…

— C'est sûr qu'après ta sortie j'aurais eu toutes les raisons du monde de ne plus vouloir te voir, mais tu demeures mon ami malgré tout ce que tu as pu faire à ma sœur. Remarque que je ne te trouve pas plus intelligent pour tout ça, mais c'est toi. Une chose est certaine, ce n'est pas ta tête qui mène ta vie, parce que si c'était le cas, tu aurais beaucoup moins de problèmes.

Patrick est tenté de s'en aller, il soulève même les fesses de sa chaise pendant une fraction de seconde, mais il se rassoit. Son geste n'a pas échappé à Anna.

— Désolée, mais ce n'est pas aujourd'hui que je vais commencer à enrober tout ce que j'ai à te dire. Tu as vraiment merdé sur toute la ligne avec ton carnet noir. Je ne comprends pas comment tu as pu le laisser traîner dans tes affaires comme tu l'as fait.

Patrick pourrait se défendre en disant qu'Agathe n'aurait pas dû fouiller dans ses effets de bureau, mais il se garde de faire quelque commentaire que ce soit et il attend calmement la suite en fixant Anna.

— Je pense que je t'aurais arraché les yeux si c'était à moi que tu avais fait le coup. Veux-tu me dire à quoi tu as pensé? Tu n'avais pas assez de la tromper sans cesse, il fallait en plus que tu lui fournisses le nom de toutes tes conquêtes, et leur score en plus. Cher Patrick!

Après s'être vidé le cœur, Anna passe à autre chose et lui demande comment il va.

— Dans l'ensemble, je vais bien. Je ne suis pas heureux que mon mariage se soit terminé comme ça, mais je peux reconnaître que j'ai couru après. Entre toi et moi, j'ai un poids de moins sur les épaules depuis qu'Agathe a découvert qu'elle n'avait jamais été la seule. J'ai beaucoup de défauts, mais lui faire du mal était la dernière chose que je voulais. Tu ne me croiras peut-être pas, mais je l'aimais.

— Avoue qu'après tout ce que tu lui as fait subir, c'est un peu difficile à croire. Moi, quand j'aime quelqu'un, je ne passe pas mon temps à aller voir ailleurs.

Patrick se contente de hausser les épaules. Il aurait beau s'étendre sur le sujet pendant des heures encore, ça ne mènerait nulle part puisqu'il ne parviendra jamais à faire changer Anna d'idée. C'est d'ailleurs le trait de caractère qu'il apprécie le plus chez elle. Elle a ses opinions et elle est prête à les défendre bec et ongles s'il le faut.

— Je commence à travailler dans deux jours, dit Patrick pour faire diversion. J'ai hâte, car je ne suis pas fait pour rester à la maison à me tourner les pouces.

— C'est certain que si tout ce que tu fais est d'écouter la télévision, le temps est long. J'imagine que l'idée d'aider ta mère ne t'a pas traversé l'esprit, ni celle de te trouver un appartement ?

— Tu te trompes ! J'ai signé mon bail avant de venir ici. J'ai loué un logement à Belœil, tout près de chez France.

— Oups ! ne peut-elle s'empêcher de laisser tomber en tambourinant sur la table avec ses ongles.

— Je t'arrête tout de suite. Je ne te mentirai pas, oui, j'ai essayé de la récupérer, mais elle m'a envoyé promener sans aucun ménagement. Je ne la reconnais plus depuis qu'elle est amie avec Agathe. J'ai même entendu dire qu'elle était en amour avec un des frères de Francis.

— Il me semblait bien aussi que tu te remettrais à chasser sans tarder…

— Je n'ai plus aucune raison de m'en priver. Et pour tout te dire, c'est ça ou je vais devenir fou à force de ne pas savoir quoi faire. Tu peux me croire, j'ai vraiment hâte de reprendre le travail.

Patrick n'a pas pensé à s'envoyer en l'air une seule fois pendant qu'il digérait sa séparation. Mais depuis qu'il a admis qu'il n'y aurait plus jamais rien entre Agathe et lui, il tourne en rond comme une bourrique. Il a d'abord appelé France et il s'est ensuite rabattu sur Nicole, celle-là même avec qui il était allé à Québec. Depuis le temps qu'il ne lui avait pas donné signe de vie, il ne pouvait pas s'attendre à grand-chose d'autre que :

— Désolée, mon beau Patrick, mais j'ai rencontré quelqu'un. On s'est mariés il y a deux mois.

Ils avaient discuté pendant quelques minutes. Patrick s'était senti encore plus seul en raccrochant qu'au moment où il avait composé le numéro de Nicole.

— Je comprends, déclare Anna.

Patrick met le cap sur Belœil en sortant du restaurant au lieu de prendre la direction de Ville Saint-Laurent. Il veut récupérer son carnet noir et son cognac, par la même occasion. Il n'a pas l'habitude de se pointer sans s'annoncer, mais vu l'heure qu'il est ses chances sont excellentes pour qu'Agathe soit à la maison.

Agathe est surprise de voir Patrick surgir à l'improviste. Comme il fait trop froid pour qu'elle laisse la porte entrouverte, elle l'invite à entrer. Puis elle lui demande que lui vaut l'honneur de sa visite en plein cœur de l'après-midi.

— Je viens chercher mon carnet et mes bouteilles de cognac.

— Va pour ton carnet, mais tu arrives un peu tard pour les bouteilles. Je les ai toutes vidées dans l'évier hier soir. Mais si tu veux ramasser les bouteilles vides pour prendre les étiquettes, ne te gêne surtout pas, elles sont dans la poubelle. Tu comprends, j'avais besoin d'espace dans ma chambre froide.

La réponse d'Agathe a l'effet d'une bombe.

— Veux-tu bien me dire à quoi tu as pensé ? Ce n'était pas de la piquette, c'était toutes des bouteilles hors de prix. Qu'est-ce que je vais boire, moi, maintenant ?

Patrick voit rouge et il réitère sa demande pour ravoir son carnet. Il piétine sur place pendant qu'Agathe va le chercher.

— Tiens, le voici, ton précieux carnet ! lance-t-elle en revenant. Ne fais pas le saut en l'ouvrant : il est complètement vide. Je me suis dit que tu voudrais repartir à zéro, alors je t'en ai acheté un autre. J'espère que tu prendras autant de plaisir à le remplir que le premier.

— Mais c'est le mien que je veux, celui avec tous les numéros de téléphone, pas celui-ci.

— Trop tard ! Je l'ai brûlé.

Cette fois, c'en est trop. Patrick prend le carnet qu'Agathe lui tend et il sort sans rien ajouter. Il est si furieux qu'il vaut mieux qu'il s'en aille au plus vite. Il n'en revient pas qu'elle ait osé se débarrasser de ses bouteilles.

Agathe se met à rire comme une folle dès qu'elle referme la porte. Elle n'a pas versé une seule goutte du cognac dans l'évier, elle a plutôt décidé de le garder pour elle et de le boire jusqu'à la dernière goutte. Et pour le carnet, son avocate l'a toujours en main. C'est en rangeant le bureau qu'elle a vu qu'il y avait le même dans un des tiroirs. C'est seulement lorsque Patrick lui a demandé de lui remettre le sien qu'elle a décidé de se payer sa tête un peu. Elle rit maintenant à en avoir mal aux côtes. Elle aimerait être un petit oiseau pour voir sa réaction quand il va lire le mot qu'elle a griffonné sur la première page :

Essaie de faire mieux, cette fois !

En lui demandant son carnet, Patrick lui a confirmé qu'il était complètement guéri de leur rupture. Agathe est convaincue qu'il s'est remis officiellement à la chasse, et, si ce n'est pas le cas, ça ne devrait tarder. Elle n'a pas l'habitude de boire pendant la journée, mais elle va chercher la bouteille de cognac et elle s'en sert un double. Lorsqu'elle trempe les lèvres dans le liquide jaunâtre, elle passe à deux cheveux de s'étouffer avec sa gorgée tellement elle a envie de rire. Elle prend le temps de savourer sa petite victoire quand elle parvient enfin à se calmer. Connaissant Patrick, elle gagerait qu'il est allé frapper à la porte de la maison de Francis pour lui quêter une bouteille de cognac. Elle se lève de sa chaise et regarde par la fenêtre, elle repart à rire de plus belle quand elle aperçoit l'auto de Patrick stationnée dans la cour de ses voisins.

Elle retourne ensuite à sa murale. Dans moins d'une semaine, elle sera en France. Elle a si peu vu Vincent pendant le temps des fêtes qu'elle lui a redemandé s'il était bien certain de pouvoir se libérer pour partir en vacances.

— Ne t'inquiète pas, ma chérie, tout est arrangé.

Chapitre 17

À peine Francis met-il un pied dans la maison qu'il fonce chercher sa bouteille de cognac pour se servir un verre.

— Je suis gelé jusqu'aux os et, pourtant, il ne fait pas si froid que cela. Si je ne me retenais pas, je passerais deux heures sous une douche brûlante.

— Mon pauvre amour! s'exclame Suzie avant de l'embrasser. C'est un café chaud que tu devrais boire, pas un cognac. Je vais aller t'en préparer.

Francis sait que l'alcool ne réchauffe pas en soi, mais cela lui fait du bien dans l'immédiat et il n'a pas l'intention de s'en priver.

— Je le mettrai dans mon café. Je vais aller prendre une douche en attendant qu'il soit prêt.

Alors qu'ils achevaient leur quart de travail, Karine et Francis ont été appelés en renfort à Sainte-Madeleine, sur les lieux d'un carambolage s'étant produit sur l'autoroute 20 en direction de Québec. Plus d'une vingtaine d'autos ont été impliquées dans cet accident. Heureusement, on n'a déploré aucun décès, mais il a fallu plusieurs heures pour faire remorquer tous les véhicules accidentés et nettoyer la place. Les policiers présents ont fait aussi vite que possible pour rediriger le trafic de l'autre côté de l'autoroute, mais le mal était déjà fait. Les autos se suivaient encore à la queue leu leu sur plusieurs kilomètres quand Karine et Francis ont quitté les lieux, et c'est probablement encore le cas à l'heure actuelle.

De retour à la cuisine, Francis dit à Suzie :

— En tout cas, je ne voudrais jamais être pris dans un carambolage. Ceux qui étaient en sandwich au milieu des autos ont sûrement eu la peur de leur vie. Tu roules tranquillement sur l'autoroute à la brunante et, tout à coup, tu te retrouves devant un mur de brume. Ajoute à cela des gros flocons de neige qui tombent dans tous les sens et c'est la noirceur la plus totale. Une fraction de seconde plus tard, tu percutes l'auto qui est devant toi, auto que tu n'avais jamais vue, et tu te mets à prier pour qu'il n'y ait personne derrière toi. Et c'est à nouveau l'impact, encore et encore. Ça doit vraiment être horrible.

— C'est quand même curieux que ça arrive souvent au même endroit… Tu ne trouves pas ?

— Ouais. C'est rendu que ça m'inquiète de passer par là quand il neige ou même quand il pleut. Mais bon, assez parlé de ça. Dis-moi plutôt si tu t'es mise riche avec les billets que je t'ai donnés. Depuis le réveillon, tu n'en as fait aucune allusion. Devrais-je commencer à me préparer mentalement à payer ?

Suzie a été tellement occupée pendant les fêtes et depuis qu'elle a repris le travail qu'elle n'y a pas repensé. Elle va vite chercher son enveloppe.

— Tu ne me croiras pas, mais ça m'était complètement sorti de la tête. Je vais aller les faire vérifier au dépanneur tout de suite.

Francis lui demanderait bien de lui rapporter un paquet de cigarettes, s'il ne se retenait pas. C'est fou à quel point il peut avoir envie d'en griller une. Ce n'est pas la première fois qu'il décide d'arrêter de fumer, mais c'est de loin la plus difficile. Heureusement pour lui que Karine ne fume pas, parce qu'il y a longtemps qu'il aurait cédé à la tentation. Quand il arrive au poste et qu'il voit ses collègues avec une cigarette aux lèvres, il se retient de la leur arracher tellement il est en manque. Mais cette fois, il s'est juré qu'il allait y arriver et il tiendra bon, coûte que coûte. Reste maintenant à savoir comment il s'y prendra pour ne pas retomber dans ses vieilles habitudes : un café, une cigarette ; une rencontre entre amis, une cigarette ; une baisse d'énergie, une cigarette ; un pépin, une cigarette ; une bonne nouvelle, une cigarette ; un cognac, une cigarette ; une impasse, une cigarette…

Au nombre que Francis brûlait en une journée, tout était devenu un prétexte pour en prendre une, et ça c'était quand il ne l'allumait pas avec le cadavre de la précédente.

Au lieu de passer sa commande à Suzie, il prend une grosse gorgée de café et la laisse couler doucement pour faire durer l'effet.

— Il n'y a pas d'urgence, tu n'auras qu'à y aller demain avant de te rendre au travail.

— Non, non. Je m'habille et j'y vais. On ne sait jamais, je suis peut-être millionnaire et je l'ignore… N'oublie pas que ma tireuse de cartes m'a dit que j'entrerais dans une année d'abondance. Je reviens tout de suite.

Francis n'a pas besoin de parler, Suzie connaît déjà son avis sur les diseuses de bonne aventure. D'ailleurs, il ne comprend toujours pas comment une femme aussi intelligente qu'elle puisse adhérer à tous ces charlatans qui promettent fortune et bonheur. À l'heure qu'il est, il s'en veut presque de lui avoir offert des billets de loterie. Depuis le temps qu'elle en prend, elle n'a jamais gagné plus de quelques dollars et elle continue pourtant d'en acheter semaine après semaine dans l'espoir de tomber un jour sur le billet gagnant promis par la dernière sorcière qu'elle est allée voir.

Francis se rend vite compte qu'il n'a pas très faim. Il décide de refaire le plein de café et de cognac. C'est alors qu'il repense à la petite visite de Patrick, venu lui quêter une bouteille de cognac, celui-là même qu'il lui avait donné pratiquement de force. Au début, Francis était convaincu que son ami lui faisait une blague. Il n'a pas pu s'empêcher d'éclater de rire et a dit à Patrick, lorsqu'il s'est aperçu qu'il était sérieux :

— Maintenant que je me suis habitué à boire tes pots de vin, tu es en train de me dire que tu veux les récupérer. On aura tout vu.

— Je ne veux pas reprendre toutes les bouteilles. J'en veux seulement une.

Évidemment, Patrick n'a pas manqué de lui raconter ce qu'Agathe avait fait avec les siennes. Francis a trouvé sa voisine bien dure sur le coup, mais après une brève réflexion il s'est dit qu'il devrait plutôt lui décerner une médaille d'or. Patrick lui a aussi rapporté le passage du carnet noir. Et là, Francis a pouffé de rire.

— Il fallait y penser, elle est vraiment bonne. J'aurais voulu être là pour voir ta réaction.

— J'étais tellement furieux que je me suis dépêché de partir avant de dire des paroles que j'aurais regrettées. Je ne sais pas quelle mouche l'a piquée, celle-là, mais elle m'en fait voir de toutes les couleurs aujourd'hui.

— Et que comptes-tu faire pour ton carnet ?

— Que veux-tu que je fasse à part repartir à zéro ? Qui dit nouveau travail dit nouvelles connaissances féminines. Jamais je ne croirai que je n'en rencontrerai pas au moins une intéressante dans le lot…

Francis n'allonge pas la discussion bien longtemps quand Patrick tient ce genre de discours. Au moins, maintenant il est libre, mais sa relation avec les femmes n'est pas prête de changer.

— Je vais te chercher ta bouteille de cognac.

Une fois rendu devant la tablette où il les range, Francis a été tenté d'en prendre deux, et même trois, mais il s'est vite ravisé. Patrick a tellement insisté pour qu'il les accepte qu'il ne les lui redonnera certainement pas toutes. Il en a attrapé une au hasard et il est remonté en vitesse. Il n'en revenait pas que Patrick soit venu se chercher une bouteille de cognac plutôt qu'être allé s'en acheter une.

Alors que Francis est en train d'ajouter du sucre dans son café, la porte s'ouvre brusquement sur Suzie. À bout de souffle, elle s'écrie d'une voix forte et joyeuse :

— Je te l'avais dit, que ça finirait par m'arriver. Écoute bien ça, je viens de gagner cinq mille dollars à la Mini ! Je n'arrive pas à le croire, j'ai enfin gagné… Youpi !

Francis lâche aussitôt sa cuillère et il va vite trouver Suzie. Elle est tellement énervée qu'elle parle à la vitesse de l'éclair.

— As-tu compris ce que je viens de te dire ? J'ai remporté cinq mille dollars !

L'excitation commence sérieusement à s'emparer de Francis, mais il fait son possible pour garder son calme.

— Oui, mais en es-tu bien certaine ?

— J'ai vérifié trois fois plutôt qu'une avec Johanne, et même avec M. Larocque qui attendait pour payer, explique Suzie. Tu aurais dû me voir au dépanneur : j'étais folle de joie. Et j'avais l'air d'une vraie folle aussi ! On aurait dit que j'avais la danse de Saint-Guy. Mais tu n'as qu'à regarder toi-même le billet, ajoute-t-elle en lui tendant le bout de papier. Je peux même te lire le numéro gagnant.

Elle s'exécute aussitôt. La seconde d'après, elle se donne un élan et elle saute au cou de Francis pour l'embrasser à pleine bouche.

— Je savais bien que ça finirait par marcher. Ah, je suis si contente… J'espère que tu vas arrêter de te moquer de ma tireuse de cartes maintenant, elle me l'avait prédit. Je ne le crois pas, j'ai gagné cinq mille dollars! Imagine-toi tout ce que je vais pouvoir m'offrir avec ce montant. Il faut absolument que j'appelle Agathe.

— Tu ne penses pas que ça pourrait attendre à demain? Il est presque dix heures.

— J'irai à Loto-Québec demain, à l'ouverture des bureaux.

Puis elle saute sur le téléphone et compose vivement le numéro de sa voisine. Et cet appel ne sera que le premier d'une longue série. Après tout, ce n'est pas tous les jours qu'on gagne un gros montant à la loterie.

***

Jacques a tellement insisté pour conduire Agathe à l'aéroport qu'elle avait bien été obligée de lui dire pourquoi ce n'était pas nécessaire. Elle s'était sentie comme une adolescente prise en défaut, au point qu'elle avait eu du mal à aligner deux mots. Elle lui avait tout raconté dans les moindres détails: sa rencontre avec Vincent et tout ce qui avait suivi, ainsi que leurs retrouvailles. Elle lui avait même parlé de la demande en mariage. Son père l'avait écoutée jusqu'au bout de son récit sans l'interrompre.

— Je suis très content pour toi, ma fille. Quand comptes-tu nous le présenter?

Agathe lui avait sauté au cou avant de lui répondre. Si elle avait su que son père accueillerait si bien la nouvelle, elle lui en aurait parlé bien avant aujourd'hui. Mais elle avait peur qu'il ne soit pas d'accord et même qu'il aille jusqu'à la renier.

— Laisse-moi vérifier avec Vincent quand il pourra se libérer, et je te fais signe. Je te remercie, papa. J'étais morte de peur à l'idée de t'en parler.

— Je sais bien que je peux parfois paraître vieux jeu, mais je fais mon possible pour me moderniser. Je dois avouer que Cécile m'aide beaucoup sur ce plan. J'ai hâte de lui raconter tout ce qui t'arrive… à moins que tu préfères tout lui dire toi-même?

Ça fait encore tout drôle à Agathe de voir à quel point les yeux de son père brillent quand il parle de sa femme. La présence de Cécile dans la vie de Jacques s'avère très positive, et il n'est pas le seul à en bénéficier. Certes, Cécile ne pourra jamais remplacer Monique – et elle n'a pas essayé de le faire non plus –, mais elle commence à prendre de plus en plus de place dans le cœur des filles Royer. Même celles qui habitent à La Sarre ont pris l'habitude de l'appeler régulièrement. Cécile ne partage pas les mêmes affinités avec les six filles, mais elle les aime comme si elles étaient ses propres enfants et elle est toujours prête à aider chacune d'entre elles.

— Tu as raison, je vais l'appeler demain. Je suis certaine que Vincent va te plaire, je peux te jurer qu'il n'a rien de commun avec Patrick.

— Je te fais confiance là-dessus. Tu es assez intelligente pour ne pas tomber dans le même panneau deux fois. Patrick n'est pas un mauvais gars, mais tu ne méritais pas qu'il te traite de cette manière. D'ailleurs, aucune femme au monde ne devrait subir ça. La mort de ta mère m'aura appris au moins une chose: la vie ne tient qu'à un fil et il faut saisir le bonheur quand il passe. Et tu n'as aucun reproche à te faire à propos de ton mariage. Tu as fait tout ce qui était humainement possible pour que ça marche. Je peux même te dire que jamais je n'aurais pu tenir aussi longtemps que toi. Alors, si ton Vincent te rend heureuse, n'hésite pas et fonce.

Jamais Agathe n'aurait cru entendre de telles paroles sortir de la bouche de son père un jour. Il l'ignore sûrement, mais en lui donnant sa bénédiction comme il vient de le faire elle se sent à nouveau prête à escalader les montagnes.

— Merci, papa. Il reste maintenant à en parler aux enfants.

— Je n'ai pas de conseil à te donner, mais si j'étais à ta place j'attendrais de revenir de mon voyage avant de leur dire quoi que ce soit. Je ne suis pas devin, mais j'ai bien l'impression qu'Isabelle va sauter sur le téléphone pour le dire à Patrick aussitôt qu'elle le saura. Je serais même prêt à parier qu'elle se fera un malin plaisir à te pourrir la vie pendant un bon moment. Ce n'est pas que Cécile et moi ne serions pas capables de gérer ça, mais je pense que ce serait mieux si on pouvait l'éviter.

Agathe n'avait pas eu besoin de réfléchir très longtemps pour abonder dans le sens de son père. Et puis elle avait tant de choses à faire avant de boucler ses valises qu'elle pouvait fort bien se passer des sautes d'humeur de sa charmante fille. Même si Isabelle déployait de grands efforts, elle était toujours prête à protéger Patrick, et ce, au détriment de sa mère, s'il le fallait.

— Tu as raison, papa. Pour une fois, je n'irai pas au-devant des coups.

* * *

C'est ce soir qu'Agathe fera sa première présentation de vêtements La Relance. Elle est un peu nerveuse, mais cette nouvelle expérience de travail ne l'inquiète pas outre mesure. Elle a invité toutes les femmes qui avaient participé à la première virée en groupe au théâtre d'été. Manon, sa voisine qui leur fournit gracieusement les billets chaque année, et Mme Larocque ont confirmé leur présence. En tout, elles devraient être une douzaine.

Agathe passe en revue une dernière fois les vêtements qu'elle présentera. Elle a très envie de s'en offrir quelques-uns. Elle se montre plus coquette depuis l'arrivée de Vincent dans sa vie. Et comme lui ne lésine pas sur les compliments, cela stimule Agathe. Elle s'est acheté quelques vêtements lors de sa petite virée dans la rue Sainte-Catherine avec Mylène, mais ça lui ferait très plaisir d'en avoir un ou deux nouveaux encore. En plus, dans la collection qu'elle va présenter aux filles, il y a plusieurs morceaux qui, en plus de lui plaire, lui vont comme un gant. Elle a commencé à faire sa valise pour son voyage, mais elle ne trouve pas ça évident. Elle a même appelé Annick pour lui demander ce qu'elle devait apporter. Une journée, elle met un vêtement dedans et le lendemain elle le remplace par un autre qui lui semble plus pratique, ou plus approprié pour la saison… Lorsqu'elle a raconté cela à Vincent, il lui a dit que c'était normal et que lui aussi jonglait avec ce qu'il doit apporter et ce qu'il doit laisser jusqu'au moment de partir pour l'aéroport. Il paraît qu'il en est ainsi chaque fois qu'il part en voyage.

— Je te garantis que tu vas te mordre les doigts une fois sur place en songeant que tu aurais dû emporter un vêtement en particulier. Et le lendemain, ce sera la même chose au sujet d'un autre. Et je peux déjà prédire que tu ne porteras pas la moitié de ceux que tu auras dans ta valise. La morale de l'histoire, c'est qu'on emporte toujours trop de vêtements, et jamais les bons. Mais comme le dit si bien ma mère : « À moins d'aller en plein cœur de la brousse, il y a des magasins partout sur la planète. »

Par rapport à la présentation de ce soir, Agathe a prévenu France de ne pas se lancer dans les grands préparatifs pour les recevoir.

— Tu n'offres pas de chips, pas de bonbons… seulement quelque chose à boire. Tu comprends, je ne peux pas courir le risque de tacher les vêtements.

— Je pourrais au moins offrir des biscuits au thé! avait raillé France.

Il est si rare que France reçoive chez elle qu'elle se lance en grand lorsqu'elle a l'occasion de le faire, surtout quand il s'agit de ses amies. C'est pourquoi Agathe s'attend au pire malgré sa mise en garde.

— Écoute, a dit Agathe en désespoir de cause, je vais faire un marché avec toi. Fais comme tu veux, mais promets-moi de ne rien sortir avant la fin de la présentation. Tu comprends, ça m'embête-rait beaucoup d'être obligée de faire nettoyer les vêtements parce qu'ils sont pleins de taches de gras. Et je n'aurai pas le temps de m'en occuper puisque je prends l'avion le surlendemain.

— Tu peux compter sur moi, avait répondu France, toute souriante.

France est une amie précieuse pour Agathe. Cette dernière n'oubliera jamais qu'elles ont partagé le lit du même homme, mais elle n'en veut pas du tout à France. Elle n'en a jamais eu la confir-mation, mais elle serait prête à mettre sa main au feu que France a déjà éprouvé des sentiments pour Patrick. Elle ne peut pas lui en vouloir pour ça non plus. Patrick est capable du pire, mais il est aussi capable du meilleur. Nul doute qu'il n'a pas son pareil pour séduire une femme. La preuve, c'est qu'il a réussi à la retenir prisonnière de son charme pendant plus de quinze ans, malgré tous ses défauts. Et le moins qu'elle puisse dire, c'est que le nombre de noms de femmes qui noircissent les pages de son petit carnet noir parle de lui-même.

Seule Céline brillera par son absence. Elle a appelé Agathe pour l'avertir qu'elle ne pourra pas venir à la présentation.

— Je croyais vraiment que je finirais mon travail cet après-midi, mais j'en ai encore pour deux bonnes heures. Je ne sais pas ce qu'ont les professeurs ces derniers temps, mais on dirait qu'ils ont décidé d'avoir notre peau. J'ai toujours eu beaucoup de travaux, mais cette session-ci c'est pire que jamais. Toutefois, je tiens absolument à ce que tu m'invites à ta prochaine présentation.

Ce n'est pas la première fois qu'Agathe prend sa sœur en pitié, et d'après ce qu'elle vient d'entendre, ça ne risque pas d'être la dernière non plus. Céline ne fait qu'étudier, au point qu'en septembre dernier elle a demandé à son patron de ne plus travailler d'heures au bureau. Celui-ci avait éclaté de rire avant de répondre qu'il ne comprenait pas comment elle avait pu tenir le coup si longtemps.

— Ne lâche pas ! avait-il ajouté, ça achève. Si tu savais à quel point je te comprends. Je ne sais pas si c'est la même chose pour toi, mais moi, dans le temps, je me suis demandé plus d'une fois si j'allais réussir. Histoire de compenser un peu ta perte de salaire, je vais m'arranger pour qu'on augmente ton allocation.

Dès que toutes les filles sont arrivées, Agathe explique la marche à suivre.

— J'ai besoin de deux mannequins, qui auront une trentaine de vêtements à parader. Ensuite, vous pourrez essayer tout ce que vous voudrez. Notez que tous les modèles sont non seulement disponibles dans toutes les grandeurs, mais aussi dans plusieurs couleurs. Alors, est-ce que j'ai des volontaires qui ont envie de jouer au top-modèle ?

Comme elle s'y attendait, Agathe voit lever deux fois plus de mains qu'elle en a besoin.

— Voici ce que je vous propose, dit-elle. Choisissez un chiffre de 1 à 10, et moi, j'en inscris deux sur une feuille. Vous deviendrez mannequin si vous devinez un d'entre eux. Ça marche ?

Anna et Mado sont les heureuses élues.

À certains moments, pendant la présentation des vêtements, les filles parlent si fort qu'on se croirait en pleine manifestation des années 1970. Agathe vend au-delà de ses espérances. Suzie a la facture la plus salée.

— Je ne vous mens pas, dit Suzie, ça peut sembler cher à première vue, mais ça m'aurait coûté au moins le double si j'avais acheté le même nombre de morceaux dans une boutique. Et le plus beau dans tout ça, c'est que ce sont tous des vêtements originaux et de très bonne qualité.

— Et j'imagine que, compte tenu du montant que tu viens de gagner à la Mini, lance Anna d'un ton moqueur, c'est encore moins cher.

— Comme ils disent, ça change pas le monde sauf que… Je vous souhaite toutes de gagner à la loterie. Je ne sais pas comment expliquer exactement ce que ça fait, parce que c'est un sentiment unique. Tenir un chèque de cinq mille dollars dans ses mains alors qu'on n'a absolument rien fait pour mériter cette somme, c'est un sentiment indescriptible.

— D'autant plus que pour une fois tu n'avais même pas payé le billet, renchérit Agathe. Je commence sérieusement à penser que je devrais te demander le nom de ta tireuse de cartes.

Suzie ne manque pas de leur raconter sa dernière visite chez sa diseuse de bonne aventure. Avec les filles, elle peut en parler librement sans avoir peur d'être jugée trop sévèrement. Ses amies ne sont pas toutes de grandes ferventes de la cartomancie comme elle, mais elles s'intéressent à ce qu'elle dit et lui posent des tas de questions. Mme Larocque lui avoue qu'elle a toujours rêvé d'aller en voir une, mais qu'elle n'a jamais osé.

— Ça me gêne d'y aller, mais ça me gêne encore plus que mon mari l'apprenne.

— Mais vous n'êtes pas obligée de lui dire, s'exclame France. Vous n'avez qu'à lui raconter que vous allez magasiner ou quelque chose du genre. Selon ma mère, toute vérité n'est pas bonne à dire.

— Je sais tout ça, mais je suis de la vieille école. Depuis que nous sommes mariés, je ne lui ai jamais menti.

— Je ne voudrais pas paraître impolie, ajoute France, mais j'ai toujours eu du mal à comprendre les femmes de votre génération. J'ai l'impression que vous avez passé votre vie à vous priver de la vivre vraiment.

— Tu n'as pas totalement tort…

Mme Larocque se racle la gorge avant d'ajouter sur un ton décidé :

— J'imagine qu'il faut une première fois à tout. Je ne sais pas encore quelle excuse j'inventerai, mais je vous promets d'aller voir la tireuse de cartes de Suzie. J'en ai trop envie pour m'en priver.

France a mis le paquet en ce qui concerne les amuse-gueules, tellement que les filles sont en extase devant tous les plateaux qu'elle dépose sur la table.

— Avoir su, s'écrie Mylène, je n'aurais pas mangé avant de venir. Veux-tu bien me dire quand tu as trouvé le temps de tout préparer ?

— Pour être franche, répond France, je n'ai pas grand mérite. C'est ma mère qui s'est occupée de presque tout. Elle aime cuisiner quand elle s'ennuie. Alors j'ai passé un marché avec elle : je lui mentionne ce que je veux, elle cuisine et je paie la facture.

— Il faudra la féliciter, s'exclame Alice après avoir croqué dans un macaron, car tout est excellent ! Crois-tu qu'elle voudrait me donner sa recette de macarons ? Je suis partie tellement vite de chez mon fils que j'ai oublié de prendre mes livres de recettes. Et comme les macarons sont mon péché mignon, je m'ennuie de ne pas en manger.

— Je vais la lui demander. Et c'est avec plaisir que je vous appellerai aussitôt que je l'aurai.

Au moment du départ, Mado lance une invitation à la ronde :

— Au retour de voyage d'Agathe, j'aimerais vous recevoir chez moi pour prendre un verre. Et si vous êtes d'accord, on pourrait aller danser après. Je ne sais pas si vous êtes comme moi, mais j'ai des fourmis dans les jambes depuis quelques semaines.

L'invitation de sa cousine touche beaucoup Agathe. Elles ne seront jamais les deux meilleures amies du monde, mais avec le temps elle a appris à apprécier Mado à sa juste valeur.

— Quelle bonne idée ! lance-t-elle. Je suggère qu'on fixe la date tout de suite pour être certaines de ne pas manquer notre coup.

Chapitre 18

Agathe est tellement contente d'être arrivée en France que, même si elle n'a pratiquement pas dormi de la nuit, elle ne ressent pas la fatigue. Elle a très hâte de voir Annick, mais ça l'inquiète un peu malgré tout. Et si le courant ne passait pas entre elles? Pendant le vol, elle a fait part de ses inquiétudes à Vincent, qui l'a vite rassurée.

— Je suis certain que tu t'inquiètes pour rien. Dans le cas contraire, on avisera.

— Mais on a loué notre chambre d'hôtel pour la semaine.

— Ne te tracasse pas avec ça. On louera une chambre ailleurs, et même une auto, si nécessaire.

Agathe s'est vite aperçue que la bourse de Vincent et celle de Patrick n'ont rien en commun. Vincent avait insisté pour qu'ils réservent dans un hôtel quatre étoiles, alors qu'Agathe se serait contentée d'une chambre standard. Ce n'est pas qu'elle soit insensible au luxe, c'est juste qu'elle n'est pas habituée de voyager ainsi. À part les fois où elle va voir Hélène, son expérience se limite aux roulottes et aux tentes, accompagnée des moustiques et des coups de chaleur.

Les voilà enfin sortis de la douane et bien contents que cette étape soit passée. Agathe se met aussitôt à chercher Annick. Il y a tellement de monde qu'elle plisse les yeux comme si ça pouvait l'aider à la repérer plus vite. Soudain, elle entend crier son prénom parmi tous les bruits de la foule. Elle se retourne; elle aperçoit Annick à quelques pas de là. Elle court dans sa direction et, une fois face à face, les deux femmes se sautent dans les bras. Restés en retrait, Vincent et le mari d'Annick se toisent du regard quelques secondes et ils se présentent en se serrant la main. Agathe et Annick pleurent maintenant à chaudes larmes, elles attendaient ce moment depuis si longtemps qu'elles ont du mal à croire qu'il est enfin arrivé. Lorsqu'elles parviennent à se détacher l'une de l'autre, elles s'essuient les yeux et se mettent à rire.

Décidément, Vincent ne comprendra jamais comment les femmes sont faites. Elles pleurent comme des bébés et la seconde d'après elles rient avec autant de fougue que lorsqu'elles pleuraient. À vrai dire, ça le dépasse, et, à voir l'expression du mari d'Annick, il n'est pas le seul dans ce cas. Vincent n'a pas eu beaucoup de femmes dans sa vie, mais Agathe est la plus expressive et la plus sensible qu'il ait connue. Ce sont deux des raisons pour lesquelles il s'est autant attaché à elle.

Aussitôt les présentations terminées, le quatuor sort de l'aéroport et prend la direction de Couëron. Agathe aurait beaucoup aimé visiter Paris, mais comme Vincent le lui a dit, ils reviendront expressément pour ça et ils y séjourneront au moins pendant deux semaines.

— Il y a beaucoup à voir à Paris, avait-il ajouté. Ça prend des jours seulement pour visiter le Louvre. Et ce serait mieux qu'on vienne pendant la période touristique ; sinon la plupart des endroits sont fermés.

Agathe n'a pas les yeux assez grands pour tout voir. Même si elle n'est arrivée que depuis une heure, la France lui plaît déjà beaucoup.

— On avait pensé vous emmener manger dans un petit restaurant qu'on affectionne particulièrement à la sortie de Paris, dit Annick.

Mais si vous êtes trop fatigués, on peut filer jusqu'à votre hôtel. Une fois sur place, vous pourrez vous rafraîchir et vous reposer.

C'est bien mal connaître Agathe que de croire qu'elle va bêtement aller se coucher en plein cœur d'une journée aussi importante.

— Moi, je n'ai pas l'intention de passer ma semaine à dormir. Je suis partante.

— C'est une bonne idée! renchérit Vincent.

— On aurait bien aimé vous faire visiter Vaux-le-Vicomte en passant, mais le château est fermé depuis octobre. Ce n'est pas la meilleure période de l'année pour faire du tourisme.

— Ne t'en fais pas, la rassure Agathe. Vincent et moi étions au courant.

Les deux couples discutent à bâtons rompus pendant tout le trajet qui les mène jusqu'à Nantes, puis à Couëron. En fait, il serait plus juste de dire que les femmes ont pris le monopole de la conversation et qu'elles laissent seulement les hommes glisser quelques mots de temps en temps.

Ça fait tout bizarre à Agathe d'être passée des paysages enneigés du Québec aux journées grises de la France. Cela lui plaît, car c'est beaucoup plus facile pour se déplacer. Toutefois, elle prend conscience que la neige qui tombe doucement du ciel lui manquerait si elle habitait ici. Elle aimait déjà l'accent d'Annick lorsqu'elles se parlaient au téléphone, mais là elle le savoure pleinement. Vincent et Agathe n'ont aucun problème à comprendre Annick et son mari, qui, pour leur part, éprouvent quelques difficultés à s'habituer à l'accent québécois. Agathe doit répéter pratiquement tout ce qu'elle dit au moins deux fois. Ce n'est pas parce qu'elle parle mal, mais plutôt parce qu'elle parle trop vite.

— J'adore votre accent, s'exclame Annick.

— Et moi le vôtre, d'ajouter Agathe. J'ose espérer que vous comprendrez ce que je dis avant que je reparte.

— Ne t'en fais pas avec ça, la rassure Annick, on devrait s'y faire très vite. Ce que j'apprécie le plus dans votre accent, c'est que j'ai l'impression que vous chantez en parlant.

Même en y réfléchissant bien, Agathe n'a pas l'impression de chanter quand elle parle. Ceux de qui on dit cela viennent du Saguenay, et non pas de l'Abitibi comme elle. Enfin, ça n'a pas vraiment d'importance. Elle est en France et ça lui plaît d'être l'étrangère en visite. Qui plus est, Vincent est là. C'est vraiment le comble du bonheur pour elle. Malgré que Jacques et Cécile ne l'aient vu que quelques minutes, Vincent leur a beaucoup plu. Agathe le sait parce que son père lui a dit à l'oreille :

— Cette fois, je pense que tu as trouvé celui que tu mérites.

Pour sa part, Cécile l'avait embrassé chaleureusement sur les joues avant qu'Agathe et lui partent pour l'aéroport. Elle lui avait signifié qu'il avait intérêt à prendre soin d'Agathe, ce à quoi Vincent avait répondu qu'il ne demandait que ça. Savoir que son père et sa tante n'aurait pas été en accord avec son choix n'aurait pas empêché Agathe de fréquenter Vincent, mais il va sans dire que le fait qu'ils l'aient adopté va grandement lui faciliter les choses. Cécile et Jacques leur ont fait promettre de venir manger chez eux dès qu'ils seront de retour de voyage. Vincent était enchanté de voir qu'il avait passé le test haut la main.

— Si toute ta famille est comme eux, je suis un homme choyé.

— La grande majorité des membres de ma famille sont comme eux, mais comme dans toute bonne famille, il y a des exceptions à la règle.

Agathe lui avait dit quelques mots sur sa sœur Geneviève, qui passe son temps à revendiquer et à se lamenter pour tout et pour rien. Elle lui avait ensuite parlé de Madeleine, qui avait récupéré l'ancien *chum* de Céline et l'avait marié.

— Tu as de la chance, avait-elle ajouté en gonflant la poitrine, car les meilleures Royer habitent sur l'île et à Belœil.

— Je m'en doutais ! avait lancé Vincent en souriant.

Agathe et son amoureux sont épuisés quand ils arrivent enfin à leur hôtel. Vincent demande à Annick et à son mari de passer les prendre seulement en début d'après-midi le lendemain. Agathe rouspète, mais Vincent lui explique qu'elle doit récupérer du décalage horaire le plus rapidement possible si elle ne veut pas traîner de la patte pendant tout le voyage. Après le départ de leurs amis, ils se blottissent l'un contre l'autre et sombrent aussitôt dans un profond sommeil.

* * *

Mylène a très mal dormi la nuit dernière. Elle a été prise de nausées et elle songe à se recoucher lorsque Claude fera sa sieste de l'après-midi. Étant donné que Sylvain travaille seize heures d'affilée, elle sera seule pour s'occuper de ses deux fils. Mario ira sûrement jouer avec ses amis pendant une bonne partie de la journée, alors il lui restera seulement à amuser Claude au besoin. Mylène ouvre la porte du réfrigérateur pour voir ce qu'il y a à manger pendant que son café coule dans le percolateur. Comme la veille elle s'est mise au lit sans souper, elle ignore ce que Sylvain a préparé et, surtout, s'il y a des restes. Elle soupire d'aise lorsqu'elle aperçoit un grand pâté chinois non entamé sur la deuxième tablette. Elle n'a pas bien dormi, mais au moins elle n'aura pas à cuisiner. Déjà que cette tâche n'est pas sa tasse de thé en temps normal, c'est encore pire depuis qu'elle est enceinte. Mylène popote quand elle est obligée, mais sans plus. Alors qu'elle croyait que sa troisième grossesse ne pourrait pas être plus difficile que la deuxième l'avait été, elle s'est vite rendu compte que tout était possible. Tout ce qui lui pourrissait la vie pendant qu'elle portait Claude est multiplié par deux, au point qu'il y a des jours où elle se demande comment elle tiendra le coup. Elle a du mal à faire ses journées, et c'est la pagaille quand Sylvain travaille de soir. Plus souvent qu'autrement, elle ne range même pas la cuisine, et ce n'est pas par paresse, loin de là. Chaque matin, elle s'excuse auprès de lui.

— Arrête de t'excuser, lui dit-il inlassablement. Occupe-toi de nous fabriquer un beau bébé en santé et je me charge du reste.

Mylène ne pourrait avoir un meilleur conjoint que Sylvain. Elle sait qu'il n'est pas parfait – elle ne croit pas à la perfection – mais avec tout ce qu'elle peut entendre comme histoires d'horreur dans le cadre de son travail, elle peut dire sans chance de se tromper qu'elle a frappé le gros lot. Depuis le jour où elle avait fait la connaissance de Suzie et Francis, elle se disait que c'était une relation comme la leur qu'elle voulait. Eh bien aujourd'hui, c'est à son tour de vivre le rêve que toutes les femmes chérissent. D'ailleurs, ses collègues de travail l'envient chaque fois qu'elle leur parle de son Sylvain.

Mylène remplit sa tasse de café et elle va s'asseoir au comptoir en se traînant les pieds. Elle ne veut pas se plaindre, mais elle commence déjà à penser que la journée va être longue. La sonnette de la porte d'entrée résonne au moment où elle trempe les lèvres dans son café. Comble de malheur, le bruit réveille Claude qui dormait à poings fermés. Entre aller chercher son bébé pour qu'il ne réveille pas Mario ou aller répondre à la porte avant qu'un autre coup de sonnette retentisse, Mylène se dépêche d'ouvrir en se demandant qui peut bien lui rendre visite alors qu'il n'est même pas encore huit heures. Quelle n'est pas sa surprise lorsqu'elle aperçoit sa mère à travers le rideau de la porte d'entrée.

— Maman? s'écrie-t-elle en reculant pour la laisser entrer. Est-ce qu'il y a quelque chose qui ne va pas?

— Tout va pour le mieux, rassure-toi. Quand j'ai rendu visite à ta grand-mère hier, elle m'a confié que tu n'en menais pas large. Alors j'ai décidé de venir te donner un coup de main.

Mylène est tellement à fleur de peau qu'elle manque près de se mettre à pleurer. Elle est très étonnée que sa mère désire l'aider. Elle renifle et lui offre un café.

— Je t'avertis d'avance, répond la visiteuse, je ne suis pas venue ici pour faire du social et te fatiguer davantage, mais pour que tu puisses te reposer. Explique-moi comment je peux t'aider et retourne te coucher, ma fille. Tu es pâle à faire peur.

— Merci d'être là, maman. Je l'apprécie beaucoup. Je vais déjeuner et après j'irai me recoucher. Tiens, on dirait que Claude s'est rendormi. Tant mieux!

— Qu'est-ce que tu aimerais manger?

Mylène n'en revient tout simplement pas que sa mère soit là, disposée à exaucer ses moindres désirs, alors qu'elle ne s'était pas pointée chez elle durant toute sa deuxième grossesse. Sa grand-mère ne voudra sûrement pas la croire quand elle va lui raconter ça.

— Tu vas rire, mais je serais prête à faire des bassesses pour manger une bonne omelette, mais je n'ai pas le courage de la faire.

C'est à ce moment que quelque chose de vraiment inhabituel se produit. Sa mère s'approche d'elle et la prend dans ses bras. Elle dépose ensuite un baiser sur son front et déclare :

— Indique-moi où tu ranges tes bols et tes poêles, et je me charge de tout. Si tu veux, tu peux en profiter pour aller prendre une douche pendant que le repas cuira.

Les larmes aux yeux, Mylène lui dit qu'elle préfère rester.

— Comme tu veux. Tu me fais penser à moi à l'époque où je te portais. Je ne savais plus à quel saint me vouer tellement j'étais malade. Et j'avais toujours la larme à l'œil pour tout et pour rien, au point que ta grand-mère ne savait plus quoi faire avec moi. Quant à ton père, le pauvre, il y avait longtemps qu'il avait baissé les bras et qu'il se contentait de se tenir à l'écart. Heureusement, il a tout oublié dès qu'il t'a vu le bout du nez, mais moi je ne suis jamais arrivée à oublier. De toute ma vie, cette grossesse a été le moment le plus difficile que j'ai dû traverser. As-tu une grosse faim ?

— Normale. Et grand-maman, comment allait-elle ?

— Je ne te mens pas, j'ai l'impression qu'elle rajeunit chaque fois que je la vois. Je sais bien que je lui ai fait la vie dure – et à toi aussi, par la même occasion –, mais je n'aurais jamais cru qu'elle pourrait revenir comme avant que papa meurt. Je sais qu'il est un peu tard, mais je commence à la croire quand elle me dit comment ma chère belle-sœur la traitait. Je n'aurais jamais permis à Rachelle d'agir ainsi si j'avais su. Dans l'état où ma mère se trouvait, je croyais que d'aller vivre chez mon frère était ce qui pouvait lui arriver de mieux, mais je suis forcée d'admettre que je me suis trompée sur toute la ligne et je m'en veux terriblement. Hier, je lui ai demandé de me pardonner de ne pas avoir été là pour elle. Tu la connais, elle m'a souri et m'a dit que le passé c'est le passé, et que je ne devais pas m'en faire avec ça.

Avec tout ce que sa bru lui a fait endurer pendant son séjour chez elle, Alice aurait pu en vouloir à ses enfants pour le reste de ses jours. Mais heureusement pour eux, elle n'est pas rancunière. Elle a retrouvé la paix et le bonheur, alors elle ne laissera pas de vieilles rancunes noircir son ciel bleu.

— Chère grand-maman! Elle se montre toujours si bonne.

— Je ne te l'ai jamais dit, mais je te remercie de l'avoir sortie de là. Entre nous, elle n'aurait pas tenu le coup encore bien longtemps.

Mylène n'a pas l'intention de trahir les secrets de sa grand-mère, surtout pas devant sa mère. Alice lui a déjà dit que lorsqu'elle lui avait offert son aide, elle était rendue au point où elle était prête à tout pour sortir de son enfer. Elle était tellement désespérée que même la mort lui semblait plus douce. Mais ça, Mylène va le garder pour elle à jamais.

— Quand je pense que Rachelle a osé lui demander de l'argent, je la trouve vraiment effrontée. Mon frère et elle ont été grassement payés pour s'occuper de maman, encore plus que tu peux l'imaginer.

Chaque fois que Mylène a abordé ce sujet avec sa grand-mère, Alice lui a dit qu'elle lui en parlerait un autre jour. Le temps a passé et Mylène n'en sait pas plus que lorsqu'elle est allée la chercher chez son oncle.

— Est-ce que tu pourrais être un peu plus claire, maman ?

— À ce que je vois, ta grand-mère ne t'a rien dit ; je la reconnais bien là. Il faut d'abord que tu saches que le montant de la vente de la maison a été partagé entre les enfants. Mais vu que c'était ton oncle chez qui habitait ta grand-mère qui a procédé à la distribution de l'argent, il a gardé la plus grosse part pour lui. Je n'entrerai pas dans les détails, ce serait inutile, mais sache qu'il a trafiqué les chiffres pour les mettre à son avantage et qu'il nous a fait croire qu'il avait l'accord de ta grand-mère. Je n'ai pas besoin de te dire que j'étais furieuse contre elle. J'avais toujours été là pour l'aider quand elle en avait besoin et je venais de me faire tasser au profit de mon frère qui ne s'en était pratiquement jamais occupé. Je lui en voulais de toutes mes forces d'avoir favorisé mon frère. Pour tout te dire, j'ai appris la vérité il y a quelques semaines seulement. J'en avais assez d'être en froid avec ma mère, je suis allée la voir pour m'expliquer et c'est là qu'elle m'a tout raconté. Si j'avais su ce qui s'était réellement passé, jamais je n'aurais permis que ces deux rapaces la volent comme ils l'ont fait. C'est ignoble de l'avoir obligée à signer pour pouvoir prendre l'argent de la maison qui lui revenait de droit. Je n'ai pas de quoi être fière, alors hier je lui ai rapporté la part que j'avais reçue. Tu la connais, elle a refusé de la reprendre, mais j'ai insisté. Je lui ai dit qu'elle pouvait te la donner si elle voulait, mais qu'il était hors de question que je reparte avec. Je lui ai fait suffisamment de mal comme ça et je ne voulais plus faire partie de cette mascarade.

Mylène ignore encore ce qui a pu se passer pour que sa mère aille tout à coup aux nouvelles, mais ce qu'elle vient d'entendre la réconcilie avec elle, et c'est tout ce qui compte à ses yeux pour le moment. Elle s'approche à son tour pour l'entourer de ses bras en lui soufflant un *Je t'aime* à l'oreille.

Sa mère lève les yeux vers elle et lui répond d'une voix brisée par l'émotion.

— Moi aussi, ma petite fille. Je suis tellement désolée de ce qui est arrivé.

Chapitre 19

Agathe et Vincent s'amusent beaucoup avec Annick et son mari. Ils discutent d'une foule de sujets. Et même si Agathe est la seule des quatre à ne pas avoir fait sa médecine, elle ne se sent jamais à l'écart. Ils sont allés visiter les deux hôpitaux où leurs compagnons travaillent. Évidemment, ils ont échangé plus d'une fois sur la réalité des urgences en France par rapport à celle du Québec. Ils ont discuté aussi de philosophie, de spiritualité et de tout ce qui touche le domaine de l'ésotérisme.

— Je ne sais pas si tu ressens la même chose que moi, avait lancé Agathe le jour où Annick et son époux n'en finissaient plus de ramener la conversation sur l'ésotérisme, mais je suis au bord de l'indigestion.

— Eh bien nous sommes deux, l'avait aussitôt appuyée Vincent. Je suis un esprit ouvert, mais il y a quand même des limites à ce que je peux endurer.

Ce soir, leurs hôtes les ont invités à les accompagner à une soirée avec leurs amis, soirée qu'ils ont décrite comme étant spéciale. Ils ne leur ont pas dit grand-chose sur la rencontre à laquelle ils assisteront, mais ni Agathe ni Vincent n'ont cherché à en savoir davantage non plus. Quand on est en voyage, l'objectif premier est de vivre de nouvelles expériences, quitte à sortir de sa zone de confort.

— Faites-nous confiance, avait déclaré Annick. Je suis convaincue que vous adorerez. Cela vous semblera peut-être un peu bizarre au début, mais tout deviendra plus clair pour vous au fur et à mesure que la soirée avancera.

Les dernières paroles d'Annick auraient peut-être dû sonner une cloche chez Agathe et Vincent, ou du moins les pousser à poser des questions, mais ils n'en ont rien fait. Ils sentent tout de suite qu'il y a quelque chose d'incongru quand ils entrent dans la salle. Lorsque les gens viennent saluer Annick et son mari, ils ne le font pas d'une manière normale. Vincent s'en aperçoit immédiatement, mais il décide de laisser aller un peu les choses avant d'en parler à Agathe, qui fait de même de son côté. Annick les présente et ils ont droit au même genre de salutations, ce qui ne manque pas de les mettre extrêmement mal à l'aise. Les effusions qui n'en finissent plus ne leur conviennent pas. Même le langage utilisé ne colle pas; par moments, on croirait qu'il est codé.

La rencontre commence à l'heure prévue et, plus elle avance, plus Agathe se dit qu'elle n'a pas d'affaire ici et qu'elle ferait mieux de sortir de la salle au plus vite. Le message qui est véhiculé par le gourou vêtu d'une chasuble blanche n'a absolument rien pour lui plaire, pire encore, il va complètement à l'encontre de ses croyances, voire même de ses principes.

— Il est urgent de se préparer, par l'étude des hautes sciences, à participer à des travaux en vue de perpétuer la conscience et la vie dans le temps et l'espace. Il faut former…

Mue par elle ne sait quelle force, Agathe prend la main de Vincent et la presse jusqu'à ce qu'il la regarde et elle lui fait comprendre par signes qu'elle veut sortir. On aurait dit que Vincent n'attendait que ça pour bouger. Aussitôt hors de la salle, Agathe l'entraîne un peu plus loin et elle lui dit:

— Je peux me tromper, mais ça sent la secte à plein nez là-dedans et ça ne me plaît pas du tout.

— À moi non plus. Viens, on s'en va vite d'ici.

— Et nos amis?

— Pour ma part, en nous emmenant ici, ils ont signé leur arrêt de mort. Je refuse de donner mon pouvoir ou même mon argent à quelqu'un. Ils auraient dû nous en parler avant de nous traîner ici. Suis-moi, on y va.

Annick arrive en courant au moment où ils allaient sortir de l'édifice.

— Attendez! crie-t-elle. Vous n'allez quand même pas vous sauver sans entendre la suite, ça vient à peine de commencer. Venez avec moi, vous allez manquer le meilleur.

— Écoute, répond Agathe, je ne sais pas exactement de quoi il s'agit, mais je sais déjà que ce n'est pas pour moi. Je serais prête à gager tout ce que je possède qu'il s'agit d'une secte, et je les ai toutes en horreur. Je n'ai pas besoin de ça pour dépenser mon argent et encore moins pour me dire quoi faire. Comment une femme intelligente comme toi peut-elle se laisser berner de la sorte?

— Tu ne comprends pas, se défend Annick avec énergie, ce n'est pas une secte. C'est un groupe de gens qui ont en commun les mêmes affinités et les mêmes croyances. Éric est là seulement pour canaliser l'énergie du groupe, et rien d'autre.

— Et pour mettre la main sur votre argent aussi.

Agathe pourrait argumenter plus longtemps, mais au lieu de ça elle se contente de regarder son amie dans les yeux. Elle ne peut pas croire qu'elle se laisse duper par l'hurluberlu qui se fait aller le mâche-patate en avant en prétendant être le seul à détenir la vérité absolue.

— Je regrette que les choses finissent ainsi, ajoute Agathe, mais je tiens trop à ma liberté. Je suis contente de t'avoir enfin rencontrée; toutefois, j'ai bien peur que nos retrouvailles se terminent ici. Fais attention à toi.

Ce n'est qu'une fois sur le trottoir qu'Agathe se met à respirer normalement. Elle n'a pas du tout apprécié ce qui vient de se passer. Pour elle, il s'agit d'un manque flagrant de respect de la part d'Annick et de son mari à l'égard de Vincent et elle. Elle ne peut pas passer par-dessus un tel acte.

— On pourrait marcher, propose Vincent, on est seulement à quelques rues de notre hôtel.

— Bonne idée!

— Et demain, on en profitera pour terminer notre séjour à Paris, si tu veux.

— Je suis vraiment désolée de t'avoir embarqué là-dedans.

— Tu n'as pas à être désolée pour quoi que ce soit. Tu n'avais aucun moyen de savoir dans quoi Annick et son époux baignaient, et moi non plus. L'essentiel, c'est qu'on s'en soit rendu compte, mais surtout que toi et moi, nous soyons sur la même longueur d'onde. Sais-tu au moins à quel point je peux t'aimer?

Agathe sourit à son homme et elle s'abandonne dans ses bras. S'il est vrai que la meilleure façon de connaître quelqu'un est de partir en voyage avec lui, Vincent et elle sont promis à une longue vie de bonheur.

— Et s'ils débarquent à notre hôtel? s'inquiète soudainement Agathe.

— Ça m'étonnerait qu'ils le fassent, ce sont quand même des gens intelligents et civilisés, mais on peut partir ce soir si ça te rassure. On n'aura qu'à dormir dans le train… Qu'en penses-tu?

— J'aimerais mieux ça, en effet. Je te promets que je ne mettrai pas autant de temps à boucler ma valise qu'avant de quitter Belœil. On y va ?

Une fois qu'ils sont installés dans le train, Vincent va leur chercher à boire et ils trinquent au nouveau tournant que leurs vacances en France viennent de prendre. À part l'événement plutôt fâcheux de ce soir, ils passent une merveilleuse semaine. Alors qu'Agathe avait peur de s'ennuyer des enfants, c'est à peine si elle a le temps de penser à eux, tellement qu'il lui arrive de se sentir coupable.

— Il nous reste encore deux jours avant de reprendre l'avion, lance Vincent. Dis-moi ce qui te ferait plaisir.

Agathe a tellement feuilleté de revues sur Paris qu'elle nomme un tas d'endroits incontournables à visiter et à voir. Vincent l'écoute babiller jusqu'au bout et il lui sourit.

— Je ne me souviens pas de t'avoir mentionné qu'on avait deux mois devant nous, se dit-il d'un ton moqueur, mais plutôt deux jours. Alors ?

— Alors je choisirai demain. Pour l'instant, j'ai envie de fermer les yeux un peu.

* * *

Chaque fois qu'Anna a la chance de faire jouer sa musique préférée, elle règle le volume au maximum et chante à tue-tête, peu importe la langue. Si elle n'arrive pas à comprendre les mots, elle ne se gêne pas pour en inventer. Il faut l'écouter s'époumoner sur du Bob Dylan et massacrer ses chansons comme un chef. Jack ne manque pas une seule occasion de se moquer de son anglais qu'il qualifie d'exécrable, mais elle s'en fout. Chanter lui fait du bien et c'est la seule chose qui compte pour elle. Elle a acheté le nouveau disque de Nathalie et René Simard. Elle aime tellement *Tourne la page* qu'elle pourrait l'écouter à longueur de journée sans se lasser. C'est rendu qu'au bureau les filles se paient sa tête chaque fois que la chanson tourne à la radio. Pas plus tard qu'hier, elles ont baissé le volume à son minimum et elles lui ont dit de leur prouver une fois pour toutes qu'elle la savait par cœur.

— Jamais vous ne m'entendrez chanter, leur a-t-elle répliqué en riant. Je n'ai pas envie que vous arrêtiez de me parler.

Jack n'a pas encore fini d'installer les enfants dans l'auto qu'Anna est déjà en train de placer le disque sur la table tournante. Elle se racle la gorge en attendant le début de sa chanson préférée pour se mettre à chanter.

Un oiseau d'acier raie l'horizon de la plage
Griffe les nuages, avion sauvage
Il trace à la craie, la dernière ligne de l'histoire
Sur tableau noir, comme au revoir…
Un avion déchire le soir
Emporte quelque chose de moi
Un signal dans ta mémoire
Tourne la page…

Debout au beau milieu du salon, Anna ne se contente pas de faire la troisième voix sur la chanson, elle tient bon jusqu'à la fin du disque en se dandinant au rythme des pièces. Elle l'aime tellement qu'elle le remettrait sans tarder si elle avait plus de temps. Jack est parti chez ses parents avec les enfants, ce qui fait qu'elle ne dispose plus que d'une heure, à moins qu'il décide de rester à manger. Elle range précieusement le disque dans sa pochette, puis elle va chercher son nouveau livre qu'elle a rangé sur la tablette du haut de la bibliothèque.

Elle a acheté le livre des sœurs Lévesque. L'ouvrage est sorti depuis plus d'un mois, mais ce n'est que la veille qu'elle a eu le temps de faire un saut à la librairie pour se le procurer. Comme elle était pressée, Anna n'a lu que le premier paragraphe de la quatrième de couverture avant de passer directement à la caisse.

Les valises rouges

Ce n'est pas tous les jours que l'on trouve 5 kilos de drogue dans ses valises. C'est pourtant ce qui est arrivé aux maintenant célèbres sœurs Lévesque de Jonquière. Emprisonnées pendant 403 jours, elles racontent avec force détails les multiples labyrinthes de cette aventure peu commune.

Depuis le temps qu'on entend parler de leur histoire, Anna a très hâte d'en connaître le fin fond. Les sœurs Lévesque sont-elles coupables ou ont-elles été de pauvres victimes des cartels de drogue? Elle va se chercher une bouteille de Cream Soda à la cuisine, puis elle s'assoit sur le divan et s'enveloppe dans l'écharpe qu'Agathe lui a offerte pour sa fête. Elle retourne son livre de tous bords tous côtés, le porte à son nez et remplit ses poumons de la bonne odeur du papier fraîchement imprimé, fait claquer les pages de la première à la dernière, relit la quatrième de couverture, puis ouvre le livre. Son petit rituel faisait bien rire ses sœurs quand elle vivait chez les parents, mais elle n'en faisait pas de cas. Pour elle, ouvrir un livre est un privilège et il faut lui accorder toute l'importance qu'il mérite. Puis elle plonge enfin dans l'univers des sœurs Lévesque. Prise par sa lecture, c'est à peine si elle entend la sonnerie du téléphone. En fait, elle ignore depuis quand il retentit lorsqu'elle finit par répondre.

— Veux-tu bien me dire pourquoi tu as mis autant de temps à répondre? demande Geneviève d'un ton impatient. J'allais raccrocher.

— J'étais en train de lire, confie Anna.

— J'avais oublié que plus rien n'existe quand tu lis.

Anna n'a pas envie d'entrer dans le petit jeu de Geneviève aujourd'hui. D'abord, elle refuse de gaspiller le peu de temps libre qui lui reste à parler avec elle. Ensuite, leurs conversations ont l'habitude de mener nulle part. Ça n'a jamais été l'amour fou entre elles et ça ne risque pas de changer dans l'avenir.

— Dis-moi vite pourquoi tu m'appelles, parce que je dois absolument aller à l'épicerie avant que Jack revienne avec les enfants, invente Anna pour abréger cette conversation qu'elle considère déjà comme inutile.

— Étais-tu au courant que papa avait donné son auto à Agathe?

Nul besoin d'être devin pour savoir ce qui va suivre. Geneviève est tellement prévisible.

— Oui.

— Et tu vas me dire que tu trouves ça juste? Veux-tu bien m'expliquer pourquoi il faut toujours que ce soit elle qui ait tout? À ce que je sache, c'est moi qui me suis occupée de papa après le décès de maman. Et c'est moi aussi qui allais lui porter des petits plats pour qu'il ne se laisse pas mourir de faim pendant que vous faisiez la belle vie à Montréal. Et c'est là toute la reconnaissance à laquelle j'ai droit pour ce que j'ai fait pour lui. Je commence à en...

Si Geneviève n'était pas sa sœur et si leur père ne tenait pas absolument à ce qu'elles gardent contact, Anna lui raccrocherait au nez en ajoutant que c'est inutile qu'elle la rappelle. Mais au lieu de ça, elle respire à fond et lui dit, en parlant plus fort qu'elle pour interrompre ses jérémiades :

— Je suis au courant de tout ça, mais si tu veux te plaindre de quoi que ce soit, c'est papa que tu devrais appeler, pas moi. Et si tu veux mon avis, c'est un peu tard pour t'indigner contre quelque chose qui s'est passé il y a déjà plusieurs semaines. Est-ce que je peux faire autre chose pour toi ou ce sera tout pour aujourd'hui ?

Au bout du fil, Geneviève voit rouge. Elle se fait revirer chaque fois qu'elle se risque à appeler Anna. La seule raison qui la pousse à continuer, c'est parce que, malgré son attitude rébarbative, Anna finit toujours par en glisser un mot à leur père et que, jusqu'à maintenant, ses interventions lui ont toujours rapporté. Son père ne lui offrira pas une auto comme il l'a fait pour Agathe, mais comme il se défend d'être juste avec toutes ses filles, il va trouver une manière de compenser.

— Oui. J'aimerais savoir quand est-ce que tu vas m'envoyer la bague de maman qui, je te le rappelle, me revient de droit.

Anna éclate de rire. Elle ne saisit pas très bien les intentions de Geneviève derrière tout ce babillage inutile. Elle lui a dit à maintes reprises d'oublier la bague de leur mère, mais on dirait qu'elle ne comprend pas que jamais Anna ne va lui donner. Décidément, sa sœur est loin d'être reposante quand elle se met à déraper sur de vieilles histoires.

— J'ai une meilleure idée, déclare Anna d'une voix solennelle, je vais la prendre en photo et je te l'enverrai. De cette manière, tu pourras la regarder chaque fois que tu en auras envie. Si, par malheur, tu venais à la perdre, je m'engage à t'en envoyer une autre.

Anna poursuit sur sa lancée sans donner aucune chance à Geneviève de réagir :

— Maintenant, tu vas devoir m'excuser, mais je vais être obligée de te laisser parce que j'ai bien mieux à faire.

Et elle raccroche. Elle soupire, puis elle prend une gorgée de Cream Soda avant de se replonger dans son livre jusqu'à ce que Jack et les enfants reviennent.

* * *

Pendant ce temps, alors que les enfants dorment encore à poings fermés, Jacques se prend la tête à deux mains en voyant dans quel état est le nouveau réfrigérateur d'Agathe. Sa porte est couverte d'autocollants d'un bout à l'autre. Il se dépêche d'appeler Cécile à la rescousse pour faire disparaître tous les indésirables.

— Mon Dieu! s'exclame-t-elle d'un air découragé en se mettant les mains sur la bouche. J'en connais un qui n'est pas mieux que mort quand sa mère va voir ça.

— En tout cas, je peux te dire que je ne serais pas content si j'étais à la place d'Agathe. Crois-tu qu'on pourrait les enlever?

— Vu qu'ils viennent d'être posés, je peux essayer, mais je ne te promets rien. J'ignore quelle sorte de colle ils mettent derrière ces autocollants, mais le moins qu'on puisse dire, c'est qu'elle est plus résistante que toutes celles qu'on trouve sur le marché. Mais on ne perd rien à essayer…

— Dans le pire des cas, raille Jacques, on ira racheter des autocollants. Qu'est-ce que tu en dis?

Cécile fait une première tentative qui, à son grand étonnement, est plutôt concluante. Mais elle se garde bien de crier victoire trop vite. Au nombre qu'il y a à enlever, elle peut frapper un os à tout moment.

— Je peux t'aider, si tu veux, propose Jacques.

— Prépare plutôt à déjeuner et n'oublie pas que tu leur as promis de faire des crêpes. À mon avis, notre petit comique a posé les autocollants tellement vite par peur de se faire prendre la main dans le sac qu'il n'a pas pris le temps de peser dessus pour qu'ils collent bien, et c'est ça qui va nous sauver la vie. Au moins la moitié d'entre eux tiennent par peur. Il faudrait décider de ce qu'on va faire avec le coupable avant qu'il soit devant nous.

— On ne va quand même pas le condamner à mort.

— Non, mais Steve savait très bien que sa mère ne voulait pas qu'il mette quoi que ce soit sur son frigidaire. La moindre des choses serait de lui enlever les autocollants qui lui restent.

Jacques était sévère avec ses filles, mais c'est tout le contraire quand il s'agit de réprimander ses petits-enfants. Même que selon les mères des gamins, il est beaucoup trop permissif. Jacques a tendance à trouver les enfants drôles, même lorsqu'ils font des mauvais coups. Quant à Cécile, elle prend le temps d'expliquer les choses plutôt que de punir. Elle n'a jamais cru qu'envoyer un enfant en punition sans qu'il sache réellement pourquoi donne de grands résultats.

— Je te laisse le soin de lui parler, lance Jacques. Pour être honnête, je trouve ça plutôt comique que Steve se soit levé en pleine nuit pour poser ses autocollants.

À part quelques minuscules traces de colle à enlever, la porte du réfrigérateur a retrouvé toute sa blancheur quand les enfants entrent dans la cuisine.

— Est-ce que quelqu'un a vu mes autocollants? demande Steve d'un ton désespéré en s'assoyant à la table. J'ai regardé partout et je ne les ai pas trouvés.

Jacques et Cécile se retiennent de pouffer de rire.

— Je ne peux pas croire que tu aies oublié ce que tu as fait de tes autocollants, déclare Cécile du bout des lèvres. Réfléchis un peu. Tu ne les aurais pas collés quelque part?

— Mais non! objecte Steve d'un ton autoritaire, j'en avais assez pour couvrir toute la porte du frigidaire, mais maman ne veut plus que j'en mette.

— Tu les as peut-être oubliés à l'école? lance Dominique.

— Non. Je n'ai pas le droit de les apporter. En tout cas, si c'est une blague, elle n'est pas drôle du tout.

Jacques et Cécile se jettent un coup d'œil rapide avant de se tourner tous les deux vers Isabelle sans même se parler. Le regard noir, la jeune fille fait comme si elle n'était pas concernée par la scène qui se joue sous ses yeux. Jacques et Cécile ne peuvent pas dire qu'elle s'est montrée désagréable avec eux depuis le départ d'Agathe, mais elle est là sans vraiment y être. Cécile a fait plusieurs tentatives pour la sortir de sa léthargie, mais sans succès. D'ailleurs, elle s'est promis d'aborder la question avec Agathe dès son retour. Ils en viennent vite à la même conclusion : voilà la coupable. Reste maintenant à savoir ce qui l'a poussée à faire ça.

— Je te promets de les chercher pendant que tu seras à l'école, lui dit Cécile, et si par malheur je ne les trouve pas, j'irai t'en acheter d'autres avant que ta mère revienne de voyage.

Occupé à faire cuire les crêpes que ses petits-enfants dévorent plus vite qu'il est capable d'en produire, Jacques réfléchit à l'histoire des autocollants. Si c'est Isabelle qui en est l'auteure comme il le croit, il ne pourra pas passer l'éponge sans avoir eu une bonne discussion avec elle. Il peut comprendre bien des choses, mais pas que sa petite-fille s'en prenne toujours à sa mère de la sorte, et le fait qu'elle essaie de tout mettre sur le dos de son petit frère rend la situation encore plus difficile.

Cécile aimerait penser qu'Isabelle n'est pas la coupable, mais tout dans le comportement de l'adolescente tend à confirmer le contraire. Cécile ne comprend pas pourquoi elle est aussi méchante avec sa mère et son jeune frère aussi. Apposer des autocollants sur un réfrigérateur peut sembler très anodin quand on a dix ans, mais ça ne passe pas lorsqu'on en a quatorze.

Avant que les enfants partent pour l'école, Jacques avise Isabelle que Cécile et lui veulent lui parler.

— Mais je vais être en retard! argumente-t-elle aussitôt sur un ton frôlant la panique.

— Je te donnerai un billet.

Jacques rejoint Cécile à la cuisine après être allé conduire sa petite-fille à l'école.

— Crois-tu qu'Isabelle a compris ce qu'on lui a dit? lui demande Cécile.

— Elle sait très bien ce qu'elle a fait, mais elle ne regrette rien. Et ce n'est pas par manque d'intelligence. Ce serait trop facile de dire que c'est à cause du divorce de ses parents qu'elle agit ainsi. Elle a décidé de prendre sa mère en grippe il y a longtemps, et elle lui en veut pour tout ce qui arrive. Si tu veux mon avis, il serait peut-être temps qu'elle aille vivre avec son père.

— Mais elle est allée passer quelques jours avec lui pendant les fêtes et elle était pressée de revenir ici.

Patrick était au courant qu'Agathe partait en voyage et il n'a même pas daigné appeler, ne serait-ce qu'une fois, pour prendre des nouvelles des enfants. Oui, Jacques avait été sec avec lui la dernière fois qu'ils se sont vus, mais cela n'est pas une raison suffisante pour ne pas téléphoner.

Jacques et Cécile avaient d'abord demandé à Isabelle si c'était elle qui avait fait ce gâchis. Elle les avait regardés d'un air de défi et avait déclaré :

— C'est dommage que ça n'ait pas bien collé… Je ferai mieux la prochaine fois.

Ils ne lui avaient pas fait la morale, ils lui avaient simplement expliqué la portée de son geste et avaient tenté de savoir ce qui l'avait poussée à agir ainsi. Une demi-heure plus tard, ils étaient toujours au même point. Isabelle les écoutait avec un manque d'intérêt flagrant sans démontrer le moindre petit remords. Elle l'avait fait, voilà tout.

— Je ne voudrais pas passer pour un vieux radoteux, mais c'était beaucoup plus facile d'élever des enfants dans mon temps que ce l'est aujourd'hui. Mes filles avaient du caractère à revendre – elles en ont toujours autant –, mais jamais aucune d'elles n'aurait osé nous défier, Monique et moi, comme Isabelle vient de le faire non seulement avec Agathe, mais avec nous aussi.

— Pendant que tu étais parti, j'ai réfléchi, dit Cécile, j'ai pensé qu'on pourrait lui faire payer les autocollants. Peut-être qu'on arrivera à la toucher un peu plus avec l'argent…

— Bonne idée! On ira les acheter cet après-midi et je lui réclamerai ce que ça aura coûté quand elle reviendra de l'école. Tu sais à quel point j'aime les enfants? Eh bien je vais te faire une confidence : je ne recommencerais pas.

* * *

France flotte toujours sur un nuage rose depuis qu'elle voit Philippe. Excepté le fait qu'il habite loin, elle ne lui a pas encore trouvé un seul défaut. Et qui plus est, Marie-Josée est folle de lui, au point qu'elle refuse catégoriquement d'aller chez son père quand elle sait que Philippe doit venir à la maison. Même si ça ne fait pas très longtemps qu'ils se fréquentent, France et Philippe commencent déjà à penser sérieusement à emménager ensemble.

— Je sais très bien que ce serait plus simple si c'était moi qui déménageais, lui avait dit Philippe, mais à cause de mon casier judiciaire ce serait de l'inconscience de penser que toutes les portes s'ouvriront à moi sous prétexte que je suis revenu dans la bonne voie. Il faut être réaliste : sans Laura et Olivier, je serais sûrement en train de faire un petit boulot mal payé que je détesterais.

Philippe n'avait pas eu à argumenter bien longtemps pour convaincre France du bien-fondé de ses propos.

— Je n'aurais aucun problème à vivre à Québec, avait-elle confié, c'est une ville que j'ai toujours beaucoup aimée. Mais il y a énormément de choses à faire avant de déménager, comme vendre la maison et me trouver un nouvel emploi. Remarque que ça devrait être facile de ce côté-là. L'entreprise pour qui je travaille a un bureau à Québec, et les dirigeants sont toujours à la recherche de représentants d'expérience.

— Il faudra aussi trouver un appartement.

Depuis le temps que France possède sa propre maison, elle se verrait très mal habiter dans un bloc-appartements, et encore moins en plein cœur de la ville.

— Je n'ai aucune idée du prix des résidences à Québec, mais j'aimerais mieux en racheter une, quitte à nous éloigner un peu de la ville.

— Tu n'auras pas de difficulté à me convaincre de quitter mon logement, j'ai été élevé dans une grande maison à la campagne. Toutefois, je tiens absolument à payer ma part.

— On en reparlera plus tard.

Mais Philippe ne l'entendait pas ainsi. Il avait insisté pour régler la question tout de suite, ce qui avait énormément plu à France. Ils avaient convenu que la demeure appartiendrait à France et que Philippe lui verserait un loyer chaque mois.

— Je pourrais commencer à regarder, si tu veux, lui avait offert Philippe. Il suffirait que tu me décrives ce que tu cherches au juste et combien tu veux payer.

— Va pour t'indiquer le montant que je peux payer, mais je refuse de choisir la maison toute seule.

Et ils s'étaient mis à discuter pendant un bon moment de leurs préférences mutuelles en matière de résidence.

— Il y a autre chose, avait ajouté France. Je voudrais que Marie-Josée finisse son année scolaire avant de déménager.

— C'est tout à fait normal.

France avait appelé Suzie le lendemain matin pour lui demander de vendre sa maison. Évidemment, Suzie était emballée par la tournure des événements. France était heureuse comme jamais elle n'aurait pensé l'être un jour et, aux dires d'Annette, Philippe ne tarissait pas d'éloges à son égard.

— Tu tombes bien, avait déclaré Suzie, j'ai justement un client de Montréal qui cherche une résidence comme la tienne. Tu ne me croiras peut-être pas, mais j'étais sur le point de t'appeler pour savoir si, par hasard, tu ne voudrais pas la vendre.

— Oh, oh, s'était exclamée France, je ne peux pas déménager demain matin.

— Ne t'inquiète pas, mon client n'est pas prêt tout de suite. Si je me rappelle bien, il veut attendre la fin de l'année scolaire pour s'installer.

France a signé les papiers pour confier la vente de sa maison à Suzie le soir même et, deux jours plus tard, elle a reçu une offre d'achat qu'elle ne pouvait pas refuser. Philippe lui a dit qu'il avait déjà repéré quelques maisons à visiter lorsqu'elle lui avait annoncé la nouvelle.

Les choses allaient beaucoup plus vite que France l'aurait espéré, mais ça ne la stressait pas une miette. Elle aimait Philippe et se voyait très bien vieillir à ses côtés, à Québec.

Chapitre 20

Jack s'apprête à sortir de la maison pour aller jouer au hockey lorsque le téléphone sonne. Comme Anna est occupée à donner le bain aux enfants, il court jusqu'au salon avec ses bottes dans les pieds pour aller répondre.

— Jack? C'est maman.

Même si sa mère n'a prononcé que trois mots, Jack devine à son ton qu'il y a quelque chose qui ne va pas.

— Qu'est-ce qui se passe, c'est papa? se dépêche-t-il de lui demander devant son hésitation à poursuivre.

La pauvre femme a tellement de peine qu'elle a de la difficulté à parler. Elle prend une grande respiration avant de se lancer:

— Non, c'est ton frère. On vient de recevoir un appel d'un policier. Rémi s'est fait descendre à bout portant en sortant de son auto ce matin devant le restaurant où il avait l'habitude d'aller déjeuner. Ton père est allé s'occuper de la paperasse au poste.

Elle se met à pleurer.

— Je m'en viens, maman.

Anna sort de la salle de bain au moment où Jack raccroche. Il a laissé de grosses traces de pas partout sur le plancher.

— Pourquoi tu n'as pas enlevé tes bottes? lui demande-t-elle d'une voix plaintive aussitôt qu'elle voit les marques au sol.

— Parce que j'étais certain que les semelles étaient sèches. Ma mère vient de m'appeler pour me dire que Rémi est mort. Il s'est fait tirer dessus ce matin. Peux-tu téléphoner à Francis et l'aviser que je n'irai pas jouer au hockey ? Je vais aller trouver ma mère, je ne veux pas qu'elle reste seule à la maison.

Jack ne se permettra pas de juger le comportement de son père – après tout, ce dernier vient de perdre un fils –, mais il considère qu'il aurait pu rester avec sa femme au moins le temps que Jack arrive.

— Je suis vraiment désolée…, émet Anna. Va vite la trouver et dis-lui que je suis là si elle a besoin de quoi que ce soit.

* * *

En faisant abstraction de l'événement fâcheux survenu avec Annick et son mari, Agathe est revenue enchantée de son voyage. Elle a adoré les deux jours que Vincent et elle ont passés à Paris. Elle lui a fait promettre d'y retourner ensemble une autre fois. À l'exception des petits cadeaux qu'elle a rapportés pour les siens, son voyage ne lui a absolument rien coûté. Vincent s'était objecté chaque fois qu'elle avait voulu payer quelque chose.

— Laisse-moi te gâter un peu.

Durant toutes ses années avec Patrick, jamais Agathe n'avait entendu ces mots franchir les lèvres de son conjoint. Vincent et lui sont aussi différents que le jour l'est de la nuit. Pendant la semaine de rêve qu'elle a vécue aux côtés de son amoureux, Agathe se disait que si les princes charmants existaient, elle avait certainement trouvé le sien. Avec Vincent, la vie coule doucement et ils ont beaucoup de plaisir ensemble.

Jacques et Cécile avaient décidé de ne rien dire concernant la porte du réfrigérateur et l'attitude d'Isabelle. Cécile avait fait son gros possible pour enlever toutes les traces de colle, et elle croisait les doigts pour qu'Agathe n'y voie que du feu. Isabelle avait d'abord rouspété, mais elle avait fini par allonger les billets pour payer les nouveaux autocollants de son frère. Ses grands-parents auraient espéré voir un peu de repentir dans son regard, mais elle s'est bien gardée de leur faire ce petit plaisir et elle avait continué de feindre l'indifférence.

Agathe était contente de retrouver les siens. Elle a fait rire les enfants – sauf Isabelle, évidemment – quand elle leur a dit qu'ils avaient grandi pendant son absence. Les garçons étaient visible-ment heureux de la revoir.

Le soir du retour d'Agathe, Sébastien lui offre de lui préparer un café avant d'aller dormir, ce qu'elle accepte à la condition qu'il reste avec elle pendant qu'elle le boira. Elle constate aussitôt que c'est ce qu'il souhaitait.

— Maman, lui lance-t-il en rougissant, j'ai quelque chose à te dire.

Sans attendre, il ajoute :

— Je voulais que tu sois la première à le savoir. Je me suis fait une blonde pendant ton voyage.

Agathe est si contente pour son fils qu'elle le serre dans ses bras.

— Tant mieux, mon grand, tant mieux !

Sébastien lui décrit en long et en large celle qui fait briller ses yeux comme un brasier incontrôlable. Il n'a que de bons mots à dire sur sa copine, tellement qu'Agathe a l'impression de s'entendre quand elle parle de Vincent. Étant donné qu'il s'agit du premier amour de son fils, cette relation revêt une grande importance pour lui – ce qui est normal. Si Agathe pouvait le protéger contre toutes les déceptions de l'amour, elle le ferait sans hésiter.

— Crois-tu que je pourrais l'inviter à manger en fin de semaine ? demande Sébastien.

— En autant que tu m'avertisses d'avance, il n'y a pas de problème. Je ne voudrais pas qu'elle tombe sur un repas de restes, cela me gênerait trop.

Agathe a été très déçue d'apprendre que Patrick n'avait même pas passé un seul coup de fil pour prendre des nouvelles des enfants pendant son absence. Ça l'attriste beaucoup pour eux et, évidemment, ce n'est pas très prometteur pour l'avenir. Ce n'est pas qu'elle veuille se débarrasser de ses enfants, mais ils ont tout de même été faits à deux. Enfin, elle verra bien avec le temps, mais elle se doute déjà que Patrick ne les prendra jamais avec lui, à moins que cela ne fasse partie du règlement du divorce. En même temps, si elle est logique, elle ne pouvait pas s'attendre à beaucoup plus de sa part. Il faisait bien quelques activités avec les enfants du temps où ils étaient ensemble, mais ça n'allait pas plus loin.

Passer une semaine complète avec Vincent a décuplé l'envie d'Agathe d'être toujours avec lui. Aussitôt que le divorce sera réglé, elle présentera son amoureux aux enfants. La réaction des garçons ne l'inquiète pas outre mesure, mais celle d'Isabelle lui fait craindre le pire. Alors qu'Agathe se faisait une joie de la revoir au même titre que les garçons, elle a tout de suite senti un changement dans l'attitude d'Isabelle envers elle, et pas pour le mieux. C'est à peine si sa fille l'avait saluée en rentrant de l'école. Même quand Agathe lui avait remis le cadeau qu'elle lui avait rapporté, l'adolescente l'avait pris tout bonnement sans même dire merci et elle était restée enfermée dans sa chambre jusqu'au souper. Agathe a beau se répéter qu'elle ne doit pas s'en faire avec l'attitude de sa fille, n'empêche que c'est beaucoup plus facile à dire qu'à faire.

Agathe est vraiment déçue que les choses se soient terminées aussi bêtement avec Annick et son mari. La vie est parfois étrange. Les deux femmes, qui avaient attendu une éternité avant de se rencontrer, ont cessé de se voir après quelques jours seulement. Agathe en avait discuté à quelques reprises avec Vincent. Chaque fois, elle en était venue à la conclusion que, même si elle acceptait de renouer avec Annick, leur relation ne serait plus jamais pareille. Le lien de confiance qui les unissait a été brisé et, à moins d'un miracle, il ne se resoudera jamais.

— Cette histoire est décevante sur toute la ligne, avait-elle déclaré. J'en viens à me demander si le billet d'avion qu'Annick m'a offert était pour me faire plaisir ou pour me piéger avec sa secte. Imagine ce qui aurait pu se passer si j'étais allée toute seule en France…

— Ne pense pas à ça, lui avait conseillé Vincent, tu te fais du mal inutilement. Souviens-toi seulement du plaisir que tu as eu lorsque tu as reçu le billet et dépêche-toi d'oublier le reste. En ce qui concerne la secte, dis-toi que tu aurais très bien pu te faire offrir la même chose au Québec et que le résultat aurait été le même. Tu sais, on n'est pas mieux que les autres de ce côté-là. Ici aussi, il y a des sectes et elles ne sont certainement pas meilleures que celles d'ailleurs. Savais-tu qu'il y en a une pas très loin de votre chalet ? Si je me rappelle bien, elle est à Lac-Etchemin.

— C'est la première nouvelle que j'en ai. J'en parlerai à Annette la prochaine fois que je la verrai.

Devant l'air surpris de Vincent, Agathe s'était dépêchée d'ajouter que c'était par curiosité et non par intérêt.

Si, un jour, je veux entrer dans une secte, tu pourras dire que je suis devenue folle. Annie, ma coiffeuse, m'a raconté une fois qu'un de nos voisins répétait depuis des années – et au métronome, s'il vous plaît – les lois cosmiques de la vie. Ça m'avait tellement marquée que je me souviens encore des trois premières lois : j'ai la simplicité d'un enfant, je ressens la joie de vivre, je suis miséricordieux. Elle m'a dit qu'il faisait cet exercice au moins une heure par jour. Il paraît que sa femme était au désespoir à force de l'entendre répéter constamment la même chose.

— Il y a de quoi !

Une expérience comme celle qu'elle a vécu démontre à Agathe que les gens qu'on croyait pourtant bien connaître cachent parfois des secrets qui peuvent être très lourds de conséquences.

***

Patricia vient d'accepter l'offre d'achat, tout de même raisonnable, que son agent d'immeuble lui a présentée. Elle aurait espéré obtenir un meilleur prix pour sa maison, mais compte tenu de tous les travaux nécessaires, elle avait signé sans hésiter. Son père avait l'habitude de dire : «Il y a un prix pour vendre.»

Elle téléphone aussitôt à Annette pour lui apprendre la bonne nouvelle.

— Wow ! Alors c'est vrai…

— En doutais-tu ? lui demande Patricia d'un air surpris.

— Non, mais tant que ta résidence n'était pas officiellement vendue, ça restait un beau projet. Je suis si contente de savoir que tu vas venir t'installer à Saint-Georges. Quand dois-tu libérer les lieux ?

— Pour le 1ᵉʳ avril. Je trouve ça dommage que tu sois aussi loin, je suis tellement énervée à l'idée de déménager qu'on aurait pu célébrer en grande pompe.

— Je te promets qu'on va se reprendre dès que tu seras dans les environs. Quand comptes-tu venir voir les logements ?

— Demain ?

— À une condition : tu dormiras chez moi. Ne crie pas victoire trop vite, mais j'ai déjà repéré quelques appartements qui devraient te plaire.

Patricia aurait pu répondre à Annette que ça la gênait trop de s'installer chez elle, qu'elle ne connaissait même pas son mari, mais elle est tellement heureuse qu'elle a accepté son invitation sans même se poser de questions. Annette lui a confié que Paul n'était pas toujours commode, mais devrait survivre le temps d'une nuit.

Faute de pouvoir célébrer avec son amie, Patricia décide d'appeler ses filles pour les inviter à manger au restaurant. Ce n'est pas dit qu'elle va manger toute seule alors qu'elle vient de vendre sa maison… L'heure est aux réjouissances.

Elle téléphone ensuite à Patrick pour lui annoncer la bonne nouvelle. Son fils réplique aussitôt qu'elle aurait dû faire une contre-offre, mais elle lui répond du tac au tac que ce n'est pas mille dollars de plus qui vont changer sa vie. Devant son ton de dictateur, Patricia décide de ne pas l'inviter – pas plus que ses deux autres fils, d'ailleurs. Ce soir, elle fera une sortie mère et filles.

Comme elle dispose d'à peu près deux heures avant de se rendre au restaurant, Patricia se met à noter les choses qu'elle veut conserver. Devant l'état général de ses meubles, elle se dit qu'elle n'emportera pas grand-chose. Ils ne sont pas brisés, mais ils sont tellement usés qu'ils auraient tous besoin d'une remise à neuf. Elle a beau aimer travailler de ses mains, elle ne se voit pas en train de décaper sa table de cuisine et ses chaises, encore moins le buffet. Elle ajoute donc deux colonnes intitulées *À acheter* et *À donner*. Crayon à la main, elle fait le tour de chacune des pièces. Elle se rend vite compte que la colonne où elle a inscrit le plus de choses est la seconde. Cela pourrait paraître déprimant mais au contraire ça la fait sourire lorsqu'elle pense à la nouvelle vie qui l'attend. Elle n'est pas riche, mais elle se dit que pour une fois elle va se payer la traite et se meubler en neuf. Demain, elle demandera à Annette de lui indiquer les endroits où elle pourra acheter ses meubles et tout le reste.

* * *

Il est tard lorsque Jack revient à la maison. Il fait attention pour ne pas faire de bruit, mais Anna ouvre les yeux au moment où il se glisse sous les couvertures. Il est tellement gelé qu'elle sent instantanément de l'air froid s'immiscer dans le lit.

— Viens te coller, mon amour, dit-elle d'une voix endormie.

— Tu ne peux même pas t'imaginer à quel point je suis content de ne plus patrouiller. J'ai entendu à la radio que ce serait la nuit la plus froide de l'hiver.

Au contact de son mari, Anna sursaute. La peau de Jack est glacée.

— Et puis? demande-t-elle.

— Il n'y a pas grand-chose à dire, sinon que mon père a fait le nécessaire pour récupérer le corps de Rémi. Tu aurais dû voir mes parents, ils faisaient pitié. Ma mère n'arrêtait pas de dire que c'était mieux comme ça et qu'elle pourrait enfin cesser de s'inquiéter pour lui, qu'elle pourrait enfin dormir. Et mon père se dépêchait de répliquer qu'elle ne devait pas parler de leur fils de cette manière. La minute d'après, c'était à son tour de tenir le même discours. Je savais que tout ça les affectait, mais jamais je n'aurais cru que ce serait à ce point. Maman m'a confié qu'elle faisait des cauchemars toutes les nuits, elle rêvait qu'il se faisait tué.

— Et toi ?

— Je vais peut-être te paraître sans-cœur, mais je pense aussi que c'est mieux comme ça. Quand les remords me prennent, je me dis que de toute façon ça ne pouvait pas finir autrement, que c'était juste une question de temps avant qu'on voit mon frère dans le journal.

Anna aurait aimé rencontrer Rémi dans d'autres circonstances. Le peu de temps qu'elle a passé en sa compagnie lui a fait croire qu'elle se serait bien entendue avec lui. Elle ne le criera pas sur les toits, mais sa mort lui redonne une certaine sérénité. Même si elle vivait comme si Rémi n'existait pas, il y avait toujours une partie d'elle qui lui rappelait qu'elle ne l'avait pas rêvé et qu'il pouvait resurgir dans sa vie au moment où elle s'y attendrait le moins.

— Rémi avait une lettre sur lui, adressée aux parents. J'espère seulement que sa mort ne les entraînera pas dans quelque chose d'encore plus éprouvant.

— Tu ne vas pas commencer à t'en faire avec ça ?

Jack aimerait rassurer Anna, lui dire qu'ils pourront tourner la page une fois que son frère sera en terre, mais il sait que ce ne sera pas aussi facile. À cause de la vie que menait son frère, c'est encore pire. Reste à espérer maintenant qu'il n'y aura pas de représailles de la part des gens de son ancienne vie. Jack se colle encore plus sur Anna et il ferme les yeux. Demain est un autre jour.

Chapitre 21

Agathe avait prévu aller livrer une murale à une cliente ce matin, mais une tempête de neige fait rage dehors. Il n'était pas encore sept heures qu'on annonçait déjà à la radio la fermeture de toutes les écoles pour la journée. Il fallait voir le sourire des enfants quand elle leur a déclaré qu'ils pouvaient retourner se coucher. Même Isabelle en avait esquissé un, mais ce n'était sûrement pas un geste volontaire.

Agathe tourne en rond. Ce n'est pas qu'elle ne sache pas quoi faire, au contraire, elle est enterrée d'ouvrage. Ce n'est pas non plus parce que c'est la première fois que son emploi du temps tombe à l'eau, c'est parce qu'elle se sent anxieuse. Elle s'organise toujours pour aller porter ses murales dès qu'elle les termine. Elle est inquiète à l'idée de la présenter à sa cliente et c'est pourquoi elle préfère régler ça dès que possible pour pouvoir enfin passer à autre chose. Agathe a beau s'assurer auprès de ses clients qu'elle saisit parfaitement ce qu'ils veulent, il reste toujours un peu d'incertitude. Cela la titille tout le long de la réalisation de sa pièce, et encore plus lorsqu'elle est terminée.

Installée à la table de la cuisine, Agathe boit son premier café de la journée. Autant elle a eu du mal à s'habituer à celui qu'elle a bu en France, autant elle trouve le sien bien insipide maintenant. Lorsqu'elle en a fait part à Vincent, il lui a promis qu'il l'emmènerait dans une boutique à Montréal où elle pourra trouver du bien meilleur café que celui qu'elle a l'habitude d'acheter. Agathe remarque des petits points noirs sur son réfrigérateur au moment où elle s'apprête à se plonger dans les journaux. Après s'être postée près de l'appareil, elle constate très vite qu'il y en a sur toute la porte. Elle regarde encore de plus près en plissant le nez et, à moins qu'elle se trompe, il n'y avait rien de tout ça sur le frigo quand les livreurs l'ont apporté. Agathe passe son doigt sur la surface, mais elle ne sent rien. Elle hausse les épaules et retourne s'asseoir. Étant donné que l'appareil est couvert par la garantie, elle téléphonera au magasin où elle l'a acheté et demandera qu'on envoie quelqu'un pour vérifier la porte.

Elle décide de commencer sa lecture par les journaux qui ont été publiés pendant son voyage plutôt que par celui d'aujourd'hui. Le premier article qui attire son attention est celui où il est mentionné que le père Emmett Johns, affectueusement appelé Pops, vient de fonder l'organisme *Dans la rue*, qui viendra en aide aux jeunes de la rue dans le besoin. La misère humaine touche Agathe, mais celle des jeunes l'affecte encore plus. Quand elle les voit quêter au coin des rues lorsqu'elle magasine à Montréal et qu'elle constate que certains ont le même âge que Sébastien, et parfois même qu'Isabelle, elle se dit que ce n'est pas quelques malheureux dollars qui vont changer leur réalité et qu'ils ont besoin de bien plus que ça pour s'en sortir. Agathe a du mal à comprendre qu'en 1988, dans un pays industrialisé comme le Canada, il y ait tant de misère humaine autour d'eux. Elle ne prétendra pas qu'être pauvre au soleil est plus facile qu'au froid, mais elle ne voudrait pas être obligée de coucher sous un pont ou sous le porche d'un magasin de la rue Sainte-Catherine par une journée comme aujourd'hui. La neige, c'est beau quand on peut choisir de la regarder tomber par la fenêtre, mais lorsqu'on est pris dehors, c'est autre chose. Quand on est complètement transis d'avoir reçu trop de neige sur nous et qu'on n'a nulle part où aller pour se réchauffer, ce n'est plus drôle.

Il y a des jours où Agathe songe que le monde est trop matérialiste et que les gens passent à côté de l'essentiel à force de courir après l'argent comme ils le font. Les écarts sont de plus en plus grands entre les classes sociales, et ça ne va pas en s'améliorant. Elle ne souhaiterait pas se retrouver dans un régime communiste pour autant, mais disons qu'une répartition plus équitable de la richesse permettrait d'en redonner un peu aux plus démunis sans appauvrir les riches. Et elle continue à philosopher ainsi au gré de ses lectures jusqu'à ce qu'on frappe à la porte. Vu l'heure qu'il est et la température qu'il fait, elle se demande qui ça peut être. Lorsqu'elle aperçoit France et Marie-Josée par la fenêtre, elle leur ouvre vite et les invite à entrer.

— J'espère que vous n'avez pas encore déjeuné, s'écrie France, parce qu'on a apporté tout ce qu'il faut.

— Quelle bonne idée ! Mais vous êtes trempées… Enlevez vos manteaux et venez vous réchauffer.

— On est venues à pied, dit fièrement Marie-Josée.

— Wow ! Vous êtes braves. Mais tu ne travailles pas aujourd'hui, France ?

— Je devais, mais avec la température qu'il fait dehors, j'ai décidé de prendre congé puisque de toute façon je n'aurais pas pu me déplacer chez mes clients. Je plains de tout mon cœur ceux qui auront à se rendre sur l'île aujourd'hui parce que ce ne sera pas une sinécure. Et cette petite tempête ne pouvait pas mieux tomber puisque j'ai plein de choses à te raconter.

— Allons à la cuisine, je viens de faire du café.

France a bien essayé de parler à Agathe depuis qu'elle est revenue de voyage, mais chaque fois qu'elle l'a appelée, soit elle allait sortir, soit elle recevait quelqu'un.

— Je commence ou tu commences ? demande France.

— Vas-y! Je vais en profiter pour dresser la table avant que les ogres envahissent ma cuisine.

Puis, à l'adresse de Marie-Josée, elle ajoute :

— Tu peux faire le tour des chambres pour réveiller les enfants, si tu veux. Bon, maintenant, je t'écoute.

Agathe est sous le choc à la suite de tout ce que France lui apprend. Elle est partie juste une semaine et son amie a eu le temps de prendre une des décisions les plus importantes de sa vie, et même de vendre sa maison.

— Alors, toi et Philippe, c'est vraiment du sérieux !

— Encore plus que tu le penses. J'ignorais que c'était possible d'aimer autant. Et tu devrais voir Philippe avec Marie-Josée ; il a un don. C'est rendu qu'elle ne veut plus aller chez son père quand Philippe vient me voir.

France ignore pourquoi, mais sa fibre maternelle est plus développée depuis qu'elle fréquente Philippe. Lorsque sa fille lui a avoué qu'elle préférait rester avec elle la fin de semaine plutôt que d'aller chez son père, elle était vraiment contente. Pourtant, dans un passé pas si lointain, France était la première à révéler qu'elle n'aurait pas dû avoir d'enfant.

— Et ton ex, qu'est-ce qu'il pense de tout ça ?

— J'ai été un peu surprise, mais ça n'a pas l'air de le déranger plus que ça. Il m'a dit que Marie-Josée était assez vieille pour décider et qu'il respecterait son choix. Entre toi et moi, je trouve que c'est un peu facile comme réponse, mais bon…

— Ne le prends surtout pas mal, mais je ne te reconnais plus. Tu es bien loin des Cristoforo de ce monde.

— Je te l'ai déjà dit, quand on n'a plus de beurre à mettre sur son pain, on se contente d'une couche de margarine. C'était un homme très intéressant, comme plusieurs avec qui j'ai frayé, mais je n'avais aucun avenir avec lui. Philippe est le meilleur amoureux que j'ai eu, tellement que j'ai envie de penser plus loin. Tu vas rire, mais je nous vois très bien vieillir ensemble. Mais le pire, c'est qu'il m'arrive même d'imaginer que je deviens enceinte, et le plus drôle, dans tout ça, c'est que j'en suis ravie !

Agathe est contente pour son amie, mais un peu triste pour elle-même. Elles ne pourront plus débarquer l'une chez l'autre pour quelques minutes sans s'annoncer. Elle sait qu'elles pourront se parler au téléphone et se voir quelques fois par année dans le meilleur des mondes, mais le bonheur a toujours un prix, qui est parfois très élevé.

— C'est bien ce que je disais : je ne te reconnais plus. Je suis très contente de tout ce qui t'arrive. Mais tu vas vraiment me manquer.

L'entrée des enfants dans la cuisine tombe à point nommé. Au lieu de verser quelques larmes, les deux amies ravalent leur chagrin et se mettent en frais de nourrir tout ce beau petit monde. Les enfants s'en vont comme ils sont venus aussitôt leur estomac rempli. Une journée de congé ne manque jamais de les rendre heureux.

— Maintenant, je veux tout savoir sur ton voyage, dit France.

Agathe lui raconte tout dans les moindres détails, en prenant soin de baisser le ton quand elle parle de Vincent pour être bien certaine que personne ne les entend.

— On dirait que les choses vont aussi bien de ton côté que du mien, lance France, et c'est tant mieux. Après avoir vécu avec un homme comme Patrick, tu le méritais amplement. Parlant de la bête, que dit-il de tout ça?

— Pas grand-chose pour l'instant puisqu'il ne sait rien, et c'est parfait comme ça. J'ai l'intention de lui parler seulement quand je vais juger que c'est le bon moment.

Même si elle est très proche de France, Agathe se trouve vraiment bonne de ne pas mentionner la demande en mariage que Vincent lui a faite pendant les fêtes.

— Changement de sujet, ajoute France, on n'a pas encore eu la chance d'en parler, mais est-ce que ta démonstration de vêtements a été payante?

— Oui! Si je faisais autant d'argent chaque fois, je pourrais même ralentir mes autres travaux. Il faut dire que Suzie n'y est pas allée de main morte. J'ai justement reçu les commandes hier et j'ai une bonne nouvelle pour toi : non seulement ça ne te coûtera pas un sou pour tes vêtements, mais tu auras même un crédit pour tes prochains achats.

— Ah, j'ai hâte de les voir.

— Attends-moi, je vais chercher ta commande.

Pendant qu'Agathe se rend dans sa chambre, France continue à parler.

— Je pourrai t'organiser une autre démonstration si tu veux. Les filles du bureau avaient l'air très intéressées lorsque je leur en ai parlé. Ce ne sont pas toutes des consommatrices finies comme Suzie, mais il y en a au moins deux dans le lot qui doivent dépenser pas mal d'argent pour s'habiller. Qu'en penses-tu?

— Ce que j'en pense? On fixe une date tout de suite.

* * *

Patrick ouvre la porte de son appartement en soupirant. Se retrouver complètement seul dans un quatre et demie ne faisait pas partie de ses plans. Le voilà en train de se demander pourquoi il a laissé traîner son carnet noir, même un enfant d'école n'aurait pas commis une telle erreur. Il est seul au monde, et tout ça à cause de son inconscience. Mais le pire, c'est qu'il n'a même pas de maîtresse. Il a pourtant lancé sa ligne à l'eau à plusieurs reprises depuis qu'il a commencé son nouvel emploi, mais aucune femme n'a mordu à l'hameçon. Patrick craint d'avoir sérieusement perdu la main.

Il a demandé à Agathe de lui donner un peu de vaisselle et de la literie, ce qu'elle a fait sans se faire prier, et il a récupéré quelques trucs dont sa mère ne voulait plus au passage. Pour le reste, il a acheté le minimum, et c'est pour attendre les livreurs qu'il s'est pointé ici aussi tôt. Ils lui ont promis d'être là à neuf heures, mais Patrick ne compte pas trop là-dessus. Il monte la dernière boîte qu'il a apportée, enlève ses bottes et son manteau, et fait le tour des pièces sans grand intérêt. L'endroit est bien, mais il est sans âme et le silence y règne. Seul l'écho de ses pas sur le plancher de bois résonne pour lui rappeler à quel point c'est tranquille. Il se sent aussi démuni que s'il devait opérer quelqu'un à cœur ouvert alors qu'il n'a aucune connaissance en médecine. Il fait un second tour, un peu à reculons, et décide où il va installer sa chambre. Il passe ensuite à la cuisine et ouvre les armoires une après l'autre. Il glisse son doigt sur les tablettes de la dernière armoire et se rend compte que c'est poussiéreux. C'est alors qu'il réalise qu'il n'a rien apporté pour nettoyer, pas même un torchon. Il se rend ensuite à la salle de bain pour vite constater qu'elle a manqué cruellement d'amour, comme dirait Agathe. Ou il va chercher ce qu'il faut pour nettoyer un peu, ou il ne pourra pas prendre sa douche et encore moins son bain. Le propriétaire lui avait pourtant assuré qu'il ferait le ménage, mais une fois que le bail est signé, Patrick n'a pas d'autre choix que de le faire lui-même s'il ne veut pas vivre dans la crasse du locataire précédent.

Il n'a pas loué dans le quartier le plus récent de Belœil, c'était trop cher pour ses moyens. Il ne peut pas trop dépenser avec ce que va lui coûter la pension qu'il devra verser à Agathe. C'est quand même bizarre, on dirait que ce n'est qu'une fois séparé qu'il s'est mis à apprécier le temps où il était marié avec elle. Certes, leur vie n'était pas des plus palpitantes, mais il l'aimait à sa manière, et au moins il n'était pas seul. Ce n'est pas qu'il ait peur de la solitude, c'est plutôt qu'il préfère la vie à deux. Rentrer à la maison après une journée de travail et savoir qu'on est attendu n'a pas son pareil. Partager le lit de quelqu'un est réconfortant, et même si ce n'est pas le nirvana quand on fait l'amour avec sa conjointe, ça permet au moins de satisfaire les besoins de base. Et puis faire des projets avec sa femme aide à donner un sens à la vie. Et que dire des enfants… on peut leur trouver une tonne de défauts, mais ils sont la seule chose qui nous permet de laisser une trace indélébile de notre passage sur la terre.

Perdu dans ses réflexions, Patrick sursaute quand la sonnerie de la porte retentit. Il regarde l'heure sur sa montre. Comme il est neuf heures, ce sont sûrement les livreurs qui, pour une fois, sont ponctuels. Quelle n'est pas sa surprise quand il aperçoit Anna, Suzie et France, chacune un seau à la main. Patrick n'en revient pas. Il se frotte les yeux pour s'assurer qu'il n'a pas la berlue.

— C'est comme ça que tu nous reçois! s'exclame Anna. Je compte jusqu'à cinq, et si tu ne te tasses pas pour qu'on puisse entrer, tu feras ton ménage tout seul. Un… deux… trois…

— Vous êtes vraiment venues pour m'aider ? s'écrie Patrick. Entrez vite…

La voix brisée par l'émotion, Patrick termine sa phrase dans un murmure.

— Tu ne vas quand même pas te mettre à chialer comme une gamine, lui jette France. C'est Agathe qui nous a dit que tu emménageais aujourd'hui, elle s'est même offerte pour garder Marie-Josée, et elle nous a préparé à dîner.

— Francis t'a envoyé deux bouteilles de cognac, ajoute Suzie. J'ignore si ce sont les deux meilleures – tu sais que par ta faute il commence vraiment à l'apprécier –, mais ça vient du cœur.

Plus Patrick en entend, plus il est ému. Alors qu'il pensait qu'il serait tout fin seul, le voilà en compagnie de trois femmes qu'il aime beaucoup. Comme si ce n'était pas suffisant, sa mère arrive sur ces entrefaites en disant :

— J'ai entendu dire qu'il y avait quelqu'un qui avait besoin d'aide… Est-ce bien ici ?

Elle salue les filles et prend ensuite son fils dans ses bras.

— Je te confirme que ça ne sera pas facile, poursuit-elle, mais je sais que tu vas y arriver. Alors, par quoi veux-tu qu'on commence ?

Patrick ravale plusieurs fois avant de retrouver l'usage de la parole.

— Ce n'est pas compliqué, tout est à faire.

Anna prend aussitôt les choses en main en assignant une pièce à chacune. Patrick est encore sous le choc de ce qui lui arrive. Savoir qu'Agathe l'a dit à ses amies le touche beaucoup et qu'elle ait pris soin de lui envoyer à dîner le réconforte.

Il a demandé à Isabelle si elle souhaitait toujours venir habiter avec lui, mais elle lui a répondu tellement vaguement qu'il n'en sait rien, mais il ne s'illusionne pas. Malgré que ce ne soit pas l'amour fou entre sa mère et elle, Isabelle est encore mieux avec Agathe qu'avec lui. D'ailleurs, Patrick se promet de parler à sa fille la prochaine fois qu'il la verra. Il n'a jamais apprécié qu'elle en fasse baver à Agathe comme elle seule sait le faire. Il n'a pas l'intention de la menacer d'habiter avec lui si elle ne change pas de comportement, mais il est prêt à le faire s'il le faut. Il est conscient qu'éduquer quatre enfants seule n'est pas une mince affaire et il ne veut pas abandonner son rôle de père. Jusqu'à maintenant, sauf exception, il a brillé par son absence, mais il sait qu'il devra prendre ses responsabilités et il est fin prêt.

— Ce n'est pas tout de payer pour eux, lui a dit son avocat, il faut aussi que vous soyez présent.

Patrick avait réfléchi pendant quelques jours aux paroles de son avocat. Comment être un bon père? Pour être honnête, il n'en a aucune idée. L'âme de la famille a toujours été, et restera, Agathe. C'est elle qui gérait le budget, éduquait les enfants, s'occupait de la maison… En résumé, c'est elle qui dirigeait la famille, et lui, Patrick, se tenait penaud à l'arrière en priant pour qu'elle ne le sollicite pas trop. Il n'a pas honte de le dire, il était bien plus le cinquième enfant de la famille qu'un père, et encore moins un mari.

Mais maintenant qu'il a un appartement à lui, il se promet au moins d'essayer de remplir son rôle. Il va inviter les enfants à venir chez lui aussitôt qu'il sera installé. Il ignore encore comment il va s'y prendre pour qu'ils y trouvent tous leur compte, mais il a bien l'intention de profiter de la présence de ses amies pour se faire instruire sur le sujet.

Chacune des filles lui remet un cadeau quand arrive le moment de casser la croûte.

— Ce n'est pas grand-chose, dit Anna, mais c'est utile.

Anna lui a offert un grille-pain et France, une mixette.

— Si tu veux avoir mon cadeau, ajoute Suzie, il va falloir que tu ailles le chercher dans mon coffre d'auto. Tiens, prends mes clés.

Patrick est trop curieux pour attendre d'avoir fini de manger. Il met ses bottes et sort sans prendre la peine d'enfiler son manteau. Il revient rapidement avec une grosse boîte qui pèse une tonne, mais il n'a toujours aucune idée de ce qu'elle peut contenir.

— Si tu as des questions, dit Suzie, il faudra les poser à Francis.

— Ce n'est pas sérieux, s'écrie Patrick en déballant un système de son, je ne peux pas l'accepter. C'est beaucoup trop.

— Mais oui, tu le peux, objecte Suzie, j'ai gagné à la loterie et j'ai décidé de te faire un cadeau, j'ai le droit. Et puis demande à ta mère : c'est impoli de refuser.

Alors que Patrick saute au cou de Suzie pour l'embrasser chaleureusement sur les joues, France s'écrie d'une voix faussement offusquée :

— On sait bien, une mixette, à côté de ça, ce n'est pas grand-chose.

— Un grille-pain non plus, renchérit Anna. Le moins qu'on puisse dire, c'est qu'il y en a qui ont le tour de se faire aimer.

Et les filles éclatent de rire. Témoin de la scène, Patricia s'amuse ferme à les écouter.

— Et moi, s'écrie-t-elle, je n'ai pas fini de préparer ton cadeau. Accorde-moi une semaine et je vais te remplir ton congélateur de petits plats. Et ne t'avise surtout pas de refuser mon offre !

— Jamais de la vie ! Merci, maman.

Il y a encore les rideaux à poser lorsque les filles partent, mais Patricia reste pour donner un coup de main à Patrick.

Il s'en faut de peu pour que Patrick croie qu'il est installé ici depuis belle lurette lorsqu'il va se coucher. Il lui manque encore un tas de choses pour qu'il puisse appeler cet endroit « sa maison », mais son appartement a l'air habité et lui ressemble de plus en plus. Il n'a pas osé téléphoner à Agathe pour la remercier, mais il se promet de se reprendre en essayant d'être un meilleur père à l'avenir. Cette nuit-là, Patrick dort à poings fermés, ce qui ne lui était pas arrivé depuis longtemps.

Chapitre 22

Si Jack pensait que son frère cesserait de lui en faire voir de toutes les couleurs maintenant qu'il est mort, il s'était trompé royalement, car Rémi continue de le hanter. Jack sort de chez le notaire avec Anna et ses parents, et il a du mal à croire ce que l'homme leur a appris. Et il n'est pas le seul sous le choc. Anna n'en revient tout simplement pas que Rémi lui ait légué de l'argent. Elle a hérité d'un bon petit magot et leurs deux enfants aussi.

Mon cher Jack,

J'espère de tout cœur que tu ne liras jamais cette lettre parce que, si ce jour arrive, ça voudra dire que je suis mort. Je tiens à ce que tu saches que tu as toujours occupé une grande place dans ma vie. Je ne t'en veux pas de m'avoir laissé tomber, mais pour moi tu es toujours resté le grand frère qui était prêt à se battre avec quiconque pour me protéger quand on vivait chez les parents.

Je ne t'ai rien laissé parce que je savais que tu refuserais tout venant de moi. C'est pourquoi j'ai choisi de donner pratiquement tout ce que je possède à Anna et à tes enfants. Je t'en supplie, permets-leur de garder ce que je leur offre et garde-toi, pour une fois, de chercher à savoir d'où provient cet argent. Je n'ai pas fait que des belles choses dans ma vie, mais j'ai fait mon possible. Je voudrais que tu saches que j'ai aussi fait d'honnêtes choses, mais je sais que ça n'excuse pas mes travers. J'aurais peut-être dû t'en parler la dernière fois qu'on s'est vus pour remonter dans ton estime, mais je n'aime pas beaucoup me vanter.

J'aurais aimé te dire de vive voix combien tu as compté pour moi. J'aurais aussi apprécié prendre une bière avec toi et agir comme si rien ne nous avait séparés. Mais je ne l'ai pas fait et, maintenant, il est trop tard.

Prends soin de toi.

Rémi

— Est-ce qu'on pourrait aller prendre un café quelque part ? demande sa mère en reniflant.

— J'allais justement le proposer, réplique Anna.

Poursuivre la conversation sur ce qui s'est passé est la dernière chose que Jack souhaite, et son père est dans le même état d'esprit que lui. C'est donc quelques pas derrière qu'ils suivent leurs femmes sans échanger un mot. Jack est tellement furieux contre Rémi qu'il n'en voit plus clair.

Anna fait des efforts surhumains pour ne pas sourire depuis que le notaire lui a annoncé le montant de son héritage. Elle a beau savoir que ce n'est pas de l'argent propre, elle est contente que Rémi ait pensé à elle. Elle ignore pourquoi, mais elle ne ressent pas l'ombre d'un remords à accepter ce legs.

C'était la première fois qu'Anna assistait à la lecture d'un testament et, pour être franche, elle a déploré qu'il n'y ait aucune place pour les émotions. Le notaire a lu le document d'un bout à l'autre comme s'il s'agissait d'une vulgaire liste d'épicerie. Certes, son beau-frère est mort d'une manière à donner la chair de poule, mais ce n'était pas une raison pour ignorer les gens qui se trouvaient devant lui. Après tout, ce n'est pas parce que quelqu'un de la famille a mal tourné que tout le monde est forcément pareil. Les parents de Jack sont encore sous le choc après cette rude épreuve. Sa mère n'a pas arrêté de pleurer depuis que le notaire a ouvert la bouche.

Jack prend la parole aussitôt qu'ils sont assis au restaurant.

— Nous, on va tout donner à une bonne œuvre.

— C'est hors de question, objecte vivement Anna en l'entendant. Le notaire a été très clair à ce sujet, tu n'as pas le droit de toucher à l'argent des enfants. Quant au mien, n'y pense même pas. Que l'argent de ton frère aboutisse entre les mains d'une œuvre de charité ou dans les nôtres, c'est du pareil au même pour moi. Il va falloir que tu finisses par l'accepter…

Jack est outré de la réaction pour le moins surprenante de sa femme et il est aussi très déçu. Ça allait de soi pour lui qu'ils se débarrasseraient de l'argent qu'ils ont reçu. Une chose est certaine, jamais il ne se salira les mains dessus, et ce, même si c'était une question de vie ou de mort. Quant aux enfants, il fera le nécessaire pour qu'ils acceptent de donner leur héritage lorsqu'ils seront en âge de le toucher.

— Je refuse d'utiliser de quelque façon que ce soit l'argent de mon frère ! réplique-t-il.

— Libre à toi, Jack, ajoute Anna, qui n'a aucune intention de revenir sur sa position, mais moi je ne me priverai pas d'en profiter.

La mère de Jack intervient :

— Je suis d'accord à 100 % avec Anna. Rémi est mort et enterré, et il est temps que nous passions tous à autre chose. Si vous connaissez une bonne œuvre à laquelle nous pourrions remettre l'argent, n'hésitez pas à nous en faire part.

Rémi a laissé de l'argent expressément pour un organisme de bienfaisance au choix de ses parents.

— Vous pourriez le donner au nouvel organisme *Dans la rue*, fondé par Pops, propose Anna. D'après ce que j'ai lu dans le journal, il vient en aide aux jeunes de la rue. Je suis certaine que les responsables ne refuseront pas un don.

— C'est vraiment une bonne idée, approuve le père de Jack. On ne pourra pas sauver tous les jeunes de la terre, mais ce sera toujours ça de pris si on réussit à en remettre ne serait-ce qu'un seul dans le droit chemin.

Puis il pose sa main sur le bras de Jack et ajoute :

— Dépêche-toi de passer à autre chose, mon fils.

— Vous ne comprenez rien ! fulmine Jack. Je suis policier et j'ai trop de principes pour accepter l'argent de Rémi.

— On sait tout ça, répond son père, mais ce n'est pas toi qui as hérité, c'est ta femme.

— C'est du pareil au même, et vous le savez très bien. Rémi était parfaitement conscient de ce qu'il faisait.

Jack est tellement furieux qu'il se lève de table et sort brusquement du café sans rien ajouter. Découragée par l'attitude de son mari, Anna ne bouge pas d'un poil. Elle n'ira certainement pas mettre de l'huile sur le feu pour essayer de lui faire entendre raison, ça ne donnerait rien. Il vaut mieux se tenir loin de Jack quand il est dans cet état. Il revient à la table avant même que la conversation reprenne et dit à Anna d'une voix forte et autoritaire :

— Je retourne au poste.

C'est la première fois qu'il ne l'embrasse pas avant de partir depuis qu'ils sont mariés.

— Ne t'inquiète pas, Anna, dit son beau-père, on va te ramener chez toi.

— Je vous remercie, mais je vais prendre le métro.

— Il y a assez de Jack qui a perdu ses manières, ajoute sa belle-mère, on va te reconduire, un point c'est tout. Tu ne peux même pas t'imaginer à quel point je suis désolée pour tout ce qu'on t'a fait vivre depuis que tu es entrée dans notre famille.

Anna doit s'avouer que l'histoire de Rémi l'a atteinte, mais jamais elle ne se permettra de faire le moindre reproche à ses beaux-parents sur ce point.

— Vous n'avez pas à l'être, la rassure-t-elle. Ce n'est rien comparativement à tout ce que votre mari et vous avez enduré. Comme ma mère disait, on ne met pas des enfants au monde pour les enterrer. Je ne peux pas savoir comment vous vous sentez, je ne l'ai jamais vécu, mais je peux imaginer à quel point ça peut être difficile, par contre. Et je suis vraiment désolée pour vous.

Ses beaux-parents ont les yeux pleins d'eau et ils font de gros efforts pour ne pas se mettre à pleurer. Anna les observe du coin de l'œil en se disant qu'elle ne peut pas les laisser rentrer chez eux dans cet état. Elle se racle la gorge et ajoute d'une voix enjouée :

— J'ai une idée, je connais un petit restaurant à deux coins de rue d'ici où on mange très bien. C'est moi qui vous invite et vous n'avez pas le droit de refuser.

***

Agathe a laissé les enfants aux soins de Sébastien pour aller souper chez son père avec Vincent. Elle attendait seulement que son amoureux puisse prendre un vrai congé, c'est-à-dire plus de deux heures d'affilée, pour accepter son invitation. Vincent et elle ont réussi à trouver un peu de temps, ici et là, pour se voir, surtout pendant que les enfants étaient à l'école – ce qui facilite grandement les choses pour Agathe –, mais c'est tout.

Jacques et Cécile sont ravis de les recevoir. Les hommes prennent la direction du salon, tandis que les femmes filent à la cuisine afin de mettre la touche finale au repas. Agathe se dépêche de demander à sa tante ce qu'ils vont manger pour souper.

Cécile prend une pose de chef et dit d'une voix empruntée :

— Au menu ce soir : potage aux légumes, fondue bourguignonne au bœuf et au chevreuil et, pour dessert, carrés aux biscuits Graham.

Agathe se régale à l'idée de savourer sa première bouchée de dessert. Elle prépare elle-même ce plat de temps en temps, mais celui de sa tante Cécile a un petit goût de revenez-y qu'elle n'a pas encore réussi à reproduire malgré ses nombreuses tentatives.

— Tu t'es rappelé que c'est mon dessert favori ?

— Bien évidemment ! Je me souviens de tout ce que tu préfères, et pas seulement en cuisine. Je sais que tu aimes toutes les couleurs à part le noir et le blanc et que tu adores la Gaspésie. Tu dis toujours que le rire nous sauve d'un tas de misères, et tu dis aussi qu'on ne choisit pas nos enfants et que c'est à nous de nous adapter à eux en tant que parents. Je peux continuer, si tu veux, parce que je n'ai absolument rien oublié.

Un tel témoignage émeut Agathe. Elle s'approche de sa tante et la prend dans ses bras.

— Et dire que pendant ce temps-là je me permettais de t'en vouloir au point de t'éviter comme si tu avais la peste.

Cécile prend le visage de sa nièce entre ses mains et elle la regarde droit dans les yeux en lui déclarant :

— C'est du passé et je ne veux plus jamais en entendre parler. Est-ce que tu m'as bien comprise ?

Agathe lui sourit et opine du bonnet. Elle peut accéder à la demande de sa tante en ne revenant plus sur le sujet devant elle, mais personne ne pourra l'empêcher de s'en vouloir, pas même Cécile.

Pendant ce temps-là, au salon, Jacques et Vincent font plus ample connaissance.

— Es-tu un amateur de hockey ? demande Jacques.

— Je regarde les matchs à la télévision chaque fois que je peux. Je me suis même acheté un billet de saison pour aller les voir jouer l'année passée, mais j'ai réussi à y aller seulement trois fois. À cause de mon travail, je dois me contenter de les suivre à la radio la plupart du temps. Entre vous et moi, je travaille beaucoup trop depuis quelques années, mais tout ça va bientôt changer. C'est à peine si je réussis à voir Agathe et je commence à en avoir assez. J'ai avisé l'hôpital quand on est revenus de voyage que j'avais décidé d'alléger mon horaire, mais je dois leur laisser le temps de me trouver un remplaçant pour toutes les heures que je fais en extra. Je peux vous dire qu'elles sont beaucoup trop nombreuses.

Jacques sait qu'il faut une bonne raison pour qu'un homme décide de travailler comme un fou, mais il n'ose pas demander à Vincent quelle était la sienne.

— Qu'est-ce que tu as l'intention de faire quand tu auras plus de temps libre ?

— Vous ne pouvez même pas vous imaginer le nombre de projets que j'ai en tête. Mais d'abord, je vais passer du temps avec Agathe et ses enfants. Remarquez que je n'ai pas encore fait leur connaissance, mais je me dis que ce sera facile s'ils sont aussi gentils que leur mère. J'ai toujours voulu avoir des enfants, mais l'occasion de fonder une famille ne s'est jamais présentée. Je voudrais voyager avec Agathe, aussi jouer au hockey dans une ligue de garage, j'en rêve depuis des années. Lire, aller voir des spectacles… avoir une vie normale, quoi !

Les propos de Vincent plaisent beaucoup à Jacques. Il ne veut pas faire de comparaisons trop hâtives, mais il croit déjà qu'Agathe a gagné au change.

— Mais je suis parfaitement conscient qu'avec la profession que j'exerce, je ne pourrai pas faire tout ça prochainement. Le neuf à cinq pour un médecin, ça n'a jamais existé.

Le souper se déroule dans une atmosphère très conviviale. Tout ce que Cécile a préparé à manger est délicieux et Vincent ne manque pas de la complimenter, ce qui la fait rougir un peu.

— C'est vrai, ajoute Agathe, je voulais vous parler de quelque chose. Le technicien du magasin où j'ai acheté mon frigidaire est venu voir la porte hier, car elle est pleine de petits points noirs, et il m'a dit que c'était de la colle. Je me demandais si vous n'aviez pas remarqué quelque chose d'anormal pendant que vous gardiez les enfants…

Jacques et Cécile se jettent un regard en coin, ils auraient préféré ne pas avoir à revenir sur cet épisode. Ils pourraient encore se taire, mais devant le questionnement d'Agathe Jacques estime qu'il n'a pas vraiment le choix de se jeter à l'eau.

— Il faut d'abord que tu me promettes de m'écouter jusqu'à la fin, dit-il à sa fille.

— Tu commences à me faire peur, papa…

Jacques se met à lui raconter l'histoire des autocollants.

— On a fait tout ce qu'on pouvait pour enlever la colle, ajoute Cécile.

Même si Agathe voulait trouver ça drôle, elle en serait incapable. Elle n'a aucune félicitation à faire à Isabelle. Son geste peut paraître anodin, mais c'est une fois de plus une attaque contre sa personne, et Agathe ne peut plus le tolérer.

— Je me disais aussi que les autocollants n'avaient pas pu disparaître sans raison lorsque Steve m'a montré ses nouveaux. Mais vous auriez dû m'en parler…

Depuis que Jacques a commencé à raconter son histoire, Vincent se retient de rire. Il n'a pas encore eu la chance de rencontrer Isabelle, mais elle lui plaît déjà. Par contre, il voit bien qu'Agathe n'est pas contente.

Cécile résume ensuite à Agathe comment Jacques et elle ont géré la situation.

— On a pensé que c'était inutile de t'embêter avec ça puisque tout était réglé.

— Mais on avait oublié que tu vois toujours tout! plaisante Jacques. Ne sois pas trop sévère avec Isabelle, elle a déjà été forcée de payer les nouveaux autocollants de Steve.

— Moi, lance Vincent en souriant, je l'aime déjà.

— Tant mieux, réplique Agathe, parce que j'ai bien peur qu'elle n'a pas fini de nous en faire voir.

Il n'en faut pas plus pour que tous éclatent de rire.

* * *

Mylène a profité du fait que Sylvain est en congé pour aller rendre visite à sa grand-mère. Alice l'avait appelée ce matin, avant qu'elle parte au travail, pour lui demander de passer la voir aussitôt qu'elle aurait un peu de temps. Mylène a essayé de lui tirer les vers du nez, mais elle n'a rien su.

André était là quand elle est arrivée, mais il a prétexté avoir du travail à faire dans son bureau pour les laisser seules.

— Voudrais-tu un café, Mylène ? demande Alice.

— Je te remercie, mais j'ai des brûlements d'estomac chaque fois que j'en prends un.

— Décidément, cette grossesse ne fait rien pour te faciliter la vie.

— Arrête de t'en faire pour moi, je vais passer au travers. Dis-moi plutôt comment tu vas, grand-maman.

— Comme sur des roulettes. J'ai un mari qui est aux petits soins avec moi et j'ai même renoué avec ma fille. Je serais bien mal venue de me plaindre.

Connaissant sa petite-fille, Alice est à peu près certaine qu'elle a passé la journée à se morfondre pour elle. C'est pourquoi elle se dépêche de lui dire pour quelle raison elle voulait la voir. Elle se lève pour aller chercher une enveloppe dans le tiroir du buffet. Elle la dépose ensuite sur la table devant Mylène et déclare :

— Ta mère m'a dit qu'elle t'avait parlé, alors je ne te répéterai pas tout ce que tu sais déjà. J'imagine qu'elle t'a aussi dit qu'elle m'avait remis sa part de l'argent qu'elle avait tirée de la vente de ma maison.

Même si elle se doute de ce qui s'en vient, Mylène se retient d'interrompre sa grand-mère.

— J'ai pris la décision de te donner cette somme et, je t'avertis tout de suite, je ne te laisse pas le choix. Tu peux en disposer à ton aise, mais je ne la reprendrai pas sous aucune considération.

Alice lui tend l'enveloppe. Mylène l'ouvre et elle a un mouvement de recul quand elle voit le montant inscrit sur le chèque. Elle savait que la maison de ses grands-parents valait cher, mais jamais elle n'aurait pu imaginer que c'était à ce point. Si elle part du principe que son oncle et sa garce de femme se sont servis en premier, ils l'ont vraiment bien vendue.

— Mais je ne peux…

Alice l'interrompt aussitôt en levant l'index dans les airs.

— Je ne veux rien entendre, pas même un merci. Je refuse de garder un lien avec cet épisode de ma vie.

— Est-ce que je peux au moins t'embrasser?

— Bien sûr!

Mylène se sent privilégiée d'avoir une grand-mère comme Alice. Et le fait que sa mère ait repris sa place auprès d'elle lui fait vraiment très plaisir.

***

Jack n'a pas daigné donner de ses nouvelles depuis qu'il est sorti frustré du café. Anna a commencé par s'inquiéter et puis elle s'est dit que c'était inutile. Jack est fâché contre elle et c'est son droit, mais elle ne cédera pas à ses caprices. D'après elle, ce n'est pas parce qu'on est un couple qu'on est obligés de penser pareil tout le temps. Elle comprend très bien qu'il est policier et qu'il aime la justice, mais il y a quand même des limites. Il doit aussi la respecter dans ses décisions. Anna n'a jamais rien demandé à Rémi. Et pour une fois que quelqu'un lui fait un si généreux cadeau, ce n'est certainement pas Jack qui l'empêchera d'en profiter. Elle a retourné la question de toutes les façons dans sa tête depuis qu'elle est sortie de chez le notaire et elle a bien l'intention de rester sur ses positions. Elle ira ouvrir un nouveau compte à la caisse aussitôt qu'elle aura son chèque en main. Elle espère sincèrement que ça ne viendra pas altérer la qualité de sa relation avec Jack. Elle avisera en temps et lieu, si ça se produit.

Anna a fait souper les enfants puis elle leur a donné leur bain. Maintenant qu'ils dorment à poings fermés, elle s'installe confortablement au salon pour écouter le téléroman *L'Héritage*. Pas moins de deux millions de téléspectateurs le suivent assidument depuis qu'il est à l'antenne. C'est rendu que tout le monde ne parle plus que de cette émission. Quand ce n'est pas pour emprunter le patois de Miville, c'est pour copier une des expressions fétiches de Junior. Il faut reconnaître que Victor-Lévy Beaulieu n'y est pas allé avec le dos de la cuillère lorsqu'il a écrit cette saga. Les Galarneau sont déchirés entre la rage et la passion. Le personnage du père, joué par Gilles Pelletier, est si intransigeant que plusieurs se prennent à le détester sans même s'en rendre compte. Et que dire de Myriam ? Mais la préférée d'Anna demeure Julie, la fille cadette. *L'Héritage* alimentera immanquablement les conversations au bureau demain.

Il est près de dix heures lorsque Jack rentre enfin à la maison. Anna comprend rapidement qu'il a levé le coude, et pas mal, à part ça. Elle reste assise dans son fauteuil en attendant qu'il vienne la rejoindre. À sa grande surprise, il file directement dans leur chambre sans lui adresser la parole. Elle se lève et va le trouver.

— Vas-tu me faire la tête encore bien longtemps ? lui demande-t-elle de but en blanc.

— Tant et aussi longtemps que tu ne retrouveras pas la raison, articule-t-il avec difficulté. Je vais aller dormir dans le salon d'ici là.

— Comme tu veux, réplique sèchement Anna, tu sais où sont rangé les couvertures et les oreillers. Au fait, l'hôpital a téléphoné pour ton opération et tu as rendez-vous à huit heures demain matin. Ah oui, la dame a dit que tu dois être à jeun.

— Ça adonne bien, je n'ai rien mangé.

Jack sort de la chambre en titubant, sans même jeter un regard à sa femme. Il prend ce qu'il lui faut au passage et va faire son lit. Il se laisse tomber sur le divan et il ferme les yeux. C'est la première fois qu'Anna et lui ont un différend aussi important et il n'aime pas ça. Il ne demanderait pas mieux que d'être capable de passer l'éponge sur ce qui s'est passé aujourd'hui, mais c'est au-dessus de ses forces.

Chapitre 23

Depuis qu'Agathe a grillé sa première cigarette, le goût de celle-ci ne l'a jamais quittée, au point que c'est rendu qu'elle en crève d'envie chaque fois qu'elle voit quelqu'un en train de fumer. Elle en a glissé un mot à Vincent puisqu'il fume depuis des années.

— Je serais bien mal placé de te conseiller alors que je boucane comme une cheminée aussitôt que j'en ai la chance. Tout ce que je peux te dire, c'est que je ne commencerais pas à fumer si c'était à refaire. Je rencontre chaque jour des patients qui ont des problèmes de santé parfois très sévères associés à la cigarette, mais je ne trouve pas le courage d'arrêter malgré ça.

Les propos de Vincent réussissent à ralentir les ardeurs d'Agathe. Elle se dit que si un homme comme lui n'arrive pas à se défaire de sa dépendance alors qu'il jongle à cœur de jour avec les conséquences néfastes de la cigarette, elle est mieux de ne pas courir le risque. Elle pourrait bien se mettre à faire de l'exercice pour se changer les idées, mais il n'y a pas moins sportive qu'elle. Une chose est certaine, il n'est plus question qu'elle aille s'entraîner dans un gymnase ou encore courir avec Suzie. Par contre, elle a toujours gardé un bon souvenir de ses cours d'escrime qu'elle suivait au cégep et c'est ainsi qu'elle a pensé se remettre à cette pratique. Elle aurait pu se contenter de téléphoner pour s'informer, mais elle préfère se rendre sur place. Même si elle a manqué quelques cours, ils acceptent qu'elle se joigne au groupe du mercredi soir vu qu'elle en a déjà fait. Elle ne se fait pas d'illusion, elle sait très bien que deux heures de cours par semaine ne feront pas des miracles, mais ils contribueront sûrement à lui donner la motivation nécessaire pour ne pas succomber à la cigarette. Et si ce n'est pas suffisant, eh bien elle trouvera autre chose.

Vincent lui a annoncé qu'il ne fumerait plus en sa présence. C'est un bien petit pas vers la rédemption étant donné le nombre d'heures qu'ils passent ensemble dans une semaine, mais Agathe l'a remercié en souriant.

— Je sais que c'est juste une goutte d'eau dans l'océan, mais ça prend un commencement à tout. Et je ne fumerai pas devant tes enfants non plus, pour être certain de ne pas les influencer.

C'est demain soir qu'Agathe présentera Vincent à ses enfants. Ce serait mentir de dire que ça ne l'inquiète pas ; en réalité, elle est terrifiée par la réaction que pourrait avoir Isabelle. Elle leur a parlé un peu de son amoureux hier soir pour les préparer à cette rencontre. Ses enfants l'ont tous écoutée sans l'interrompre, mais sans manifester le moindre intérêt. Est-ce parce qu'ils ne réalisent pas la portée de cet événement ? Ou est-ce parce qu'ils s'en foutent totalement ? Et si c'était parce qu'ils refusent que Vincent remplace leur père ? Agathe n'a pas cherché à creuser la question par peur de déclencher une panique générale. Tout ce qu'elle souhaite, c'est que Vincent les aime. Et pour le reste, elle verra bien assez vite comment ça se passera.

Agathe regarde l'heure et elle abandonne aussitôt ce qu'elle est en train de faire. Elle a tout juste le temps de ramasser ses affaires avant de se mettre en route pour Montréal. Vu qu'elle allait sur l'île pour livrer une murale à une cliente en début d'après-midi, elle a appelé Anna pour lui demander si elle pouvait se libérer pour qu'elles aillent dîner ensemble. Agathe a fait la même offre à Céline, mais comme elle s'en doutait, sa sœur ne pouvait pas. Celle-ci a un cours qui se termine à midi et un autre qui commence à treize heure. Étant donné que la distance entre l'université et le restaurant où elle a donné rendez-vous à Anna est trop grande, Céline a été forcée de décliner son invitation.

— Viendras-tu au moins à notre sortie de filles ?

— Je ne manquerais pas ça pour tout l'or du monde, je l'ai même inscrite en rouge dans mon agenda. Dis à Anna que j'irai la voir bientôt.

Anna est déjà là lorsqu'Agathe fait son entrée dans le restaurant.

— J'étais certaine que tu finissais juste à midi, dit Agathe après l'avoir saluée.

— C'est vrai, mais j'ai pris quelques minutes dans ma banque de temps. J'avais une petite commission à faire pour Jack.

— Parlant de Jack, comment va-t-il ?

— Parles-tu de ses hémorroïdes ou de son caractère ?

Agathe n'a pas besoin d'en entendre davantage pour comprendre que le torchon brûle encore entre Anna et son mari.

— Vas-y, je t'écoute.

— Tout va pour le mieux en bas, répond sèchement Anna, c'est quand on monte que ça se complique. Je n'ai jamais rencontré quelqu'un ayant la tête aussi dure que lui. Il a élu domicile sur le divan depuis qu'on est allés chez le notaire et il ne m'adresse la parole que lorsque c'est absolument nécessaire. Je commence sincèrement à en avoir plus qu'assez de son petit jeu, tellement que je suis sur le point de lui donner son bleu.

Anna a retourné la question plusieurs fois dans sa tête. Elle veut bien se montrer compréhensive, mais la situation dépasse large-ment les limites cette fois-ci. Jack peut penser ce qu'il veut, mais il n'a pas le droit d'exiger qu'elle se débarrasse de l'argent de Rémi sous prétexte que monsieur n'en apprécie pas la provenance. Ne serait-ce que par principe, jamais Anna n'acceptera de se plier à ses conditions.

— J'ai même pensé à demander à Patrick s'il pourrait lui louer une chambre le temps qu'il revienne à de meilleures intentions.

— Je suis surprise que vous n'arriviez pas à trouver un terrain d'entente, dit Agathe. Vous avez l'habitude de vous entendre tellement bien.

— En fait, Rémi nous causait moins de problèmes de son vivant que depuis qu'il est mort. J'ai tout essayé pour tenter de ramener les choses, mais je parle dans le vide. Jack entend ce que je lui dis, mais il continue de m'ignorer.

— Et tu penses sérieusement à lui donner son bleu ?

— Oui, répond Anna d'une voix assurée. Je ne suis pas du genre à laisser un homme me mener par le bout du nez, encore moins si cette personne est mon mari. Je suis sa femme, pas son esclave. Je ne lui demande pas de penser comme moi, j'exige seulement le respect et il ne me respecte pas en agissant comme il le fait. Je n'ai pas envie de me rendre jusqu'au divorce, mais il va devoir changer d'attitude envers moi s'il veut que notre couple ait une chance de survivre.

C'est la première fois qu'Anna réagit de manière aussi cassante et Agathe doit avouer que ça l'inquiète beaucoup. Elle ne voudrait pas que sa sœur se retrouve dans la même situation qu'elle, et surtout pas pour une question d'argent. Agathe a de la difficulté à comprendre pourquoi Anna refuse catégoriquement de bouger de ses positions. Certes, elle a hérité de pas mal d'argent et Agathe est contente pour elle, mais s'il faut choisir entre la richesse et l'amour, le choix ne devrait pourtant pas être difficile.

Comme si elle lisait dans ses pensées, Anna ajoute :

— Tu comprends, je ne pourrais pas continuer à aimer quelqu'un qui ne me respecte pas, et c'est exactement ce que Jack est en train de faire. Ce n'est plus une question d'argent, mais bien une question de principe. Même ses parents n'arrivent pas à saisir pourquoi il s'entête autant.

— Pauvre toi !

— Tu n'as pas besoin de me plaindre, je vais survivre quoi qu'il arrive. Ça peut paraître anodin par rapport à tout ce que Patrick a pu te faire subir, mais pour moi ça relève du même domaine.

Les deux sœurs arrêtent de parler quand la serveuse arrive avec leur assiette. De toute façon, elles savent toutes les deux qu'elles ne tireront rien de plus de cette conversation. Elles entament ainsi un sujet beaucoup moins personnel.

— Es-tu au courant de la dernière ? demande Anna. Ils ont annoncé que Pauline Marois venait de se rallier à Jacques Parizeau.

— Oui, et je pense que c'est une bonne affaire. On a besoin de femmes comme elle si on veut faire avancer les choses.

* * *

Il y a longtemps que Francis n'a pas eu aussi hâte de finir son quart de travail. Karine et lui ont passé la journée à régler des chicanes de couple.

— On dirait vraiment qu'ils se sont tous donné le mot pour se crêper le chignon aujourd'hui, s'exclame Karine en montant dans l'auto de patrouille. Moi, je perds toute envie de me marier, et même de tomber amoureuse, après une journée comme celle-là.

Karine a toujours cru en l'amour, mais elle a commencé à en douter depuis qu'elle intervient chez les gens. Il ne se passe pas une seule journée sans qu'une femme violentée crie haut et fort qu'elle aime son bourreau et que, pour cette raison, elle ne portera pas plainte, même s'il vient de la défigurer ou de lui casser des côtes. Pour Karine, cela la dépasse totalement.

— Il va falloir que tu t'habitues, lance Francis en rigolant, parce que tout ce qu'on voit dans notre travail c'est la misère et la détresse humaine. Je l'ai toujours dit, ça prend un moral d'acier pour être policier. On est comme les pompiers, personne ne nous appelle pour nous annoncer que tout va bien.

— Je veux bien croire, renchérit Karine, mais je trouve qu'il y en a beaucoup qui exagèrent. Fais juste penser au dernier couple qu'on est allés voir. Ils habitent un château et ils ne sont même pas assez matures pour arriver à s'entendre. Ils devraient consulter un psychologue au lieu d'appeler la police, surtout qu'ils ont les moyens de payer.

Francis signale alors qu'ils passent devant un Dunkin' Donuts et enfile dans la cour. Un bon café leur fera le plus grand bien.

— Tu as raison. J'ignore pourquoi le premier réflexe que tout le monde a dès que quelque chose ne va pas, c'est de nous appeler.

— Et rappelle-toi le jeune couple qui se tapait sur la gueule allègrement pendant qu'on était là, on a même été obligés de les menacer de les embarquer pour qu'ils arrêtent. Je suis souvent déçue quand je vois toute la violence dont l'homme est capable, et je parle évidemment de l'homme avec un grand H.

Francis est toujours surpris par les réactions un peu fleur bleue de Karine lorsqu'ils font face à de telles situations. Pour sa part, il y a un sacré bout de temps qu'il ne se fait plus d'idées à propos de la race humaine. Et du moment qu'il parvient à retrouver l'ombre d'une petite illusion, un seul bulletin de nouvelles à la télévision suffit pour la lui faire perdre aussitôt. Nous vivons dans un monde beau en apparence, mais si l'on creuse un peu, on s'aperçoit très vite que l'azur féérique du ciel cache une multitude de trous noirs par lesquels on est tous à risque de se faire aspirer à un moment ou à un autre de notre vie.

Contrairement à ce que Francis croit, Karine n'est pas aussi fleur bleue qu'il se l'imagine. Elle déplore seulement le fait qu'il y ait autant de méchanceté gratuite. Et c'est justement pour aider son prochain qu'elle a choisi ce métier. La dure réalité lui a rapidement appris qu'on ne peut pas aider quelqu'un contre son gré, et ce, même avec la meilleure volonté du monde. Certaines personnes sont fondamentalement méchantes alors que d'autres sont simplement victimes d'une situation isolée qu'ils n'ont pas cherchée, mais dans laquelle ils sont tombés à cause d'une suite d'événements qui ont échappé à leur contrôle.

— Mon père te dirait que, là où il y a des hommes, ajoute Francis, il y a de l'hommerie.

Francis va chercher les cafés. Une odeur de cigarette lui monte au nez lorsqu'il prend sa première gorgée.

— Tu ne me croiras peut-être pas, mais j'ai envie de fumer chaque fois que je bois un café.

— Au contraire, je crois que c'est tout à fait normal. J'ai lu que c'est à cause de l'association que ton cerveau fait entre la cigarette et le café. Il paraît que ton envie de fumer va finir par s'estomper avec le temps.

— J'espère, parce que je ne suis pas certain que je résisterais si tu me fumais au nez à longueur de journée.

Son patron demande à voir Francis lorsqu'ils arrivent au poste. Les deux hommes prennent rapidement des nouvelles l'un de l'autre.

— J'imagine que tu es déjà au courant, dit son patron. On va recevoir des stagiaires dans deux semaines et il y a une femme parmi eux. Je suppose que tu me vois venir… je voudrais que tu t'en occupes.

— Tu ne pourrais pas demander à quelqu'un d'autre pour une fois? laisse tomber Francis en soupirant. Je n'ai pas envie de jouer au professeur ces temps-ci.

Francis n'a aucun doute: il héritera de la nouvelle recrue quoi qu'il dise. C'est pourquoi il décide de prendre les devants.

— Bon, d'accord, je vais le faire, ajoute-t-il, mais à deux conditions. C'est moi qui choisis avec qui tu vas placer Karine pendant ce temps-là.

Son patron le regarde aussitôt d'un air sévère. C'est bien parce qu'il a beaucoup de respect pour Francis qu'il le laisse continuer.

— Tu devrais la jumeler avec Yves, suggère Francis. Il est un peu vieux jeu, mais je suis sûr qu'il la respectera. Et ma deuxième condition, c'est que je reviendrai avec Karine sitôt le stage terminé.

— Ça me va, accepte le patron. Je les verrai tous les deux demain pour les mettre au courant du changement.

Francis fait un petit détour par le bureau de Jack avant de s'en aller. Comme Jack est au téléphone, il peut l'observer à loisir. S'il se fie à ce qu'il voit, son ami n'en mène pas plus large que le jour où il a appris que son frère s'était fait tirer. Francis s'assoit sur la chaise en face de lui et il joue à ouvrir et fermer un stylo le temps que Jack raccroche.

— Sais-tu que tu as une face d'enterrement, Jack ? lance Francis d'une voix sourde. Ça te dirait de traverser à Belœil ? Je t'invite à souper chez nous.

Jack regarde son ami sans aucune émotion. Devant son silence, Francis répète sa question. Après quelques instants de réflexion, Jack répond :

— C'est d'accord. Veux-tu que j'apporte la bière ?

— Non, ce ne sera pas nécessaire.

***

Lorsque Suzie voit l'air de Jack, elle ne peut s'empêcher de parler.

— Mon pauvre Jack. J'ignorais que la mort de ton frère t'affligeait autant.

Jack pourrait passer par-dessus, mais il décide d'expliquer à Suzie pour quelle raison il a l'air aussi perturbé. Lorsqu'il arrive au bout de son plaidoyer, elle s'écrie :

— Pauvre Anna ! Si j'étais à ta place, Jack, je ferais très attention à elle si tu ne veux pas la perdre. C'est une bonne personne, mais j'ai bien peur que tu finiras par le regretter si tu la pousses à bout.

— Je veux juste qu'elle se débarrasse de l'argent sale de mon frère, plaide Jack. Ce n'est pourtant pas si compliqué que ça.

— Je ne le ferais pas non plus si j'étais à sa place. Mais c'est ta vie après tout. Si tu veux la passer seul avec la rage au cœur, le moins qu'on puisse dire, c'est que tu es sur la bonne voie.

Francis est étonné que Suzie se permette d'aller aussi loin avec Jack. Par contre, il est content qu'une femme lui ait dit ce qu'il se tue lui-même à lui répéter. Reste maintenant à voir comment Jack réagira face à la situation. Sa réaction est immédiate. Il se lève de table en disant d'une voix chargée de colère :

— Vous ne comprenez rien.

Et il s'habille en vitesse et sort de la maison sans demander son reste.

Surpris par son emportement, Suzie et Francis se regardent en haussant les épaules.

— Je ne lui donne même pas un mois avant qu'il se retrouve dans la même situation que Patrick, prédit Suzie. Jamais je n'aurais pensé qu'il pouvait avoir la tête aussi dure.

— À vrai dire, moi non plus. Je n'arrive pas à saisir pourquoi il est incapable de lâcher le morceau. Je peux te dire que je le laisserais se dépatouiller avec ses affaires si ce n'était pas mon ami. Je plains sincèrement Anna dans toute cette histoire. Prendrais-tu un verre de vin ?

— Quelle bonne idée ! Au fait, je suis passée à l'agence de voyages pour notre petite escapade à Washington et je me suis fait dire que le printemps était une excellente période pour y aller. Apparemment, tout est fleuri et il ne fait pas trop chaud. Qu'en penserais-tu si on y allait après Pâques ? Ce serait plus facile pour mon père de venir me remplacer.

Robert n'a jamais failli à son engagement envers Suzie. Il vient régulièrement passer une semaine à l'agence, mais il réduit ses déplacements quand il commence à neiger. Suzie apprécie toujours autant son travail, ses conseils et sa présence à titre de père aussi. Ils font une équipe du tonnerre à eux deux, et plus d'un le souligne lorsqu'ils assistent à une rencontre d'affaires ensemble. L'entreprise de Suzie ne cesse de prendre du galon, et pas seulement à Belœil. Son agence est devenue en quelques mois à peine la référence pour bon nombre de Montréalais qui souhaitent venir s'installer sur la Rive-Sud.

— En le sachant d'avance, je suis sûr que je pourrai m'arranger, répond Francis. Veux-tu que je demande à maman de venir garder?

— Laisse-moi juste le temps de fixer une date et tu pourras l'appeler.

Le choix de Washington s'est imposé de lui-même puisque cette ville revêt de nombreux visages: paradis du magasinage, musées, rues animées, multiples restaurants… De quoi satisfaire autant les goûts de Francis que ceux de Suzie. Et puis, à force de voyager ensemble, ils ont fini par développer des trucs pour que chacun d'eux y trouve son compte.

Chapitre 24

Ce n'est qu'après en avoir été séparé que Patrick a réalisé à quel point il était attaché à son chien. Il a tout essayé pour le faire accepter par son propriétaire, mais ce dernier n'a rien voulu entendre.

— Je ne dis pas si vous aviez eu un petit chien de maison, mais un chow-chow, c'est beaucoup trop gros.

Patrick a bien vu qu'il n'avait aucune chance d'obtenir gain de cause. Il s'est donc résolu à trouver un nouveau foyer à Shelby, mais seulement après avoir appelé Agathe.

— Tu n'y penses pas! s'est-elle écriée. J'ai déjà quatre enfants sur les bras et tu sais très bien que ton chien et moi n'avons jamais été les meilleurs amis du monde. Je t'appelle si je pense à quelqu'un qui voudrait le prendre.

Patrick a donc pris le chemin de la Société protectrice des animaux en désespoir de cause. Il a mis au moins dix minutes avant de trouver le courage de sortir de son auto avec Shelby. Une fois à l'intérieur, il avait du mal à aligner deux mots – tellement qu'il s'est même excusé auprès de la jeune femme qui était venue lui répondre.

— Ne vous en faites pas avec ça, c'est normal. Mais, j'y pense… quelqu'un est passé la semaine dernière pour nous demander de l'aviser si jamais on se faisait donner un chow-chow. Je peux l'appeler tout de suite si vous voulez…

Un type d'une trentaine d'années a fait son entrée un quart d'heure plus tard. Il s'est accroupi devant Shelby aussitôt qu'il l'a vue et l'a fixée pendant plusieurs secondes. La chienne, habituellement de nature peu sociable, s'est approchée de l'homme et lui a léché la main. Patrick n'en revenait tout simplement pas.

— Pourquoi vous vous en débarrassez ? lui a demandé l'individu.

Une fois l'explication de Patrick terminée, l'homme a ajouté :

— Je suis prêt à la prendre avec moi et vous pourrez même passer la voir quand l'envie vous prendra. Il suffira seulement de m'appeler avant.

Et ce dernier lui a expliqué que Shelby passerait ses journées avec lui à son usine. Il lui a aussi indiqué qu'il habitait à l'extérieur de Belœil, ce qui signifiait qu'elle aurait beaucoup d'espace à sa disposition. Patrick a examiné le type de haut en bas avant de lui dire :

— Elle s'appelle Shelby, et je vous la confie.

Patrick a pris la carte que l'homme lui tendait, lui a serré la main et il a caressé sa chienne pour une dernière fois. Il savait qu'il n'irait jamais la voir parce que ce serait trop dur pour lui.

Son appartement «a beau être beau» comme il se plaît à le dire chaque fois qu'il y met les pieds, il ne se sent pas moins seul pour autant. Il a pensé qu'il pourrait s'acheter un oiseau, mais il s'est vite rendu à l'évidence que ce n'était pas pour lui après en avoir parlé à quelques collègues de travail. Tous lui ont suggéré d'adopter un chat ou même un poisson rouge. Une de ses collègues lui a offert de lui procurer un chaton.

— Tu peux même venir le choisir si tu veux, l'a-t-elle encouragé. Mes parents possèdent une ferme près de Saint-Hyacinthe et ma mère m'a dit qu'elle avait cinq chatons à donner.

Ils ont donc convenu qu'ils iraient ensemble ce matin. Patrick tire les rideaux pour savoir quel temps il fait dès qu'il ouvre les yeux. C'est à peine s'il neige, ce qui le rend très heureux de ne pas avoir à déneiger son auto pour une fois. Il saute en bas du lit et il file à la douche. Il a offert à Steve de l'accompagner et son fils a tout de suite accepté. Il a même demandé à son père s'il pouvait passer la journée avec lui.

Une fois Steve à bord, Patrick va chercher sa collègue Annie à Sainte-Julie. Ils prennent ensuite l'autoroute en direction de Saint-Hyacinthe. Steve babille pendant tout le trajet, ce qui fait beaucoup rire Patrick. Il avait pratiquement oublié à quel point ça pouvait être bon de passer du temps avec son fils.

Patrick a apprécié la compagnie d'Annie bien plus qu'il ne l'aurait cru, tellement qu'il l'a invitée à manger avec Steve et lui. Ils se sont arrêtés pour acheter une grande pizza et des frites afin de faire plaisir à Steve. Avant d'avoir mangé son dessert, Steve avait déjà supplié son père de lui accorder la permission de dormir chez lui. Sa requête a enchanté Patrick. Ils ont ramené Annie chez elle en fin d'après-midi et ils sont allés se louer un film avant de rentrer à l'appartement.

Patrick entend sonner son téléphone pendant qu'il tourne la clé dans la serrure. Il enlève ses bottes en vitesse et saisit le combiné à la quatrième sonnerie.

— Salut, Patrick! C'est Anna. J'ai une petite faveur à te demander. Crois-tu que tu pourrais héberger Jack pendant quelques jours?

— Je ne peux pas ce soir, car Steve dort ici. Mais ce serait possible à partir de demain, par contre. Est-ce que ça va, Anna? Je trouve que tu as une drôle de voix…

— C'est loin d'être la joie, mais ça peut aller. Je vais demander à Jack de t'appeler demain. Embrasse Steve pour moi, s'il te plaît.

Patrick a eu vent que la relation d'Anna et Jack s'avérait tendue, mais il n'aurait jamais imaginé que c'était au point qu'elle demande à Jack d'aller dormir ailleurs.

— Papa, dit Steve, est-ce qu'on va pouvoir manger devant la télévision ?

Patrick ébouriffe les cheveux de son fils et il éclate de rire.

— Si c'est tout ce que ça prend pour faire ton bonheur, mon gars, je n'ai pas de problème avec ça. Mais il va d'abord falloir que tu me promettes de ne rien dire à ta mère.

— Motus et bouche cousue, réplique aussitôt le jeune garçon en alliant le geste à la parole.

Après leur film, Steve lui annonce tout bonnement que sa mère a un *chum* et que celui-ci est très gentil avec sa sœur, ses frères et lui.

— Il s'appelle Vincent et il est docteur.

Patrick se mettrait à crier s'il était seul, mais comme ce n'est pas le cas, il se contient tant bien que mal. De toute façon, à bien y penser, il n'aurait aucune raison de s'emporter. Agathe n'a plus de comptes à lui rendre puisqu'elle est libre maintenant, mais cela lui fait quand même un petit pincement au cœur de savoir qu'un autre homme que lui pose ses mains sur elle.

— Est-ce que tu sais si ça fait longtemps que ta mère sort avec lui ?

— Non, répond Steve en haussant les épaules. Tout ce que je sais, c'est que même Isabelle est fine avec lui, très fine. Elle n'arrê-tait pas de lui poser des questions à propos de son travail. Ce n'est pas des blagues, papa, elle est restée avec nous jusqu'à ce que Vincent s'en aille à son hôpital.

Avoir été capable de captiver l'intérêt de sa fille pendant aussi longtemps tient du miracle, et Patrick ressent de l'admiration envers cet homme juste pour ça. Il n'ira pas jusqu'à le remercier de baiser sa femme, ou plutôt son ex, mais ce Vincent mérite au moins son respect de ce côté-là.

— Voudrais-tu jouer une partie de cartes? demande Patrick.

Les yeux de Steve se mettent aussitôt à briller.

— Il faut que tu sois prêt à te faire battre, par contre, ajoute Patrick en riant, parce que je n'ai pas l'intention de te laisser de chances aujourd'hui.

— On va jouer à la bataille et tu verras à quel point je suis fort.

Au moment d'aller dormir, Patrick va dans la chambre de Steve pour s'assurer qu'il est bien couvert. Il dépose même un baiser sur le front de son fils, récupère son chaton au passage et sort de la pièce sans faire de bruit. Patrick réalise aujourd'hui que ce n'est pas si compliqué de s'occuper d'un enfant. Il doit même avouer que ça lui a plu beaucoup plus qu'il l'aurait cru. Il lève son nouvel ami à la hauteur de ses yeux et lui dit:

— Bienvenue dans ta nouvelle maison!

Patrick aurait bien voulu l'appeler par son nom, mais Steve a changé d'idée tellement souvent depuis qu'ils l'ont pris à la ferme qu'il a complètement oublié le dernier en lice. Il demandera à son fils de lui rafraîchir la mémoire demain matin.

* * *

Les filles en sont seulement à leur deuxième verre, à l'exception d'Anna qui vide son quatrième. Regroupées dans le salon de Mado, elles discutent à qui mieux mieux en montant le ton d'un cran chaque fois que l'une d'elles veut rajouter son grain de sel. Vient un temps où elles parlent tellement fort qu'elles sont pratiquement obligées de crier pour se faire entendre. Anna, qui en a assez de ce tintamarre, siffle avec ses doigts, ce qui a pour résultat de saisir tout le monde. Tous les regards se tournent instantanément vers elle.

— Il faudrait vraiment qu'on change de tactique, affirme-t-elle en exagérant son articulation, parce qu'on n'arrive plus à se comprendre. Je suggère qu'on parle à tour de rôle, et même qu'on lève la main avant de parler.

Avant que quelqu'un ait le temps de se proposer, Anna s'écrie d'un ton autoritaire :

— Et c'est moi qui commence.

Elle poursuit sur un ton plus doux :

— Au cas où vous ne le sauriez pas, j'ai hérité de pas mal d'argent du frère de mon mari. Jack veut absolument que je le donne à une œuvre de bienfaisance, mais je refuse catégoriquement. Jack dort sur le divan depuis qu'on est passés chez le notaire et ça m'énerve. J'ai même demandé à Patrick de l'héberger jusqu'à ce qu'il retrouve la raison. Je savais que mon mari était une vraie tête de cochon, mais je me serais vraiment passé de ça.

Agathe s'approche aussitôt de sa sœur et la prend par le cou.

— Viens avec moi, dit-elle, je vais te faire un bon café.

— Je ne veux pas de café, se défend Anna avec énergie. Je veux me soûler et personne ne va m'en empêcher, pas même toi.

Mado regarde sa cousine et lui lance :

— Appelle Jack pour l'avertir que tu vas dormir ici, et moi, je m'occuperai de remplir ton verre autant que tu le voudras.

— Et j'ai envie de danser aussi. Je veux aller à la discothèque pour m'éclater sur la piste de danse.

Personne n'a jamais vu Anna dans cet état. La plupart des filles ont de la difficulté à comprendre pourquoi Jack tient tant à ce qu'elle se départisse de son héritage. Il semble tout à fait normal qu'Anna veuille garder l'argent pour gâter sa famille. Quant à celles qui connaissent l'histoire, elles se gardent bien de donner des détails.

— Mon beau-frère travaillait pour la mafia, ajoute Anna. Jack dit que c'est de l'argent sale, mais moi je m'en fous de la couleur qu'il a. Et pourquoi serait-il assez propre pour une bonne œuvre et pas pour moi ?

En entendant ça, Agathe entraîne aussitôt Anna vers la cuisine en la tirant par le bras et elle l'intime de se taire. Elle la fait ensuite asseoir à la table et lui prépare un café bien fort, extra Baileys s'il vous plaît.

Pendant ce temps, au salon, Suzie emboîte le pas à Anna et ainsi de suite jusqu'à ce que toutes aient eu la chance de s'exprimer. Étant donné qu'Anna n'a pas voulu arrêter de boire, elle dort comme un bébé sur le divan quand vient l'heure d'aller danser.

— Je vais la ramener chez elle, propose Céline, et j'irai vous rejoindre à la discothèque après.

— Veux-tu que j'y aille avec toi ? demande Mado. Tu risques d'avoir de la difficulté à la sortir de l'auto. Elle est tellement soûle qu'elle est molle comme de la guenille.

— OK !

Céline et Mado la ramènent chez elle et rejoignent les autres à la discothèque dans l'heure qui suit. Elles dansent jusqu'à ce que le DJ mette la dernière pièce, soit le légendaire *slow* langoureux. Elles se sont amusées comme des petites folles, mais c'est maintenant le temps de partir. Elles vont récupérer leur manteau et leurs bottes avant que les lumières s'allument. Les amies se font la bise en se promettant de ne pas attendre aussi longtemps avant de remettre ça. Il est près de quatre heures quand les filles de Belœil rentrent chez elles, fatiguées, mais très satisfaites de leur soirée.

Chapitre 25

Anna a tellement mal à la tête qu'elle peine à ouvrir les yeux. Elle prend son courage à deux mains et se lève pour aller boire un peu d'eau. Sa réalité lui revient d'un coup dès qu'elle aperçoit la place libre à ses côtés dans le lit. Elle a l'impression que la tête va lui exploser et elle se dit que c'est la dernière fois qu'elle boit autant. Anna ne se souvient pas de grand-chose de sa soirée avec les filles, mais elle sait qu'elle a levé le coude comme jamais elle ne l'a fait. C'est tout juste si elle ne se tient pas après les murs pour aller jusqu'à la salle de bain où se trouve la bouteille d'aspirines. Chacun de ses pas résonne dans sa tête comme autant de coups de marteau. Elle se verse un grand verre d'eau qu'elle boit d'un trait. Anna le remplit à nouveau et avale ses deux comprimés. Regardant l'heure, elle se dit qu'elle dispose d'un peu de temps avant le réveil des enfants et le commencement de sa journée de torture. Elle jette un coup d'œil dans le salon au passage et, voyant que Jack a les yeux ouverts, elle le rejoint et s'adresse à lui d'une voix pâteuse à souhait :

— Ça ne peut pas continuer comme ça, Jack.

— Je sais bien, mais je n'ai pas l'intention de revenir sur ma position.

Si elle ne se sentait pas aussi mal en point, Anna se jetterait sur lui et le rouerait de coups tellement elle est furieuse. De tous les gens qu'elle a rencontrés dans sa vie, Jack remporte la palme du plus têtu d'entre tous. Il n'arrive pas à comprendre que jamais elle ne le laissera gagner sur ce point. C'est pourtant simple : si elle cède à son exigence, elle cessera aussitôt de l'aimer. Elle se sent prise au piège comme une vulgaire souris et elle sait qu'elle sortira perdante peu importe la voie qu'elle empruntera. Jack ressent la même chose.

— J'ai peur pour nous deux, ajoute Anna dans un souffle.

Jack s'assoit et la regarde tendrement. C'est la première fois qu'il pose un tel regard sur elle depuis la lecture du testament. Cela réjouit Anna, malgré son mal de tête qui ne cesse d'empirer.

— Je voudrais tellement pouvoir revenir en arrière, dit-il, tout juste avant que le notaire lise le testament de Rémi. J'en veux de toutes mes forces à mon frère ; il n'avait pas le droit de me faire ça.

Anna essaie de réfléchir, mais une douleur intense lui martèle les tempes chaque fois qu'elle cligne des yeux. Dans un effort suprême, elle parvient à penser à cette maudite histoire qu'elle a retournée des centaines de fois dans sa tête, puis déclare :

— Rémi t'aimait beaucoup trop pour te faire du mal. Moi, je pense que c'était pour se faire pardonner qu'il est passé par moi, pour être sûr que tu profiterais de cet argent. Il te connaissait assez bien pour savoir que tu étais trop fier pour l'accepter. C'est un peu comme si on avait gagné à la loterie…

Puis, à brûle-pourpoint, Anna s'approche de son mari et elle lui tend la main.

— Je ne veux plus jamais dormir sans toi, gémit-elle, la voix remplie d'émotion. Tu me manques trop.

Contre toute attente, Jack pose sa main sur celle d'Anna et la suit jusque dans leur chambre. Ils s'étendent côte à côte.

— Je voudrais seulement me coller un peu, murmure Anna en se serrant contre son mari.

Aussitôt que leurs corps se touchent, un désir innommable les enflamme, un désir où même le mal de tête le plus virulent se transforme instantanément en un souvenir lointain et où la colère cède sa place à la passion à son état le plus pur.

Lorsque les enfants se réveillent, Jack se décolle d'Anna pour aller les voir, mais elle le retient en le suppliant :

— Ne bouge pas, je t'en prie.

Jack se tourne vers elle et lui caresse la joue.

— Je vais les chercher.

Anna desserre son étreinte et sourit à son mari. Ils n'ont sûrement pas fini de traverser le désert où ils ont été parachutés un jour d'héritage, mais cette oasis où ils ont pu faire une pause leur a fait beaucoup de bien.

* * *

Installé à la table de la cuisine, Francis regarde une fois de plus les plans de l'immeuble que Pierre et lui s'apprêtent à construire. C'est fou les heures qu'ils ont consacrées à peaufiner leur projet. Comme le père de Jack le leur a dit, c'est la première qui est la pire. À présent, l'un comme l'autre, ils trouvent l'hiver interminable et ils ont hâte au dégel pour pouvoir débuter les travaux. Mais ils ont encore beaucoup de pain sur la planche avant de sortir leurs marteaux. Il faut choisir les couvre-sols, les accessoires des salles de bain, les armoires, la robinetterie… La liste s'allonge à l'infini. La dernière fois qu'ils ont été en congé en même temps, ils ont fait le tour des quincailleries pour trouver les meilleurs prix. Reste maintenant à sélectionner le tout et, pour ce faire, ils ont accepté de rencontrer la décoratrice de l'endroit où ils achèteront le plus gros du matériel. Suzie aurait bien voulu jouer ce rôle, mais elle est trop occupée pour s'en mêler.

— Merde! s'écrie Suzie en butant encore sur la même note.

Son juron fait sourire Francis. Suzie est tellement exigeante dans tout ce qu'elle entreprend qu'une simple fausse note la met hors d'elle.

Elle dépose son violon dans son étui la seconde d'après et elle vient rejoindre Francis.

— Je ne comprends pas pourquoi j'accroche toujours sur la même note, se plaint-elle en saisissant la cafetière. Je n'aurais jamais dû accepter de jouer pour la campagne de financement de l'école de musique.

— Tu t'en fais pour rien, tente de la rassurer Francis, je suis sûr que tu seras excellente. Et rappelle-toi : tu ne seras pas seule, car tu joueras avec Pierre-Luc.

— C'est justement ça qui m'énerve le plus. Je te rappelle que notre fils est une étoile à l'école et que je ne voudrais surtout pas lui faire honte devant tout le monde. D'ailleurs, tu as entendu aussi bien que moi ce qu'il m'a balancé hier au souper.

Suzie ajoute, en essayant d'imiter la voix de Pierre-Luc :

— Il va falloir que tu répètes encore pas mal si tu ne veux pas faire de fausses notes. La salle sera remplie de gens qui auront payé cher pour venir nous entendre. Comme mon professeur l'a dit, on n'a pas le droit de les décevoir.

Francis se met à rire en l'entendant imiter leur fils. Il se rappelle très bien avoir entendu Pierre-Luc mettre sa mère en garde. Il avait même trouvé que son fils y allait un peu fort.

— Depuis quand t'en laisses-tu imposer par un enfant?

Suzie fait la moue.

— Tu as raison. Pour tout avouer, je me suis laissé charmer par le tableau romantique de la mère jouant du violon avec son fils alors qu'en réalité je n'avais ni le goût ni le temps d'ajouter cette activité à mon horaire.

— Tu peux appeler l'école et dire que tu as changé d'idée.

— Mais non! Tu n'y penses pas, le spectacle est dans trois semaines et le programme est déjà imprimé. Et Pierre-Luc ne me le pardonnerait jamais, il est tellement heureux de jouer avec moi.

Dans des situations comme celle-là, Francis remercie le ciel de ne pas être né dans le corps d'une femme. Suzie pense toujours à tout et à tout le monde avant de songer à elle. Elle participera au spectacle même si cela lui demande des efforts surhumains. Elle s'est engagée et elle respectera sa parole – à son détriment, s'il le faut. Dans la même situation, Francis n'hésiterait pas à renoncer au projet. Certes, il décevrait son fils au passage, mais ça lui permettrait d'apprendre qu'il y a des moments dans la vie où il faut savoir reconnaître qu'on a fait une erreur en s'engageant sur cette voie.

— Je pense que tu t'inquiètes pour rien. Je suis certain que notre fils finirait par s'en remettre.

Suzie prend quelques secondes pour réfléchir aux paroles de Francis. Une partie d'elle est d'accord avec lui: on a toujours le droit de changer d'idée. C'est d'ailleurs une des choses qu'elle se tue à apprendre à ses enfants. Mais une autre partie d'elle refuse de décevoir Pierre-Luc, parce qu'elle sait à quel point c'est important pour lui de jouer avec elle. Il fallait voir comme il était fier d'apprendre la nouvelle à tout le monde à l'école de musique.

— Je ne pourrais pas lui faire faux bond même si je le voulais, en tout cas pas cette fois. Ne t'inquiète pas pour moi, je finirai par l'avoir à force de persévérer.

— C'est comme tu veux. Changement de sujet, Philippe est venu passer un bout de soirée avec moi pendant que vous étiez à votre sortie de filles. Tu aurais dû le voir, il ne se possède plus tellement il est heureux. Laura a entrepris les démarches pour ouvrir une librairie à Lévis et elle a même accepté de lui céder des parts.

Francis n'a pas besoin d'indiquer à quel point la visite de son frère lui a fait plaisir puisque c'est écrit en lettres d'or sur son visage. Et il ne s'est pas gêné pour le dire à Philippe. Ils se sont même promis d'aller pêcher sur la glace la prochaine fois que Philippe viendra à Belœil.

— L'arrivée de Laura dans ta famille est une vraie bénédiction, déclare Suzie. Au risque de paraître méchante, sache que je préfère nettement Philippe et Olivier à tes autres frères.

Annette a multiplié les efforts pour que ses fils s'entendent, mais elle a fini par accepter le fait qu'être du même sang ne garantit en rien qu'ils aient des atomes crochus. Charles et Jean-Marc ont hérité de la rigidité de leur père, avec qui ils s'entendent à merveille, ce qui n'est pas le cas pour Philippe, Olivier et Francis qui ressemblent beaucoup plus à leur mère. Annette a dû se piler sur le cœur et accepter que sa famille ne soit pas aussi parfaite qu'elle l'aurait souhaitée. Elle a aussi dû faire un X sur les rencontres de famille où tous se réunissent pour faire la fête. Paul est borné et il ne supporte pas de recevoir Philippe et Olivier chez lui. Ils resteront toujours les deux brebis galeuses de la famille à ses yeux, et ce, peu importe ce qu'ils feront. Les gars le savent et ils ont arrêté de s'en faire avec ça. Ils ne prétendent pas que c'est la faute de leur père s'ils ont mal tourné, mais ils savent que Paul a sa part de responsabilités. Et puis, Philippe et Olivier ont largement passé l'âge de pleurer parce que leur père ne les aime pas. Lors des dernières fêtes, Paul a accepté de venir manger chez Laura et Olivier, mais il arborait un air revêche et personne n'a fait d'effort pour tenter de le ramener à de meilleures intentions. Tous venaient à peine de sortir de table que Paul annonçait à Annette qu'il était prêt à partir, ce à quoi elle a répondu qu'il devrait rentrer seul puisqu'elle avait prévu le coup en apportant ce qu'il fallait pour dormir. Il est parti en ne manquant pas de lui signifier que ce n'était certainement pas lui qui viendrait la chercher le lendemain. Annette s'était empressée de s'excuser pour son mari aussitôt qu'il avait fermé la porte de la maison.

— Et tu n'es pas la seule, poursuit Francis. Pour ce qui est de Laura, je suis d'accord avec toi sur toute la ligne. Je préfère ne pas penser où en seraient mes frères si elle n'était pas dans le décor. Avoir un casier judiciaire, que ce soit pour un petit ou un grand délit, c'est du pareil au même. Personne ne veut courir le risque d'engager un ancien prisonnier. Philippe m'a raconté que l'annonce de Laura était arrivée au bon moment puisque France était sur le point de faire une offre d'achat sur une maison à Charlesbourg. Tous deux pourraient très bien décider de déménager là-bas; dans ce cas, Philippe n'aurait qu'à voyager. Comme il m'a dit, pour lui, cela représente sensiblement la même distance à parcourir qu'actuellement. Je peux me tromper, mais je serais prêt à gager que Laura a devancé ses plans pour laisser France et Philippe choisir en toute quiétude l'endroit où ils s'installeront.

— France nous a justement parlé de la maison qu'elle veut acheter hier soir. Il paraît que Philippe et elle ont eu le coup de foudre pour cette résidence avant même d'y entrer. Je n'en reviens tout simplement pas! France n'est plus la même femme depuis qu'elle fréquente Philippe. J'irais même jusqu'à dire qu'elle est encore plus belle. Et il faut croire que je ne suis pas la seule de cet avis. Tu aurais dû voir le nombre d'hommes qui sont venus se poster à proximité d'elle aussitôt qu'elle a fait son entrée dans la discothèque.

— D'après moi, renchérit Francis, ils ne devaient pas se tenir là seulement pour la contempler, elle. Au cas où tu ne l'aurais pas remarqué, France est loin d'être la seule belle femme dans votre groupe, à commencer par toi.

À ces mots, Suzie s'approche de son mari et l'entoure de ses bras avant de l'embrasser. S'ensuit alors un long baiser passionné auquel ils doivent brusquement mettre fin lorsque les enfants pénètrent dans la maison. Ayant passé beaucoup de temps à jouer dehors, ils sont gelés. Francis se dépêche de mettre de l'eau à bouillir, puis il sort le Nestlé Quik pendant que Suzie s'affaire à aider les deux plus jeunes à enlever leur habit de neige.

— N'oublie pas les guimauves, papa! crie Pierre-Luc depuis le hall d'entrée.

***

Les enfants étaient tellement contents lorsque Agathe leur a appris que Vincent les invitait à souper chez lui qu'elle n'en est pas encore revenue. Sébastien lui a même demandé s'il pouvait emmener sa blonde, et Isabelle, qui veut maintenant devenir médecin, a insisté pour que son amie Caroline soit de la partie.

— Je suis certaine que ça ferait plaisir à Vincent, leur a-t-elle dit, mais mon auto n'est pas assez grande pour embarquer tout le monde.

Pour une fois, Agathe n'a pas eu à attendre après aucun d'entre eux au moment de partir, même qu'ils étaient tous prêts bien avant l'heure du départ. Ils se sont tous extasiés devant la maison quand Agathe a immobilisé son auto dans la cour de Vincent, et Isabelle n'a pas manqué de répéter qu'elle voulait devenir médecin. Les enfants n'avaient pas encore mis les pieds à l'intérieur de la résidence qu'ils étaient tous partants pour venir vivre ici – ce qui a fait beaucoup rire leur mère. La dernière fois qu'ils se sont vus, Vincent lui avait justement demandé si elle accepterait de déménager chez lui avec sa famille. Sur le coup, Agathe a été surprise de sa question, et elle s'est dit qu'elle serait bien mal placée pour accepter son offre après avoir demandé à Patrick de s'installer à proximité de chez elle pour que la vie soit plus facile pour les enfants. Devant son manque d'enthousiasme, Vincent lui a dit :

— On pourrait acheter une maison dans le coin de Belœil, si tu préfères.

— J'adore la tienne, lui a dit Agathe, et j'ai toujours eu un faible pour Sainte-Julie, mais il faudrait d'abord que j'en parle avec Patrick. Le pauvre vient tout juste d'emménager à Belœil à ma demande pour être près des enfants.

— Désolé, j'avais complètement oublié.

— Mais ça ne veut pas dire que c'est impossible, c'est seulement que je veux faire les choses correctement. Tu comprends, au nombre d'années qu'il me reste à traiter avec Patrick, j'aime autant l'avoir de mon bord.

Vincent savait qu'il arriverait chez lui pratiquement en même temps que ses invités. C'est pourquoi, la veille, il a acheté deux grandes pizzas prêtes à mettre au four ainsi que des boissons gazeuses et des chips. Il sait bien que cela ne constitue pas un repas idéal, mais Agathe lui a assuré que les enfants seraient heureux comme des rois avec un tel menu. Il a aussi pensé à acheter deux boîtes de petits gâteaux et de la crème glacée pour le dessert.

Vincent les accueille chaleureusement et il leur fait visiter la maison de fond en comble en répondant à toutes leurs questions.

— Pourquoi as-tu une maison aussi grande pour toi tout seul ? lui demande Steve.

— Parce que j'ai toujours voulu avoir des enfants.

Steve fixe Vincent et déclare :

— Si tu veux, moi, je suis prêt à déménager ici.

La spontanéité du garçon fait sourire Vincent.

Dans les secondes qui suivent, les trois autres suivent l'exemple de Steve, ce qui émeut beaucoup Agathe. Quant à Vincent, il est touché par l'attitude des enfants et ça le remplit d'espoir pour la suite des choses.

— Je vous ai bien entendus, lance Agathe, mais c'est un petit peu plus compliqué que ça. Je vous promets de vous revenir là-dessus, mais pour le moment, il vaudrait mieux qu'on prépare le souper. J'espère que vous ne m'en voudrez pas, c'est moi qui ai suggéré le repas à Vincent.

Quatre paires d'yeux se tournent aussitôt vers ce dernier. Devant l'insistance des jeunes, Vincent annonce le menu. Celui-ci fait l'unanimité.

— On peut même manger dans le salon, si vous voulez.

Cette fois, c'est Agathe qui le dévisage avec des yeux sévères, mais il ne se laisse pas impressionner pour autant. Il la regarde en souriant et lui décoche un clin d'œil.

Vincent avait oublié à quel point les enfants adorent la pizza. Il n'en est même pas resté une seule petite bouchée.

— Moi qui comptais sur les restes pour mon lunch, plaisante Vincent d'une voix faussement pleurnicharde.

— La prochaine fois, lance Sébastien, c'est trois qu'il faudra acheter.

Ils passent la soirée à discuter de tout et de rien. L'atmosphère est légère et ça crève les yeux que les enfants se sentent bien. Ils ont même aidé à tout ranger sans rechigner, pour une fois. Ils font promettre à Vincent de les réinviter au plus vite lorsqu'il leur annonce qu'il doit aller travailler.

— Je viens d'avoir une idée, dit Isabelle. On pourrait coucher ici la prochaine fois qu'on viendra. Qu'en penses-tu, maman ?

Ces quelques mots suffisent à émouvoir Agathe, et pour une fois ce sont des larmes de joie que lui inspire Isabelle. Il est encore trop tôt pour crier victoire, mais Isabelle n'a plus rien du vilain petit canard depuis qu'elle a fait la connaissance de Vincent. Elle se montre même gentille avec sa mère.

Constatant l'état d'Agathe, Vincent prend la parole :

— Je trouve que c'est une excellente idée, Isabelle.

— Moi, renchérit Dominique, je dormirai dans la chambre bleue.

Et les trois autres enchaînent en faisant part de leur choix avant même que Vincent et Agathe aient réalisé ce que Dominique vient de dire. Par un heureux hasard, ils ont tous choisi une chambre différente, ce qui ramène le sourire sur les lèvres d'Agathe.

Agathe a attendu que tout le monde soit couché avant de se servir un verre de cognac. Elle sourit à pleines dents en repensant au souper chez Vincent. Il y avait bien longtemps qu'elle n'avait pas été aussi fière des siens. Et elle est enchantée de l'accueil chaleureux que ses enfants ont réservé à Vincent. Il lui arrive de penser que, si elle s'était décidée à aller voir la tireuse de cartes de Suzie et que celle-ci lui avait prédit qu'elle quitterait Patrick et qu'elle rencontrerait un homme merveilleux que ses enfants adoreraient dès leur première rencontre, elle aurait été la première à dire à qui voulait l'entendre qu'elle ne savait pas de quoi la cartomancienne parlait.

Elle n'a pas réussi son premier mariage, mais elle a bien l'intention de faire un succès de son deuxième, par contre. Depuis que Vincent est entré dans sa vie, il ne se passe pas une seule journée sans qu'elle pense à tout ce qu'elle a dû supporter pour que son mariage avec Patrick survive tant bien que mal. Elle voulait tellement y croire qu'elle était prête à tout faire pour que ça marche. Aujourd'hui, avec le recul, elle se dit que si c'était à refaire elle n'attendrait pas aussi longtemps avant de quitter Patrick. Elle l'aimait beaucoup plus que lui ne l'aimait. Elle est même tentée de croire que, pour agir comme il l'a fait, il ne devait guère l'aimer. Monsieur voulait fonder une famille et elle s'est présentée devant lui au bon moment. Elle était responsable et il n'était pas méchant avec elle. « Un jour, il faudra que je lui pose la question. »

Vincent l'a retenue quelques secondes au moment où elle s'apprêtait à sortir de la maison. Il lui a glissé à l'oreille qu'elle avait une très belle famille. C'est aussi ce qu'elle croit la plupart du temps, et particulièrement ce soir.

Avec tout ce qu'elle a eu à faire, Agathe n'a pas eu le temps d'appeler Anna dernièrement pour prendre de ses nouvelles. Sa petite sœur l'inquiète beaucoup ces temps-ci. Et puis, il faut que sa vie aille drôlement mal pour qu'elle boive autant qu'elle l'a fait lors de leur sortie de filles. Agathe mettrait sa main au feu que c'était la première brosse à vie d'Anna, mais quelle brosse! Elle commence sérieusement à en vouloir à son beau-frère. C'est bien beau d'être honnête, mais il y a quand même des limites. Agathe ne se gênera pas pour lui dire sa façon de penser s'il continue à en faire baver à sa sœur. Ce que vit Anna lui prouve une fois de plus que le bonheur ne tient qu'à un fil; de là l'urgence d'en profiter au maximum quand il frappe à notre porte. C'est pareil pour notre vie sur la terre. On vient tous au monde avec une date de péremption. Le seul hic, c'est que, contrairement au yogourt, personne ne la connaît. Et il en est de même pour le bonheur. On est heureux jusqu'à ce que notre château de cartes s'effondre subitement au moment où on s'y attendait le moins.

Agathe regarde l'heure et elle se dit qu'il est un peu trop tard pour téléphoner à Anna. Elle l'appellera au bureau demain à la première heure. Elle se verse une autre rasade de cognac et lève son verre à la santé de Patrick. Il lui aura au moins appris à apprécier cet alcool! Agathe éclate de rire sa gorgée avalée. Franchement, il lui a appris bien d'autres choses qui lui seront utiles dans sa nouvelle vie. Et elle se met à en dresser la liste:

À ne pas avoir une confiance aveugle en personne.

À ne pas s'enfler la tête lorsque notre mari nous fait trop de compliments *puisqu'il ne lui en a jamais faits*.

À être autonome et à s'occuper de tout en même temps *sans jamais demander d'aide*.

À écouter notre petite voix intérieure quand elle nous parle.

À accepter que ce n'est pas toujours nous qui sommes dans l'erreur…

Agathe boit une gorgée de cognac. Elle dit ensuite d'une voix haute en levant son verre :

— Et j'ai au moins sauvé le cognac !

Chapitre 26

Suzie n'a même pas le temps de s'asseoir derrière son bureau que son téléphone se met à sonner.

— Salut, ma belle fille! s'exclame Robert d'une voix joyeuse.

— Papa? En quel honneur m'appelles-tu aussi tôt? J'espère qu'il n'est rien arrivé de grave?

— Au contraire. Écoute bien ce que j'ai à te dire. Figure-toi que ta mère s'est fait offrir un emploi à Longueuil. On se demandait si...

Mais Suzie l'interrompt:

— Est-ce que tu essaies de me dire que vous allez déménager par ici?

— Ça se pourrait, oui. Qu'en dis-tu?

— Ce que j'en dis? Je peux même vous trouver une maison si vous voulez. Jure-moi que tu ne me fais pas marcher.

Et Robert se dépêche de lui passer Pauline.

— Suzie? C'est ta mère. C'est tout ce qu'il y a de plus sérieux, mais il va falloir que tu nous aides à trouver une maison ou un appartement, on n'a pas encore décidé. Et puis, il faut d'abord qu'on vende la maison.

— Tu ne peux pas savoir à quel point vous me faites plaisir, s'exclame Suzie. Ne vous inquiétez pas, c'est sûr que je vais vous aider pour la maison ou même pour l'appartement. Les enfants seront fous de joie quand je leur apprendrai la nouvelle.

— Embrasse-les bien fort pour moi. Je te repasse ton père, il faut que j'aille travailler maintenant.

Lorsque Suzie raccroche, son premier réflexe est de penser qu'elle a sûrement rêvé. Elle n'arrive pas à croire que ses parents viendront s'installer dans le coin. Son deuxième réflexe est d'appeler Sylvain pour partager la bonne nouvelle avec lui. C'est Mylène qui répond. Vu l'heure, Suzie pense qu'il y a forcément une bonne raison pour laquelle sa belle-sœur ne se trouve pas au travail.

— Mylène ? Est-ce que ça va ?

— Pour être honnête, j'ai déjà connu mieux. Le médecin m'a mise au repos pour deux semaines.

— As-tu besoin d'aide ?

— C'est gentil, mais ma mère s'en vient passer la journée avec moi. Imagine-toi donc qu'il faut que j'engraisse. J'ai perdu au moins dix livres depuis le début de ma grossesse, et il faut que ça cesse au plus vite.

— C'est normal que tu maigrisses, tu n'arrêtes pas de vomir. En tout cas, n'hésite surtout pas à me le dire si je peux être utile. Peux-tu demander à Sylvain de m'appeler ?

— Je lui ferai le message sans faute.

Savoir que ses parents déménageront près de chez elle ravit Suzie. Son père pourra enfin travailler à l'agence chaque fois que la température le lui permettra. Suzie est convaincue que sa présence rendra possible la réalisation de plusieurs projets qui étaient en attente. Mais le plus beau, c'est qu'elle pourra enfin passer du temps avec sa mère et la gâter un peu. Suzie est survoltée à l'idée de pouvoir recevoir ses parents à souper chez elle chaque semaine. Elle a hâte d'annoncer la nouvelle à Sylvain; le connaissant, il sera aussi content qu'elle.

Au lieu de se plonger dans ses dossiers, Suzie prend quelques minutes pour réfléchir à l'endroit qui conviendrait le mieux à ses parents. Elle feuillette la pile de fiches des maisons à vendre de l'agence, mais aucune d'entre elles ne fait l'affaire. Elle les remet à leur place et sourit en pensant à la nouvelle vie qui l'attend. Suzie pourrait passer sa journée à chercher, mais ce serait complètement inutile puisqu'elle ignore le budget dont ses parents disposent et quel genre de maison ils recherchent. Et comme sa mère l'a mentionné, peut-être choisiront-ils un appartement. Depuis qu'elle travaille dans l'immobilier, Suzie a été à même de vérifier de nombreuses fois que ce qu'on trouve beau n'est pas nécessairement ce que notre client recherche. Depuis le temps que ses parents habitent dans la même maison, il faudrait être devin pour savoir ce qu'ils aiment puisqu'ils n'ont absolument rien changé, pas même la couleur des murs.

Avant de se mettre au travail, Suzie ouvre le premier tiroir de son bureau et sort la chemise dans laquelle sont rangées toutes les notes qu'elle prend quand elle va se faire tirer aux cartes. Elle doit reconnaître que la dernière diseuse de bonne aventure qu'elle a rencontrée surpasse de beaucoup toutes celles qu'elle a vues jusque-là. Celle-ci lui avait prédit que ses chances de gagner à la loterie étaient excellentes, et c'est arrivé. Elle lui avait aussi révélé qu'elle apprendrait une nouvelle tout à fait inattendue qui la rendrait très heureuse, et voilà que ses parents viennent de lui annoncer qu'ils s'installeront dans le coin. Suzie relit ce qu'elle lui a dit d'autre seulement pour le plaisir de savoir quelle sera sa prochaine surprise.

Reconnaissance de votre travail à venir.

Mariage dans la famille, mais il sera de courte durée.

Maladie d'un proche, mais cela ne durera pas…

Et ça continue ainsi sur plusieurs lignes. Suzie coche les événements qui sont déjà arrivés, dont *Mariage dans la famille*. Même s'il n'a pas encore eu lieu, ce n'est qu'une question de temps avant que Mylène et Sylvain convolent en justes noces puisque la demande a déjà été faite. Elle ne manque pas de barrer le reste de la phrase d'un geste nerveux. La tireuse parlait sûrement de quelqu'un d'autre lorsqu'elle a mentionné que ça ne durerait pas. Satisfaite, Suzie referme sa chemise et la range précieusement à sa place. Si elle s'écoutait, elle retournerait consulter cette femme qui a vu juste pour plusieurs choses, mais comme ça ne fait que quelques mois qu'elle est allée la voir, elle prend son mal en patience et se contente d'inscrire une note dans son agenda au début du mois d'avril pour ne pas oublier de prendre un rendez-vous. Heureuse comme jamais, elle se met au travail en chantonnant. Décidément, tout va pour le mieux dans sa vie.

* * *

Quelques jours ont suffi à Patrick pour lui faire réaliser qu'il était devenu drôlement confortable dans son poste chez Metro. Tout est à faire ici et ça lui plaît beaucoup de relever un nouveau défi. Tout à l'heure, son patron lui a remis une liste de clients, et il a beaucoup insisté sur le fait qu'il comptait sur lui pour augmenter leur nombre. Alors que le développement occupait une infime partie de son temps dans son ancien emploi, ici c'est tout le contraire, et il adore ça. Il passe plusieurs heures dans son auto; cela l'enchante de ne pas toujours être coincé entre quatre murs. L'hiver ne lui facilite pas la tâche dans ses déplacements, mais à part les jours de tempête, Patrick a toujours pu se rendre à bon port sans trop de difficulté.

Hier, son patron avait demandé à le voir quand il était passé au bureau.

— Je tenais à te dire à quel point on est contents de ce que tu accomplis. Tu es ici depuis quelques semaines seulement et tu as déjà dépassé notre meilleur vendeur. Je savais qu'on faisait une bonne affaire en t'engageant, mais maintenant j'en ai la preuve.

Patrick était si content qu'il a gonflé le torse sans même s'en rendre compte.

— Et vous n'avez encore rien vu, avait-il riposté fièrement, parce que je suis encore en train de me réchauffer. J'ai établi une liste de clients potentiels, ainsi qu'un calendrier pour aller les rencontrer et ça promet.

Patrick se sent soutenu par l'équipe et il se sent important aussi. Il voit régulièrement son patron, ce dernier a toujours du temps à lui accorder. Aucun doute, son nouveau travail le rend heureux et il remercie pratiquement le ciel d'avoir perdu son ancien boulot. Il aime son travail au point que, lorsque son réveil sonne, plutôt que de refermer les yeux pour un autre petit cinq minutes de repos comme il avait l'habitude de le faire, il se dépêche de se lever. Le défi qui l'attend chaque fois qu'il monte dans son auto lui donne des ailes, tellement qu'il a l'impression d'avoir rajeuni de dix ans au moins.

Ses tentatives de séduction ratées ont ralenti ses ardeurs en matière de chasse féminine, de sorte qu'il n'a pas inscrit un seul nom dans son nouveau petit carnet noir depuis qu'Agathe le lui a donné et il ne s'en porte pas plus mal. La solitude lui permet d'apprivoiser sa nouvelle réalité de divorcé. Il aimerait pouvoir dire qu'Agathe lui manque, mais ce serait un mensonge. En fait, il aimait tout ce qu'elle lui permettait d'avoir, mais pour ce qui est d'elle en tant que femme, il a bien été obligé d'admettre que s'il l'avait aimée suffisamment il ne l'aurait pas trompée de manière aussi cavalière. Il ne s'impliquait pas beaucoup dans le quotidien, mais c'est quand même la vie de famille qui lui fait le plus défaut, et pas juste un peu. Voir bouger les enfants, les entendre rire, babiller et même s'obstiner lui manque cruellement. C'est lorsqu'il se retrouve dans son appartement avec son chat qu'il réalise à quel point il est seul. Heureusement, les visites de Steve mettent un peu de soleil dans son univers. Patrick apprécie de plus en plus de passer du temps avec son fils, même qu'il se sent privilégié. La semaine dernière, il a accompagné Dominique à son cours de patin de vitesse. Au discours que lui ont tenu les autres parents, il s'est vite souvenu que ça faisait un sacré bail qu'il brillait par son absence là-bas. Isabelle n'a pas encore daigné se pointer à son appartement, sous prétexte qu'elle a trop de travaux à faire pour l'école. Évidemment, Patrick n'en croit pas un mot, mais il n'en veut pas à sa fille. Pour sa part, Sébastien lui a promis de venir manger chez lui avec sa blonde la semaine prochaine. Apprendre que son fils est déjà rendu à cette étape de sa vie lui a fait prendre un coup de vieux. Patrick se demande bien quel genre d'homme Sébastien deviendra. Et s'il était comme lui? Et s'il se mettait à collectionner les femmes comme d'autres collectionnent les timbres ou les coqs de bois? Patrick sait très bien qu'il ne pourra rien faire pour l'en empêcher, mais cela l'inquiète un peu.

Cette session-ci, Patrick ne suit qu'un cours à l'université – toujours en histoire. À cause de sa séparation, de son nouvel emploi et du déménagement de sa mère, il trouvait que c'était suffisant. Compte tenu de tout le travail que son cours lui demande, il est doublement content d'avoir pris cette décision. Il n'avance pas aussi vite qu'il le souhaiterait dans son programme; mais puisqu'il travaille à temps plein, il est quand même satisfait. Ce n'est pas tout le monde qui a la chance d'avoir un employeur qui paie ses études, comme c'est le cas pour Céline. Étant donné qu'il étudie en histoire alors qu'il travaille dans le domaine des ventes, Patrick sait très bien qu'il n'a aucune chance qu'il lui arrive la même chose. En même temps, ce n'est pas si grave puisqu'il le fait pour lui et pour personne d'autre. Pour le reste, il verra en temps et lieu où tout ça le mènera.

Sa mère a trouvé un appartement situé à moins d'un kilomètre de chez Annette. Selon Patricia, son logement est extraordinaire.

— Je ne te mens pas, je n'ai jamais rien vu d'aussi beau de toute ma vie. Mon appartement est au deuxième étage d'une maison et il a de grandes fenêtres qui laissent entrer la lumière de partout. Les planchers et les armoires de chêne confèrent un cachet exceptionnel à l'endroit. Les pièces sont vastes et tout est impeccable. Et je vois la rivière de mon salon et de ma cuisine. Je suis vraiment bénie des dieux. Et j'ai tellement hâte de déménager que je ne me possède plus.

Patrick s'était retenu pour ne pas répliquer que ce n'était pas difficile d'avoir un appartement plus clair que sa maison, puisque celle-ci a toujours été sombre, même quand les arbres n'étaient pas matures. Les fenêtres sont petites et, comme si ce n'était pas suffisant, elles sont toutes habillées de tentures lourdes et opaques. Au lieu d'argumenter, il s'était contenté de déclarer qu'il avait très hâte de visiter « son nouveau château ».

— Je t'interdis de te moquer de moi, l'avait-elle intimé en lui donnant une tape sur l'épaule du revers de la main.

Si Jean-Marie voit sa Patricia d'où il est, il est sûrement très fier du chemin qu'elle a parcouru. Non seulement elle n'est pas allée le rejoindre, mais elle est en train de se faire une vie bien à elle qui la fait rayonner de bonheur. Patrick se dit qu'il ne lui manquerait plus que de trouver un compagnon. Il s'est même risqué à lui en parler l'autre jour.

— Ce n'est pas ma priorité, mais entre toi et moi, je ne dirais pas non si l'occasion se présentait.

Surpris par la réponse de sa mère, Patrick avait froncé les sourcils.

— Bien quoi ? Je ne suis pas encore à bout de mon âge à ce que je sache. Depuis le temps que ton père est mort, j'estime avoir respecté une période de deuil très convenable.

Patrick avait pouffé de rire devant l'air sérieux de sa mère.

— C'est juste que ta réponse m'a pris de court. Je te souhaite de rencontrer un homme aussi bien que papa. Tu es trop belle pour finir tes jours toute seule.

— C'est gentil, mais tu sais comme moi que ça ne va pas à la beauté. Il y a plein de laiderons qui sont en couple et autant de beautés qui restent seules. Je vais commencer par déménager et je vais ensuite faire confiance à la vie. Je suis tellement énervée à l'idée d'entreprendre ma nouvelle vie, et j'espère que tu ne m'en veux pas de m'en aller aussi loin.

— Pas du tout, l'avait aussitôt rassurée Patrick. Je n'ai pas besoin de te dire que, si tu comptes uniquement sur les visites de tes enfants, tu seras seule plus souvent qu'autrement. Je vais peut-être te faire rire, mais d'après moi tu risques même de nous voir plus régulièrement en habitant loin. Et puis, il y a toujours le téléphone si jamais on s'ennuie.

Anna avait rappelé Patrick pour lui annoncer que les choses s'étaient arrangées avec Jack – en tout cas, suffisamment pour qu'il réintègre le lit conjugal. Patrick s'était assuré qu'elle n'avait pas cédé aux exigences de son mari concernant l'héritage. Il l'avait félicitée et avait ajouté qu'il était très fier d'elle.

— Même si j'avais voulu le faire, c'était au-dessus de mes forces.

Patrick a toujours eu et aura toujours beaucoup d'admiration pour Anna. Elle possède une force de caractère hors du commun et un jugement à toute épreuve. Il apprécie beaucoup Jack, mais jamais au point de prendre son parti au détriment d'Anna.

Il est presque quatre heures de l'après-midi lorsque Patrick arrive au bureau et il arbore son plus beau sourire. Il a recruté trois nouveaux clients, et possiblement qu'un quatrième sera confirmé d'ici la fin de la semaine. Il salue rapidement tout le monde au passage et file à son bureau. Il a un cours ce soir et il reste encore au moins une heure de travail à abattre avant de partir. Ce n'est qu'une fois assis derrière son bureau qu'il aperçoit une petite enveloppe blanche adressée à son nom sur sa pile de paperasse. Patrick se dépêche de l'ouvrir.

Ça te dirait qu'on soupe ensemble?...

Annie

Si Patrick était heureux à son arrivée, il l'est doublement depuis qu'il a lu le mot qu'il tient entre ses doigts. Il retourne la feuille et griffonne un court message:

J'ai un cours ce soir, mais on peut se reprendre demain si tu veux.

Il glisse le bout de papier dans l'enveloppe et va tout de suite la porter discrètement sur le bureau d'Annie.

Chapitre 27

Vincent a enfin réussi à prendre une fin de semaine de congé. C'est tout un événement! Agathe n'est pas la seule à se réjouir. Aussitôt que les enfants l'ont su, ils ont insisté pour qu'il vienne manger à la maison. Après avoir vérifié auprès de Vincent, Agathe leur a offert bien mieux.

— Je propose qu'on aille passer la fin de semaine au chalet de votre grand-père avec Vincent. On pourra faire du ski et de la raquette et Vincent a même parlé de louer une motoneige.

Évidemment, ils ont été enchantés à l'idée d'avoir Vincent juste pour eux pendant deux jours complets plutôt que pour quelques heures seulement. Vincent était vraiment ému quand Agathe lui a parlé de leur réaction.

— Tu ne peux pas savoir à quel point ça me fait plaisir d'entendre ça. J'aime beaucoup tes enfants, et je suis très content qu'ils m'apprécient autant. Je t'avoue que cela aurait été très difficile pour moi s'ils m'avaient détesté.

— J'ignore ce que tu leur as fait, mais ils ne jurent que par toi depuis qu'ils t'ont rencontré. C'est Vincent par-ci, Vincent par-là. Vincent dirait sûrement oui. Quand est-ce qu'on va voir Vincent? Je ne savais vraiment pas à quoi m'attendre de leur part le jour où je te les ai présentés, mais je dois dire que leur réaction dépasse largement toutes mes espérances.

Pendant qu'Agathe s'active à finir de préparer le souper, on sonne à la porte. Elle s'essuie les mains et s'empresse d'aller répondre. Le facteur lui remet un colis en provenance de la France. Agathe retourne à la cuisine et ouvre la boîte. Elle connaît déjà le nom de son expéditeur, mais elle n'est pas moins curieuse de savoir ce que contient le paquet. Quand elle parvient enfin à libérer le contenu de l'emballage, elle aperçoit une boîte de ses chocolats préférés et une lettre.

Ma chère Agathe,

J'ai hésité longuement avant de t'écrire. Je comprends parfaitement ta réaction, mais je ne pouvais pas me résoudre à ce que tout soit fini entre nous sans qu'au moins je m'excuse officiellement auprès de toi. J'ai manqué de discernement et je m'en veux terriblement. Ce qui est arrivé me servira de leçon jusqu'à la fin de mes jours. J'aurais dû te faire assez confiance pour t'en parler avant de t'imposer d'assister à cette rencontre. Ta réaction vive mais franche m'a incitée à remettre en question la démarche que j'avais entamée quelques mois auparavant avec ce groupe. Je ne te dis pas ça pour que tu oublies ce que j'ai fait, c'est impardonnable, mais plutôt pour que tu saches que ce ne sera pas arrivé pour rien. Mon mari m'avait entraînée là-bas, de la même façon que je m'y suis prise avec toi. Pour le moment, j'ignore ce que je ferai, mais je t'avoue que je commence à trouver tout ça drôlement envahissant. Enfin, je verrai bien…

Je t'envoie une boîte de tes chocolats préférés. Qui sait, j'aurai peut-être la chance de ramener à ta mémoire quelques bons souvenirs de nous pendant que tu les dégusteras. Encore une fois, je suis désolée. Transmets mon bonjour à Vincent… tu as beaucoup de chance d'avoir un homme comme lui à tes côtés. Sois heureuse !

Annick

Agathe remet la lettre dans l'enveloppe après avoir essuyé deux petites larmes qui s'étaient enhardies au coin de ses yeux bien malgré elle. Elle range ensuite la boîte de chocolats sur la tablette du haut du garde-manger et jette l'enveloppe dans la poubelle. Elle n'en ferait rien même si elle la gardait. Elle en glissera un mot à Vincent, mais cela n'ira pas plus loin. La vie lui a appris que, lorsqu'une relation est terminée, il vaut mieux tout oublier et regarder droit devant. Et c'est ce qu'elle a l'intention de faire en ce qui concerne Annick.

Ce soir-là, au moment de servir le dessert, Agathe dépose sur la table la fameuse boîte de chocolats.

— Ça vous dirait de manger des chocolats français pour dessert ? demande-t-elle d'une voix enjouée.

— Combien a-t-on le droit d'en prendre ? s'informe aussitôt Isabelle qui adore ces chocolats.

— Vous pouvez vider la boîte si vous voulez, répond Agathe.

Agathe observe ses enfants qui se régalent un peu plus à chaque bouchée. Elle se retient de leur crier d'arrêter à chacun des chocolats qu'elle voit sortir de la boîte, mais elle se raisonne en se disant qu'elle serait incapable de les apprécier à leur juste valeur. La mésaventure survenue avec Annick a laissé des traces qui ne sont pas près de s'effacer.

Alors qu'Agathe finit de ranger la cuisine, la porte de la maison s'ouvre soudainement.

— Agathe, Agathe ! hurle une voix désespérée. Viens vite ! Maman est tombée et je suis incapable de la relever.

Agathe accourt immédiatement dans l'entrée. Le visage en larmes, Mario fait pitié à voir. Elle s'accroupit devant lui et lui demande ce qui s'est passé.

— Rien…, parvient-il à répondre entre deux sanglots. On était en train de souper et elle est tombée de sa chaise.

Alertés par les cris de Mario, les enfants sont tous venus aux nouvelles.

— Sébastien, s'écrie Agathe, viens avec moi. Et toi, Isabelle, occupe-toi de tes frères et de Mario.

— Non, je ne veux pas rester ici! répond vivement ce dernier.

Agathe prend Mario par la main et ils sortent en courant, suivis de Sébastien. À leur arrivée chez Mylène, celle-ci est encore étendue par terre. Agathe s'accroupit à côté de son amie. Puis elle crie à Sébastien d'appeler l'ambulance, en prenant soin de préciser que le numéro est inscrit sur le téléphone.

— Dis-leur qu'elle est enceinte.

Resté en retrait, Mario pleure toutes les larmes de son corps. Comme il n'avait pas pris le temps de mettre son manteau avant de traverser chez Agathe, il claque des dents. D'une voix douce, Agathe lui indique d'aller chercher un gros chandail de laine dans sa chambre et de venir la retrouver ensuite.

— Est-ce que maman va mourir?

Heureusement, Mylène ouvre les yeux en même temps que Mario pose sa question.

— Je ne crois pas, répond Agathe, émue. Regarde, elle revient à elle. Où est ton frère?

— Grand-maman l'a emmené chez elle pour quelques jours.

— Sais-tu où on peut trouver le numéro de téléphone de Sylvain au travail?

— Je peux l'appeler, si tu veux. Je connais le numéro par cœur.

Pendant que Mylène est transportée à l'hôpital, Agathe rentre chez elle avec Sébastien et Mario. Elle a insisté pour accompagner Mylène mais celle-ci a refusé. Sylvain arrivera en même temps qu'elle à l'hôpital.

Agathe l'a avisée qu'elle voulait avoir des nouvelles, peu importe l'heure. Il est presque minuit quand le téléphone sonne enfin. C'est Sylvain.

— Mylène a passé une batterie de tests, mais on n'a encore rien trouvé. Le docteur l'a placée en observation au moins jusqu'à demain matin. Pourrais-tu garder Mario jusqu'à ce qu'on revienne à la maison ?

— Je vais faire mieux que ça, je vais l'emmener avec nous au chalet pour la fin de semaine. On part tôt demain matin et on reviendra dimanche soir.

Sylvain la remercie de son aide. Même si le médecin n'a rien trouvé d'inquiétant dans les résultats des tests, Sylvain ne se sent pas rassuré pour autant.

Quant à Agathe, elle aurait bien aimé profiter de son séjour au chalet de son père seulement avec les siens, mais dans un sens, Mario fait pratiquement partie de sa famille.

* * *

Bien que les choses se soient beaucoup améliorées entre Anna et Jack, elles sont loin d'être ce qu'elles étaient avant que Rémi couche Anna sur son testament. Certes, ils dorment ensemble et ils se parlent, ce qui est une nette amélioration. Mais il subsiste encore un réel malaise entre eux, un malaise palpable par quiconque les connaît. Anna a essayé plusieurs fois de ramener la discussion sur l'héritage, mais chaque fois Jack s'est dépêché de détourner la conversation. Et il monte le ton si elle essaie de revenir à la charge.

Anna se connaît, elle ne pourra pas tolérer une telle attitude très longtemps. C'est pourquoi elle décide d'aller voir ses beaux-parents pendant que Jack joue au hockey. Elle n'a pas besoin d'aborder le sujet. Elle vient à peine d'arriver que son beau-père lui demande si Jack a fini par se calmer. Anna dresse rapidement le topo de la situation. Les parents de Jack ne sont pas surpris de l'attitude leur fils.

— J'aime Jack plus que tout au monde, poursuit Anna, mais je ne pourrai pas tenir le coup éternellement dans ces conditions. Je peux comprendre qu'il ne soit pas du même avis que moi, mais son entêtement est en train de tuer notre couple.

Anna fait une pause avant d'ajouter :

— À moins que ce ne soit le mien…

Ses beaux-parents se dépêchent de la rassurer à ce sujet. Ils sont eux-mêmes incapables d'atteindre Jack de quelque façon que ce soit depuis la mort de Rémi, ce qui les désole beaucoup. Il y a des jours où ils ont l'impression d'avoir perdu leurs deux fils dans cet épisode tragique de leur vie. Ils n'iront pas jusqu'à prétendre que Jack les évite, mais disons qu'il ne multiplie pas les visites chez eux et qu'il leur semble beaucoup plus distrait et plus distant que d'habitude.

— Je ne sais pas quoi te dire, déclare sa belle-mère. Jack a toujours été très obstiné. Remarque que cela lui a bien servi – enfin, la plupart du temps. Je me souviens quand il était petit et que Rémi refusait de faire ce qu'il voulait, Jack pouvait passer des semaines à le bouder.

— Il ne lui adressait même pas la parole, ajoute son beau-père. Ma pauvre Anna, je crois bien que la seule chose qui aura raison de son humeur, c'est le temps. Tout ce que j'espère, c'est que tu tiendras le coup jusque-là. On te le répète souvent, et c'est toujours le cas : on te considère comme notre propre fille.

Anna voudrait leur dire qu'elle est prête à attendre le temps qu'il faudra, mais elle ne peut rien promettre pour le moment. Actuellement, sa vie de couple ne ressemble en rien à son idéal. Pire encore, celle-ci ne constitue même pas le pâle reflet de ce qu'elle a toujours voulu.

— Honnêtement, répond Anna, je n'en sais rien. Mais j'ai pensé à quelque chose et je voudrais que vous me donniez votre avis. Je me suis dit que je pourrais faire une surprise à Jack et nous organiser un voyage d'une semaine au soleil, peut-être en Floride. Qu'est-ce que vous en pensez ?

Les parents de Jack restent songeurs pendant plusieurs secondes, ce qui fait croire à Anna qu'il ne s'agit sûrement pas de l'idée du siècle qu'elle se retrouve dans la même chambre que Jack pendant une semaine dans l'état où il est.

— Si j'avais une baguette magique, dit sa belle-mère, je pourrais te répondre avec assurance, mais compte tenu de l'attitude de Jack ces temps-ci, j'ignore totalement comment il pourrait réagir. Je pense que la meilleure chose à faire serait de lui en parler. Je t'avoue que j'ai un peu peur que ce soit toi qui aies une surprise si tu ne lui en parles pas d'abord.

Lorsqu'une personne est à bout de ressources, comme c'est le cas d'Anna actuellement, elle se raccroche à tout ce qu'elle peut pour essayer de sauver le navire – même à des chimères, si celles-ci peuvent lui permettre de garder le cap encore un moment.

— Je vais suivre votre conseil et je lui en parlerai avant d'entreprendre quoi que ce soit.

Sur le chemin du retour, Anna se creuse les méninges pour trouver la meilleure façon d'aborder le sujet avec Jack. Une idée surgit dans son esprit lorsqu'elle tourne dans sa rue. Si toutefois Jack refusait son cadeau, elle prendrait une semaine de vacances et partirait seule avec les enfants. Il pourrait ainsi réfléchir à son aise.

Lorsque Jack rentre après sa partie de hockey, Anna lui laisse le temps de s'ouvrir une bière. Puis elle lui fait part de son invitation à aller passer une semaine au soleil avec elle. Il lui jette un regard dur et sort du salon. « Drôle de façon de répondre », pense Anna, mais elle sait au moins à quoi s'en tenir. « En arrivant au bureau lundi matin, je demanderai qu'on m'accorde une semaine de vacances. Et si ce n'est pas suffisant pour lui, je suis même prête à en prendre deux. »

* * *

Ils sont tous installés à la table pour le dîner lorsque quelqu'un frappe à la porte du chalet. Agathe va répondre. Quelle n'est pas sa surprise quand elle arrive face à face avec Patrick. Heureusement pour elle, les enfants se lèvent immédiatement pour venir saluer leur père. Elle est si étonnée de le voir qu'elle en perd momentanément l'usage de la parole. Lorsqu'il s'en aperçoit, Vincent s'approche à son tour pour venir se présenter à Patrick. Les deux hommes se toisent du regard pendant quelques secondes, puis, finalement, ils se serrent la main. Agathe savait que ce jour viendrait et elle le redoutait beaucoup. Cependant, à en juger par la scène qui se déroule sous ses yeux, elle est bien obligée d'admettre qu'elle s'est inquiétée pour rien.

— Je prenais une marche par ici, raconte Patrick. Quand j'ai vu une auto que je ne connaissais pas, j'ai décidé de venir aux nouvelles. Je suppose que c'est la voiture de Vincent.

Agathe n'a pas le temps d'intervenir, car Patrick poursuit sur sa lancée.

— Bon, je ne vous dérangerai pas plus longtemps.

Puis, à l'adresse des enfants, il ajoute :

— Ça vous dirait de venir souper avec moi ?

Mais son invitation est loin de susciter l'enthousiasme qu'il espérait.

— Ce n'est pas qu'on ne veut pas, papa, finit par répondre Sébastien, mais on s'est engagés à préparer le souper. Et demain, on a prévu plein d'activités. On pourrait aller manger chez toi samedi ou dimanche prochain si tu veux.

Agathe suit attentivement la discussion à distance. Elle trouve que Sébastien est brave d'avoir parlé ainsi à son père. Elle ne voudrait pas non plus que Patrick se morfonde toute la fin de semaine à cause de la réponse de Sébastien.

— Est-ce que tu es tout seul au chalet, Patrick ? demande Agathe.

— Non, non…

En entendant ça, Agathe libère instantanément sa conscience du moindre petit remords qui aurait pu la faire se sentir coupable. Puisque son ex n'est pas seul, eh bien il survivra. Curieusement, ça ne l'intéresse même pas de savoir avec qui il est.

— À la semaine prochaine, alors ! lance Patrick avant de sortir.

Si la rencontre entre son ex et son amoureux n'a pas été tragique pour Agathe, c'est loin d'être la même chose pour Patrick. Il retourne au chalet avec la mine basse. Voir à quel point Agathe a l'air heureuse hors de ses bras lui a donné un sacré coup, mais sans doute est-ce uniquement son orgueil qui souffre.

Aussitôt leur père sorti, les enfants retournent rejoindre Mario à la table et ils reprennent leur conversation exactement là où ils l'avaient laissée.

— J'ai une question, émet Vincent. Est-ce que je devrais manger une deuxième portion de dessert ou vous me promettez qu'il y aura suffisamment de nourriture ce soir?

Pour toute réponse, Vincent reçoit une pluie de petits morceaux de pain qui arrivent de partout. Il rit tellement qu'il a du mal à se protéger contre cette attaque.

Lorsque Vincent et Agathe se retrouvent enfin seuls au salon, Vincent s'assoit à côté de sa bien-aimée et passe son bras autour des épaules de celle-ci.

— Ils sont vraiment adorables, tes enfants, déclare-t-il après avoir déposé un baiser sur la joue d'Agathe. Tu as raison d'être fière parce que tu as très bien réussi.

— Je ne demanderais pas mieux que de te croire, mais ils sont encore jeunes et tant de choses peuvent changer en un simple claquement de doigts.

Et Agathe lui raconte l'histoire du fils de la directrice de l'école qui mettait le feu aux remises du quartier.

— Si je me fie à la mère, j'ose croire que le jeune a reçu une bonne éducation, mais va savoir pourquoi il a mal tourné. Aux dernières nouvelles, il s'amusait à faire des graffitis sur des autos neuves. Je suis fière de mes enfants, mais je suis consciente qu'aucun d'eux n'est rendu à destination, pas même Sébastien. Il suffit parfois d'une mauvaise fréquentation pour que tout bascule.

Agathe lui parle ensuite de Rémi, de Philippe et d'Olivier.

— Ça peut arriver même dans les meilleures familles, mais tu sais comme moi que c'est un très faible pourcentage de gens qui tournent mal. Tes enfants ont une tête sur les épaules, et ça se voit. Et je les aime presque autant que je peux aimer leur mère…

— Et moi, réplique Agathe sur un ton bas, je t'aime bien plus que j'ai pu aimer leur père.

L'instant d'après, Vincent pose ses lèvres sur celles d'Agathe et ils s'embrassent passionnément. Cette première journée passée en famille a été exceptionnelle pour tout le monde. Agathe est même surprise que rien n'ait cloché. Les enfants ont préparé le souper et, à leurs dires, ils se sont bien amusés. Agathe et Vincent étaient sortis faire de la raquette pendant qu'ils s'occupaient de tout. Le repas était si délicieux que Vincent n'a même pas été capable de prendre du dessert, ce qui a beaucoup fait rire les enfants.

— Ça te dirait qu'on aille dormir? dit Vincent à l'oreille d'Agathe.

— À une condition, chuchote Agathe, qu'on s'amuse un peu avant de s'endormir…

Chapitre 28

Il est à peine neuf heures quand Anna appelle Agathe du bureau.

— Je ne pourrai pas te parler longtemps, lance-t-elle tout de go, mais j'ai besoin de ton aide pour trouver une belle place pour aller passer une semaine de vacances avec les enfants.

Anna n'a pas besoin de lui faire un dessin pour qu'Agathe comprenne qu'elle a encore des problèmes avec Jack.

— Wo! Tu ne t'en tireras pas aussi facilement. Je veux bien t'aider, mais il va d'abord falloir que j'en sache un peu plus sur ce que tu cherches et sur tes moyens aussi.

— Comme tu le sais, je suis capable de payer. Quant à ce que je cherche, mon seul critère est de partir loin d'ici. C'est mon ultime tentative pour recoller les morceaux avec Jack, et sa dernière chance pour changer d'attitude.

Vu qu'Anna est au travail, Agathe se retient de revenir sur ce que sa sœur vient de partager avec elle.

— Tu n'iras quand même pas t'enfermer dans une chambre d'hôtel avec les enfants, tu vas trouver le temps bien trop long. Donne-moi un peu de temps pour y penser et je te rappelle.

— Je te téléphonerai pendant mon heure de dîner. Ah oui! Je tombe en vacances vendredi soir. Je dois partir au plus vite.

Anna a raccroché depuis au moins une minute, mais Agathe tient toujours le combiné collé contre son oreille. Elle est vraiment désolée de savoir que la situation ne s'est pas améliorée entre Anna et Jack. Pourtant, la dernière fois qu'elle lui avait parlé, Anna avait été ravie de lui confier que Jack avait troqué le divan contre le lit conjugal et qu'ils avaient recommencé à faire l'amour. Agathe se demande ce qui a pu se passer pour qu'il vire son capot de bord, et pour qu'Anna prenne le mors aux dents. S'il y a un couple dont Agathe était certaine qu'il durerait dans le temps, c'est bien celui-là.

Trouver un endroit où passer des vacances avec deux enfants en bas âge ne se fait pas en criant ciseau. Agathe a beau se creuser les méninges, rien ne lui vient à l'esprit. En désespoir de cause, elle décide d'appeler sa tante Cécile. Elle aura sûrement une idée pour une destination familiale amusante. Sitôt dit, sitôt fait.

Agathe prétexte d'abord que sa demande vient d'une amie.

— Il y a un tas de choses à faire même en hiver, répond Cécile. Mais c'est drôle que tu me poses cette question, j'étais justement en train de dire à ton père qu'on devrait aller passer quelques jours à Ottawa. C'est la dernière fin de semaine du Bal des Neiges et j'ai toujours voulu y aller. Il paraît que c'est féérique pour les enfants, et que les grands y trouvent aussi leur compte. On peut patiner sur le canal Rideau – ça doit faire au moins vingt ans que je n'ai pas chaussé mes patins –, visiter le parlement, les musées… J'ai même suggéré à ton père d'y aller en train, ça ferait différent de pouvoir profiter du trajet pour une fois. Mais pour en revenir à ton amie, elle pourrait…

Pendant que Cécile réfléchit, Agathe se dit que ça ne pouvait pas mieux tomber et elle déballe son sac.

— Tante Cécile, je n'irai pas par quatre chemins. Est-ce que papa et toi vous accepteriez d'emmener Anna et les enfants avec vous ? Elle a décidé de prendre une semaine de vacances et elle m'a demandé où elle pourrait aller.

— Mais pourquoi ne part-elle pas avec Jack?

Agathe met aussitôt sa tante au parfum de ce qui se passe dans la vie d'Anna ces temps-ci.

— On croyait pourtant que tout était rentré dans l'ordre. Pauvre Anna. Attends-moi, j'en parle avec ton père.

Il ne se passe guère plus d'une minute avant que Cécile reprenne la ligne.

— Comme tu t'en doutes, ton père n'a pas été difficile à convaincre. Ça nous ferait plaisir d'y aller avec eux, mais le mieux serait qu'ils viennent dormir à la maison vendredi parce qu'on prendrait le train aux petites heures le lendemain. Veux-tu que j'appelle Anna ou tu préfères t'en charger?

— Elle doit me rappeler sur l'heure du dîner, je lui dirai ce qu'il en est. J'ai un peu de misère à saisir la démarche d'Anna, mais j'imagine que si elle a décidé de le faire c'est parce qu'elle croit que c'est la meilleure chose. Merci à papa et à toi.

— Mais de rien, ça va nous faire du bien d'avoir un peu de vie autour de nous pendant quelques jours. Et toi, comment vas-tu?

— Très bien. Les enfants s'entendent à merveille avec Vincent et je l'aime toujours autant. Au risque de me répéter, ma vie actuelle n'a aucune commune mesure avec celle que j'ai menée avec Patrick. Je serais même prête à dire que mettre la main sur son petit carnet noir a été une vraie bénédiction pour moi. Il m'arrive de me demander comment j'ai fait pour endurer ça aussi longtemps.

— Je te l'ai déjà dit, il y a des questions qu'il vaut mieux ne pas se poser.

Comme Agathe s'y attendait, Anna est emballée par l'idée d'aller à Ottawa en train, mais surtout par la perspective de voyager avec son père et sa tante Cécile. Elle aime bien passer pour quelqu'un de brave, mais partir seule avec deux jeunes enfants en plein hiver n'est pas la chose la plus facile à faire. Elle se sentira en sécurité avec eux.

— Je te remercie, Agathe. J'ignore ce que j'aurais fait sans toi. Je t'avoue que je ne sais plus à quel saint me vouer. En tout cas, pour ma part, c'est mon chant du cygne.

— Je ne peux pas croire que Jack restera buté encore bien longtemps, mais je suis là si tu as besoin de quoi que ce soit.

* * *

Après réflexion, les parents de Suzie ont décidé d'acheter une maison. Ayant pris soin de les questionner sur leurs goûts, Suzie a sélectionné des propriétés qu'ils visiteront quand ils viendront. Elle en a retenu quelques-unes à Sainte-Julie, et d'autres dans le Vieux-Longueuil. Comme sa mère commencera son nouvel emploi seulement au début de mai, ça lui donne encore du temps pour chercher.

Lorsque Suzie a annoncé à ses employés que Robert travaillerait dorénavant à partir du bureau, tous se sont réjouis. Son arrivée à l'agence a valu et vaut encore son pesant d'or. Maintenant qu'il sera là en chair et en os, Suzie est certaine qu'ils accompliront de grandes choses ensemble. Pendant que Suzie ramasse ses affaires pour aller faire visiter une maison à un couple de Montréal, sa secrétaire vient l'avertir qu'elle a un visiteur. Suzie désigne sa montre et hausse les épaules, mais cette dernière l'assure que cela ne prendra pas plus de cinq minutes et que cela semble important. Devant autant d'insistance, Suzie la suit à la réception sans poser de question. Un homme en veston-cravate s'avance aussitôt vers elle et lui tend la main.

— Bonjour, madame Galarneau. Je m'appelle Georges Lapierre, et je suis le directeur de la Chambre de commerce. Je suis vraiment désolé d'arriver à l'improviste…

Suzie se demande bien quelle est la raison de sa visite. Certes, elle est membre de la Chambre de commerce, mais à part assister à quelques conférences et au gala, elle brille par son absence plus souvent qu'autrement.

— Votre secrétaire m'a prévenu que vous aviez un rendez-vous, ajoute-t-il, mais je vous rassure tout de suite : je prendrai seulement quelques minutes de votre temps.

— Suivez-moi, dit Suzie en se dirigeant vers son bureau.

Dès son entrée dans la pièce, l'homme déclare :

— Le comité en charge des prix a décidé de vous nommer «Personnalité de l'année». Je suis venu pour vous demander si vous acceptez cet honneur.

Suzie est vraiment surprise par ce qu'elle vient d'entendre. Les yeux remplis de questions, elle regarde l'homme qui est devant elle.

— Vous avez su faire prendre un tournant majeur à votre entreprise comme peu de gens réussissent à le faire et c'est ce que la Chambre veut reconnaître en vous nommant «Personnalité de l'année». Alors?

— Alors? répète Suzie pour la forme. J'accepte avec grand plaisir cet honneur, monsieur Lapierre.

Elle regarde l'heure sur sa montre et lui dit d'un air désolé qu'elle doit absolument y aller si elle veut que cette ascension se poursuive.

— Vous ne le regretterez pas, confirme-t-il en lui tendant la main. Je vous contacterai d'ici la fin du mois pour vous donner tous les détails.

Une fois installée derrière son volant, Suzie prend quelques secondes pour penser à ce qui vient de lui arriver avant de démarrer son auto. C'est son père qui sera content quand elle lui apprendra la nouvelle.

Malgré tout, Suzie arrive en avance à son rendez-vous, ce qui signifie qu'elle doit attendre ses clients. Est-ce parce qu'elle était de très belle humeur ou parce qu'elle avait parfaitement ciblé leurs besoins, toujours est-il qu'ils sont passés à l'agence après la visite pour faire une offre d'achat. Ils lui ont même demandé des cartes professionnelles pour leurs amis. Des journées comme celle-là, Suzie en prendrait à longueur de semaine.

Elle compose le numéro de son père aussitôt qu'elle est seule. Il est si content pour elle qu'il demeure sans voix au bout du fil.

— Papa, es-tu toujours là?

— Oui, finit-il par répondre entre deux reniflements, je suis tellement fier de toi, si tu savais…

L'intention de Suzie n'était pas de le faire pleurer, mais elle l'aime encore plus quand elle voit à quel point il est sensible à tout ce qui lui arrive.

— Tu es mieux de te préparer, s'exclame-t-elle d'une voix enjouée à souhait, parce que je n'ai pas l'intention de monter sur scène toute seule.

— Il n'en est pas question, rétorque Robert. Ce n'est pas moi qu'on honore, mais toi. Et ce sera ta soirée et non la mienne.

— Je sais tout ça, mais c'est grâce à toi que je suis devenue ce que je suis.

Là-dessus, Robert est loin d'être d'accord avec elle. Il croit hors de tout doute qu'il fallait beaucoup de talent et la bosse des affaires pour réussir à développer son agence comme elle l'a fait, surtout en aussi peu de temps. Il reconnaît qu'il a participé étroitement à cette aventure, mais il n'en demeure pas moins que c'est elle qui a abattu le plus gros du travail.

— On reparlera de tout ça quand on se verra. En attendant, est-ce que tu me permets d'annoncer la bonne nouvelle à ta mère ?

— Tu peux le dire à la terre entière, si tu veux !

* * *

Agathe et Vincent en ont beaucoup discuté et ils ont décidé qu'ils allaient chacun vendre leur maison et repartir complètement à neuf. Et si toutefois ils ne trouvent rien à leur goût, eh bien ils se feront construire. Reste maintenant à choisir l'endroit où ils veulent s'installer avant d'aller voir Suzie. Étant donné que Patrick ne prend pratiquement jamais les enfants – Steve est le seul à vouloir y aller –, Agathe a été tentée de passer outre leur entente, mais vu que c'est elle qui lui avait demandé de s'installer à proximité, elle lui a donné rendez-vous dans un restaurant pour lui parler de leur projet.

Agathe arrive un peu à l'avance et se place de manière à le voir entrer. C'est quand même bizarre ; elle a partagé sa vie avec cet homme pendant plus de quinze ans et elle a maintenant l'impression qu'un pur étranger s'avance vers elle, tellement qu'elle secoue la tête et ferme les yeux pendant quelques secondes pour se remettre les idées en place. Une fois à sa hauteur, Patrick s'assoit en face d'elle et lui dit tout net :

— Tu es vraiment en beauté aujourd'hui.

Ces mots seraient aussi doux que la caresse d'une plume sur sa joue s'ils sortaient de la bouche de Vincent. Venant de celle de Patrick, c'est tout juste s'ils parviennent à lui soutirer un pâle sourire, même qu'ils font plutôt monter en elle une vague de colère incontrôlable. Pendant tout le temps qu'ils ont été mariés, il était tellement avare de compliments qu'on aurait juré que les mots étaient hors de prix pour ses moyens. Les quelques rares mots doux qu'il lui a adressés, c'était parce qu'elle ne le lâchait pas jusqu'à ce qu'il dise enfin ce qu'elle voulait entendre. Ce qu'elle a pu être bête de croire qu'il l'aimait vraiment.

— Je ne prendrai pas beaucoup de ton temps, déclare Agathe pour revenir au plus vite à la raison pour laquelle elle l'a convoqué ici. Vincent et moi allons emménager ensemble et nous vendrons nos maisons pour en acheter une nouvelle. Si j'ai demandé à te voir, c'est pour discuter avec toi de tes intentions.

Patrick la regarde sans trop comprendre où elle veut en venir. Agathe prend une grande respiration et elle poursuit :

— Je sais que c'est moi qui t'ai demandé de t'installer à Beloeil, mais comme je vais vendre la maison, j'aimerais savoir si tu comptes rester ici vu que les enfants n'ont pas l'air de profiter de l'avantage qu'ils ont plus qu'il faut.

— Et ce n'est pas parce que je n'ai pas essayé… Je crois qu'il est temps de s'avouer qu'ils n'ont aucun intérêt à passer du temps avec moi, encore moins à habiter chez moi. Remarque que je ne peux pas les blâmer. Alors, en réponse à ta question, je n'en sais rien pour le moment. Tout ce que je peux te dire, c'est que je n'ai pas l'intention de te mettre des bâtons dans les roues, pourvu que tu ne déménages pas trop loin. Je pourrais même te signer un papier officiel si tu veux.

Même si Agathe ne s'inquiétait pas trop, la réponse de Patrick la soulage.

— Je te remercie, dit Agathe, je te tiendrai au courant pour la suite.

Agathe pourrait ajouter que Vincent et elle ont regardé du côté d'Otterburn Park, de Sainte-Julie et même de Saint-Lambert, mais cela ne le regarde pas. Elle n'a pas envie d'entendre de commentaire désobligeant du genre :

Ce n'est pas moi qui aurais pu t'offrir ça.

Ma foi du bon Dieu, tu as vraiment frappé le jack pot.

Tu as intérêt à ne pas le lâcher.

Peut-être bien qu'elle se trompe et que Patrick ne dirait rien de mesquin, mais elle ne tient pas à courir après les coups.

Agathe sort son porte-monnaie pour payer son café. Patrick interrompt son geste et lui dit :

— Laisse, je suis encore capable de t'offrir un café.

Agathe retire sa main avant de ranger son porte-monnaie dans son sac et elle se lève de table en souriant.

Ce n'est qu'une fois dehors qu'elle pense qu'elle aurait pu être un peu plus polie. Pour une fois, les remords n'ont pas le temps de se pointer le bout du nez. Après tout, réfléchit Agathe, ce n'était pas un rendez-vous galant, mais bien une rencontre d'affaires. Et puis, elle n'avait aucune envie de la faire durer plus longtemps que nécessaire.

Depuis qu'Agathe est sortie du restaurant, Patrick sirote tranquillement son café en se disant que c'est fou ce que les choses peuvent changer rapidement entre deux personnes. Pendant qu'Agathe était devant lui, il avait l'impression de converser avec une étrangère. Il se promet de se montrer plus vigilant la prochaine fois qu'il s'engagera avec quelqu'un pour être bien certain de ne pas se faire prendre au piège de la routine. Il a revu Annie quelques fois depuis qu'ils sont allés chercher son petit chat chez les parents de cette dernière. Il ignore encore s'ils peuvent envisager un avenir ensemble. Tout ce qu'il sait pour le moment, c'est qu'il est bien avec elle. Et, curieusement, ils n'ont pas encore couché ensemble. Ce n'est pas faute de désir de part et d'autre, c'est plutôt parce qu'à ce chapitre ils se ressemblent beaucoup tous les deux. Annie est son portrait tout craché, mais au féminin. Elle lui a confié que, lorsqu'elle est en relation avec quelqu'un, elle ne peut s'empêcher de collectionner les hommes exactement comme lui l'a fait avec les femmes. Elle note également leurs noms dans un petit carnet, sauf que le sien est rouge au lieu d'être noir. Jamais Patrick n'aurait pensé rencontrer son *alter ego* féminin un jour. Quant à se lancer dans une relation sérieuse ensemble, disons qu'ils y réfléchissent. Faire vivre nos infidélités à quelqu'un est une chose, mais savoir qu'on est à risque élevé de devenir cocu en est une autre.

* * *

Agathe fait un saut chez Mylène au lieu de rentrer directement chez elle en quittant Patrick. C'est la mère de cette dernière qui vient lui ouvrir.

— Bonjour, Agathe ! Mylène sera contente de te voir. Elle est dans sa chambre.

Pendant qu'Agathe enlève son manteau et ses bottes puis les range dans la garde-robe de l'entrée, la mère de Mylène lui donne des nouvelles.

— Le docteur l'a mise au repos le plus complet jusqu'à la fin de sa grossesse.

— Et vous au travail, par la même occasion ! lance Agathe.

— Si on veut. Mais rassure-toi, je ne suis pas toute seule pour m'en occuper. Mon mari me donne un coup de main, ma mère vient passer deux jours par semaine ici et Sylvain fait son gros possible. À quoi serviraient les parents, si ce n'est à aider leurs enfants quand ils en ont besoin…

— N'hésitez pas à m'appeler si je peux aider de quelque manière que ce soit.

— C'est gentil, mais tu fais déjà largement ta part avec Mario.

Agathe est vraiment attristée par ce qui arrive à Mylène. Une grossesse peut être un moment si merveilleux, mais il est facile de conclure que ce moment peut aussi tourner au cauchemar. Agathe frappe doucement à la porte de la chambre de Mylène avant d'entrer. Elle voit aussitôt une tête ébouriffée se soulever de l'oreiller.

— Agathe ! Comme je suis contente de te voir !

Mylène passe la main dans ses cheveux et elle n'a pas besoin de miroir pour savoir qu'elle doit avoir l'air du diable.

— Avoir su que tu viendrais, je me serais organisée pour être présentable.

— Veux-tu bien arrêter ! Tu es toujours belle.

— Je ne suis pas aveugle, tu sais. C'est rendu que je me fais peur quand je me regarde dans un miroir. Et tu ne peux même pas t'imaginer à quel point je trouve le temps long dans mon lit. Tu te souviens le nombre de fois que je me suis plainte parce que je n'avais jamais le temps de lire ? Eh bien, je commence déjà à être fatiguée de cette activité. Je suis passée à travers tous les livres que j'avais mis de côté. Veux-tu que je te décrive ma journée type ? Je déjeune, je lis. Je dîne, je lis et j'écoute la télévision. Je soupe et j'écoute la télévision. Sincèrement, je ne comprends pas comment certaines personnes peuvent passer la journée les yeux rivés au petit écran. Ah mais, attends ! J'ai oublié quelque chose. Entre mes nombreuses activités, je lis une histoire aux enfants avant qu'ils aillent dormir. Avoue que ce n'est pas une vie bien palpitante.

— Je n'aimerais pas ça moi non plus, mais dis-toi que cette situation est temporaire.

— Heureusement, parce que si j'étais obligée de le faire jusqu'à la fin de mes jours, je t'assure que je me chercherais un pont et que je finirais par sauter en bas. Je n'en peux tout simplement plus de rester toujours couchée. Oh ! j'allais oublier de te dire ma bonne nouvelle ! Figure-toi que j'ai engraissé d'une livre. Ce ne sont pas des blagues, c'est rendu que prendre du poids me rend heureuse.

Devant tant de désespoir, Agathe ne trouve rien de mieux que de se mettre à rire, ce qui a très vite un effet d'entraînement sur Mylène. Voilà maintenant que les deux amies rient tellement fort que la mère de Mylène vient se pointer dans l'embrasure de la porte. Quand elle voit à quel point les filles ont du plaisir, elle s'écrie avant de retourner à ses chaudrons :

— Agathe, tu devrais venir voir Mylène plus souvent !

Lorsqu'elle parvient enfin à reprendre son souffle, Agathe dit :

— Tu as besoin de voir du monde pour te changer les idées. Je vais appeler les filles ce soir pour leur demander de venir te voir à tour de rôle. Il arrive tellement de choses dans nos vies que tu oublieras vite tes problèmes – au moins durant nos visites.

Les yeux de Mylène s'embuent instantanément.

— Je refuse d'être un fardeau pour qui que ce soit, laisse-t-elle tomber du bout des lèvres. Il y a déjà assez de ma famille qui est obligée de s'occuper de moi.

— Arrête de t'en faire. Les amis sont là pour ça.

Agathe lui raconte ensuite sa rencontre avec Patrick.

— Tu sais, je me demande ce que j'ai bien pu lui trouver. Je l'aimais tellement que je ne voyais plus clair alors que, maintenant, il me laisse indifférente.

— Tant mieux, alors! Après tout ce qu'il t'a fait endurer, il a couru après ce qui lui arrive… Je ne te l'ai jamais avoué, mais je ne l'aimais pas beaucoup. J'étais mal à l'aise chaque fois que je me retrouvais dans la même pièce que lui.

— Tu aurais dû m'en parler. Je l'aurais peut-être quitté plus vite.

Mylène fixe son amie, mi-figue, mi-raisin. Il y a longtemps qu'elle a compris qu'une personne met fin à une relation seulement quand elle est prête. Les autres ont beau faire l'impossible pour lui ouvrir les yeux, cela ne fonctionne pas tant et aussi longtemps qu'elle n'est pas rendue au bout de cette expérience.

— Tu sais aussi bien que moi que tu ne m'aurais pas écoutée. Je rencontre à longueur de journée des gens aux prises avec des situations qui ne leur apportent que de la peine et, pourtant, ils refusent d'entendre raison.

— Je suis bien obligée d'admettre que tu as raison. Mais là, je suis totalement détachée de Patrick et, pour tout te dire, je ne me suis jamais sentie aussi bien de toute ma vie. Il me reste seulement à me pardonner d'avoir été si naïve.

Chapitre 29

Patrick s'était enfin décidé à inviter les gars à venir écouter le hockey à son appartement. Il avait lancé sa remarque à la blague, mais il avait clairement fait comprendre à Francis et à Jack qu'il comptait sur eux pour apporter une bouteille de cognac. Jack avait commencé par refuser son invitation, mais Patrick avait tellement insisté qu'il avait fini par accepter de venir. Patrick avait même invité Pierre, en lui précisant qu'il n'avait rien à fournir à part un sac de chips ou des *peanuts*.

Jack a tellement bien compris le message de Patrick qu'il a décidé de lui offrir une caisse complète de cognac.

— Tiens ! dit-il en arrivant, elles te seront plus utiles qu'à moi. Je ne bois pratiquement plus de cognac.

— C'est hors de question que je reprenne la caisse que je t'ai donnée. Je voulais seulement une bouteille. Je vais laisser le reste sur le bord de la porte et tu les rapporteras.

L'inconfort de Patrick ne dure que le temps que ces mots sortent de sa bouche. Au fond de lui, il espère sincèrement que Jack lui laissera les bouteilles en partant. Les pots-de-vin qu'on lui donne dans le cadre de son nouvel emploi n'ont rien à voir avec ceux qu'il avait l'habitude de recevoir. Ses collègues lui ont dit que c'était pratique courante pour les vendeurs de recevoir un pourcentage en argent sur les ventes que font leurs fournisseurs à leur employeur. D'une certaine façon, c'est encore mieux puisqu'il pourra faire ce qu'il veut avec l'argent. Par contre, Patrick n'acceptera jamais de payer le prix que valent certaines des bouteilles qu'il recevait chez Metro.

À voir l'air de Jack, Patrick se dit que sa vie ne doit pas tourner très rond. Il a la barbe longue et il est pâle comme une vesce de carême.

— Est-ce que ça va ? lui demande Pierre en lui serrant la main.

— Pas vraiment, répond Jack. Anna est partie avec les enfants pour une semaine sans me dire où ils allaient.

— As-tu appelé Agathe ? le questionne Patrick. Je suis sûr qu'elle est au courant.

Jack a pensé à lui téléphoner, mais il s'est très vite ravisé parce que, s'il était à la place d'Agathe, il ne révélerait rien. Il a essayé de joindre Jacques plusieurs fois, mais il tombe toujours sur le répondeur.

— Non. Au cas où tu ne le saurais pas encore, les filles se tiennent dans cette famille.

— Je vais l'appeler, moi, renchérit Patrick.

Il court chercher le téléphone et compose aussitôt son ancien numéro. Comme Jack l'avait prédit, Patrick ne peut rien tirer d'Agathe à part le fait qu'elle prétend ne rien savoir.

— Es-tu au moins au courant pourquoi Anna est partie ? demande innocemment Patrick à Jack.

— Disons que j'ai ma petite idée. Elle m'a laissé un mot sur la table.

Jack sort celui-ci de sa poche et le tend à Patrick.

Jack,

Je suis partie avec les enfants pour une semaine. Profites-en pour faire le point.

Anna

— Ayoye ! s'exclame Patrick en lui remettant le bout de papier. Et puis ?

— Et puis quoi ? Que veux-tu que je te dise ? Que je suis peut-être en train de perdre ma femme… Qu'est-ce que j'en sais ? Mais il y a une chose dont je suis certain : c'est que je ne reviendrai pas sur ma position.

Les trois compagnons de Jack se mettent alors sur son cas et tentent de lui faire entendre raison, mais c'est peine perdue. Nul doute, Jack les entend, mais il n'écoute rien de ce qu'ils lui racontent. Au bout de quelques minutes, Jack se lève au beau milieu d'une phrase de Francis, se dirige vers l'entrée, met ses bottes, prend son manteau dans la garde-robe et sort de l'appartement, en abandonnant sa caisse de cognac derrière lui.

Sitôt la porte refermée, Francis s'écrie :

— Je vous l'avais dit qu'il est complètement à côté de ses pompes ! Jack n'est plus le même homme depuis que son frère est mort. C'est beau l'honnêteté, mais son histoire commence à friser le ridicule.

— Je suis parfaitement d'accord avec toi, ajoute Patrick. Entre voir l'argent se retrouver dans les coffres de la police ou dans les mains d'Anna, je préfère largement la deuxième option. Pauvre Anna !

— En tout cas, lance Pierre, il est chanceux d'être marié avec elle parce qu'il y a longtemps que je lui aurais donné son 4 %, moi.

— Crois-en mon expérience, réagit Patrick, c'est plus facile à dire qu'à faire quand il y a des enfants dans la balance. Mais connaissant Anna, Jack est en train de jouer avec les poignées de son cercueil. Elle est loin d'être aussi tolérante qu'Agathe et sa patience a des limites.

Ils oublient Jack et son entêtement dès qu'ils entendent le thème qui annonce le début de la partie de hockey et fixent l'écran de télévision pour ne rien perdre, surtout pas un but de leur joueur favori.

***

Anna a passé une très belle semaine avec son père et sa tante Cécile. Ils ont parlé de ce qui lui arrivait lorsqu'ils étaient dans le train, mais ils n'ont plus abordé le sujet depuis. Pour leur dernier soir dans la capitale, ils ont décidé de faire monter le souper à la chambre de Jacques et Cécile une fois que les enfants seront endormis dans la pièce adjacente.

— Ce soir, dit Anna, c'est moi qui vous invite et je ne vous laisse pas le choix.

Ni Jacques ni Cécile ne connaissent le montant exact dont Anna a hérité de son beau-frère. C'est pourquoi leur première réaction est de refuser catégoriquement, malgré ce qu'elle vient de dire.

— Si je vous l'offre, objecte Anna, c'est parce que j'ai les moyens.

Ils la regardent tous les deux d'un air incrédule, ce qui pousse Anna à leur en révéler un peu plus sur son héritage.

— Écoutez, j'ai suffisamment d'argent dans mon compte pour m'acheter deux maisons comme la nôtre, et il m'en resterait encore.

Cette fois, c'est un regard rempli de surprise que Jacques et Cécile posent sur elle. Ils savaient qu'elle avait hérité d'un bon montant, mais jamais à ce point-là.

— Est-ce que ça vous tenterait de manger des fruits de mer ? Si je me fie aux commentaires des gens qui en dégustaient hier soir à la table à côté de la nôtre, on ne risque pas de se tromper. Et je boirais bien du vin aussi.

Son père la regarde et il sourit. Il n'y a qu'Anna pour arriver à tout dissocier de la sorte. Jamais elle ne s'est plainte de ce qui lui arrive depuis qu'elle est avec eux. Elle a toujours eu cette capacité de ne rien laisser paraître de ce qui la gruge de l'intérieur. Lorsque le garçon d'étage leur apporte leur souper, Jacques remercie sa fille avant de porter sa fourchette à sa bouche.

— C'est plutôt à moi de vous remercier, répond-elle. J'ai passé un excellent moment avec vous, et les enfants ont adoré leurs petites vacances. Vous êtes des grands-parents exceptionnels. J'espère seulement qu'on ne vous a pas trop embêtés.

Cette fois, c'est Cécile qui prend la parole.

— Pas du tout ! Tu ne peux même pas deviner à quel point ça nous a fait du bien d'être avec toi et les enfants. Et on t'emmène chez nous pour le reste de la semaine. Tu sais, c'est bien beau la retraite, mais il y a des jours où on se sent complètement inutiles, Jacques et moi. J'aimerais qu'on se promette de voyager encore ensemble.

— Je suis d'accord, confirme Jacques avant de piquer un champignon dans son assiette. Je ne sais pas pour vous, mais c'est vraiment à mon goût.

Ils ont tellement bien mangé qu'aucun des trois n'a touché à son dessert. Jacques va rejoindre Anna sur le divan pendant que Cécile se prépare pour la nuit, et il lui demande sans détour quels sont ses plans avec Jack.

— Au moment où on se parle, j'espère encore qu'il sera revenu à de meilleures intentions. Autrement, je n'ai aucune idée de ce que je ferai.

Anna baisse la tête pendant quelques secondes pour réfléchir. Jacques pose sa main sur l'épaule de sa fille et attend patiemment qu'elle reprenne la parole.

— Une chose est certaine : je refuse de passer le reste de ma vie avec un homme en colère. Entre toi et moi, plus les jours s'écoulent, plus mon amour pour Jack en prend un coup, et c'est loin d'être bon signe.

Anna embrasse son père sur les joues et regagne sa chambre en prenant soin de refermer la porte derrière elle. Resté seul, Jacques pense à ce qu'Anna vient de lui avouer. Ce n'était pas ce qu'il souhaitait pour elle. Elle semblait si heureuse avec Jack qu'il avait confiance en leur couple. À voir comment les choses se sont détériorées entre eux, Jacques a désormais peu d'espoir que tout revienne comme avant. La grande majorité des couples de sa génération enduraient, mais aujourd'hui, c'est bien différent. Les couples ont la couenne pas mal moins dure. Est-ce mieux ou pire ? Jacques s'avère incapable de répondre à cette question.

Anna remonte la couverture sur ses enfants avant de s'étendre sur son lit. Elle ouvre ensuite le téléviseur, après s'être assurée d'avoir réglé le volume à son minimum. Les images défilent devant elle, mais elle ne les voit pas puisqu'elle pleure à chaudes larmes. Elle voudrait croire que tout va s'arranger avec Jack, mais elle commence sérieusement à en douter et cela lui fait terriblement mal.

***

Il n'aura fallu que quelques jours à Francis pour qu'il en vienne à la conclusion que, malgré la meilleure volonté du monde, il ne fera pas des miracles avec Nancy, la stagiaire qu'il entraîne. Elle n'est pas mauvaise, mais elle n'arrive pas à la cheville de Karine.

— Je ne voudrais jamais l'avoir pour partenaire, a-t-il dit à son patron à la fin de la première semaine. Je ne me sentirais pas en sécurité avec elle. On croirait qu'elle possède deux pieds gauches quand vient le temps de courir, et ce n'est là qu'un exemple parmi tant d'autres.

Le stage tire à sa fin et Francis n'a pas changé d'idée. Il a même déjà rédigé son rapport. Il ne souhaite pas nuire à sa carrière – il y a des policiers bien pires que Nancy sur le terrain –, mais il donnera l'heure juste à son patron. Comme il l'a dit à Suzie, en autant qu'elle ne se retrouve pas dans la même auto que lui, Nancy peut bien patrouiller n'importe où et avec n'importe qui.

Alors qu'il vient de se garer dans le stationnement du Dunkin' Donuts pour aller se chercher un café, à peine a-t-il ouvert sa portière qu'il entend son nom. Il se retourne aussitôt et, quand il la voit, il n'en croit pas ses yeux.

— Ma parole, s'exclame la femme qui vient de sortir de sa voiture à proximité de l'auto de patrouille, tu es encore plus beau qu'avant.

Elle s'avance vers lui. Il n'en faut pas plus pour que Francis serre les poings et recule de quelques pas. L'épopée des lettres d'amour refait instantanément surface en lui.

— Qu'est-ce que tu n'as pas encore compris ? lui crache-t-il au visage. Tu n'as pas le droit de t'approcher de moi.

— Tu es trop beau, riposte la femme, je ne peux pas m'en empêcher. De toute façon, je sais que tu ne porteras pas plainte.

Nancy ouvre sa portière et sort de l'auto de patrouille avant qu'elle ait prononcé son dernier mot.

— S'il ne porte pas plainte, dit Nancy d'un ton autoritaire, ça me fera plaisir de m'en charger pour lui. Vous avez exactement une minute pour disparaître de sa vue. Et vous avez intérêt à l'ignorer si jamais vous le croisez de nouveau, même s'il n'est pas en service. Si j'apprends que vous avez essayé de le contacter ne serait-ce qu'une fois, vous aurez affaire à moi.

La femme jette un regard noir à Nancy avant de remonter dans sa voiture. Elle démarre ensuite son moteur et part sur les chapeaux de roues.

— Elle est chanceuse que je sois seulement en formation parce que je me serais fait un plaisir de lui coller la contravention de sa vie. Est-ce que tu la croises souvent?

— C'était la première fois depuis qu'elle a quitté la police.

— Si tu veux mon avis, cette fille a besoin de se faire soigner.

La réaction de Nancy a non seulement surpris Francis, elle l'a aussi ravi.

— Et moi qui te prenais pour une fille douce!

— Je le suis à mes heures, mais pour tout avouer, je me retiens depuis que j'ai commencé mon stage.

— Tu es en train de jouer ton avenir et tu te retiens? Mais pourquoi tu fais ça?

Nancy commence par hausser les épaules. Elle n'ira pas jusqu'à lui écrire des lettres, mais elle le trouve tellement séduisant qu'elle en perd ses moyens aussitôt qu'il entre dans son champ de vision. Elle prend son courage à deux mains et lui dit d'un trait :

— Parce que tu me gênes…

Francis est étonné. Il est pourtant certain de n'avoir rien fait pour la mettre mal à l'aise.

— Pourquoi ?

Au point où elle en est, Nancy décide de mettre cartes sur table.

— Eh bien, parce que tu es un excellent policier et que toutes les stagiaires veulent travailler avec toi. En plus, ce qui est loin de gâter la sauce, tu es beau comme un dieu.

En voyant l'air ébahi de Francis, la jeune femme se dépêche d'ajouter :

— Mais tu n'as pas à t'inquiéter. Je ne commencerai pas à t'écrire des lettres ni à te faire les yeux doux. J'ai un *chum* et je l'aime plus que tout.

Francis veut bien accepter les compliments. Toutefois, il ne patrouille pas avec Nancy pour ses beaux yeux, mais bien pour lui montrer le métier de policier.

— Écoute, je vais aller droit au but. Si j'étais à ta place, je me dépêcherais de me montrer sous mon meilleur jour parce que, au cas où tu l'aurais oublié, ta performance pendant ton stage va drôlement influencer ta carrière. Il te reste un peu moins de deux semaines pour me montrer ce que tu vaux réellement. Je vais chercher deux cafés et, ensuite, on reprend le service.

Ils n'ont pas encore fini leur quart de travail que Francis ne reconnaît déjà plus Nancy. Elle n'égale pas Karine, mais il se sent de plus en plus en sécurité avec elle, au point qu'il n'a pas pu s'empêcher de la complimenter quand ils descendent de voiture.

— Continue comme ça, c'était très bien.

Francis tombe nez à nez avec Jack lorsqu'il entre dans le poste. Son ami a l'air encore plus désespéré que lorsqu'il l'a vu chez Patrick. Francis le salue et lui demande si Anna est revenue à la maison.

— Non seulement elle n'est pas revenue, mais je n'ai eu aucune nouvelle. Je commence sérieusement à être inquiet. J'ai beau me dire que sa famille veille sur elle, c'est rendu que je fais des cauchemars à toutes les nuits.

Alors qu'il est sur le point de s'installer à son poste de travail, Jack ajoute à voix basse :

— Au fait, je dîne avec l'aumônier ce midi.

— C'est une excellente nouvelle. Bonne journée, Jack !

Depuis le temps qu'ils sont amis, c'est la première fois que Francis se sent aussi loin de Jack. Ils ont souvent eu des avis différents, mais ils ont toujours trouvé un terrain d'entente. Cependant, cette fois, leur perception des choses s'avère diamétralement opposée. Tant et aussi longtemps que Jack restera campé sur ses positions par rapport à l'argent de son frère, rien ne changera. Francis peut comprendre des grands bouts de ce que vit Jack, mais il se dit qu'il vient un temps dans la vie où il faut effectuer un virage à cent quatre-vingts degrés si nous ne voulons pas nous laisser happer par le tourbillon qui nous isole un peu plus à mesure que les jours passent. Le fait que Jack rencontrera enfin l'aumônier constitue un pas dans la bonne direction. Reste à savoir jusqu'où Jack sera prêt à aller.

Chapitre 30

Pauline, la mère de Suzie, était censée débuter son nouvel emploi seulement à la fin de mai, mais comme la personne qu'elle devait remplacer est tombée malade, elle a dû s'organiser pour prendre son poste un mois plus tôt. Étant donné que son mari et elle n'ont pas encore vendu leur maison, ils ne peuvent pas acheter une autre propriété tout de suite. Pauline était un peu découragée lorsqu'elle avait appelé Suzie dimanche dernier pour lui annoncer la nouvelle.

— Il faut quand même que je reste quelque part.

— Le plus simple serait que tu viennes t'installer chez nous en attendant que vous trouviez un acheteur pour votre maison.

Mais, comme Suzie s'en doutait, sa mère avait refusé son offre.

— Si je savais que tu n'aurais à m'héberger que quelques jours, j'accepterais sans hésiter ta proposition, mais je n'en ai aucune idée. Ça peut prendre une semaine comme ça peut aussi prendre des mois avant qu'on vende. Par contre, j'aimerais beaucoup que tu m'aides à trouver un appartement meublé. L'idéal serait que je puisse aller travailler à pied.

Suzie avait souri en entendant sa mère. Habiter à côté de son travail à Longueuil constituerait un vrai coup de chance. Elle avait demandé à sa mère combien de pièces elle voulait et Suzie avait fait aller ses contacts aussitôt qu'elle avait raccroché. Deux heures plus tard, elle avait déniché trois appartements meublés et loués au mois à faire visiter à sa mère. Évidemment, Pauline n'en était pas revenue de son efficacité quand Suzie l'avait contactée.

— Je vais prendre congé vendredi. Peux-tu obtenir des rendez-vous en après-midi pour moi ?

— Sans aucun doute, ils sont tous libres. Aimerais-tu que je t'accompagne ?

— J'y compte bien… à moins que tu ne sois trop occupée ?

Si seulement Pauline savait à quel point Suzie est débordée ces temps-ci, jamais elle n'aurait osé accepter son offre. Récemment, son agence a encore gagné en popularité, alors elle a été obligée d'engager un autre agent. Le plus beau de l'affaire, c'est qu'il travaillait pour son compétiteur. Un bon matin, il était débarqué à l'agence sans s'annoncer et avait demandé à la voir. L'agenda de Suzie était surchargé, mais quand sa secrétaire lui avait dit de qui il s'agissait, elle lui avait demandé de repousser un rendez-vous pour recevoir le visiteur. Elle n'avait pas regretté sa décision. Ils ne s'étaient pas encore serré la main que le courant passait déjà entre eux. Le nouvel agent avait beaucoup d'idées et celles-ci allaient dans le même sens que celles de Suzie. Elle ne lui avait pas offert d'emploi sur-le-champ, mais elle lui avait promis de le contacter dès qu'il y aurait une ouverture de poste. Un mois plus tard, jour pour jour, il joignait son agence.

Robert n'avait pas manqué de féliciter sa fille après avoir fait sa connaissance.

— Tu n'aurais pu mieux choisir.

Puisqu'il travaille dans le domaine depuis assez longtemps, le nouvel agent connaît une foule de gens et son excellente réputation le précède. Depuis qu'il est en poste, il a obtenu une dizaine de nouvelles maisons à vendre et ça continue. Hier, Suzie lui a présenté Agathe et Vincent pour qu'il les aide à trouver leur nouvelle propriété, et également à vendre leurs maisons actuelles.

Suzie s'est excusée auprès de ses amis d'être forcée de confier leurs mandats à quelqu'un d'autre, mais ils lui ont répondu que cela ne les dérangeait aucunement. Leur objectif est de vendre au plus vite pour pouvoir s'installer dans leur nouvelle propriété avant que les enfants reprennent l'école en septembre. Ils lui ont donné la liste de leurs exigences et lui ont serré la main en partant. Même si Suzie a demandé à son agent de s'occuper de ses amis, elle a averti ce dernier de la tenir au courant du dossier. Elle est si occupée ces temps-ci que lorsque Agathe était entrée dans son bureau, elles s'étaient jetées dans les bras l'une de l'autre comme deux gamines venant de se retrouver après une longue absence. Suzie lui avait promis d'aller la voir d'ici la fin de la semaine. Et elle avait tenu parole deux fois plutôt qu'une.

Suzie pratique son violon avec acharnement. Depuis quelques jours, Pierre-Luc se dépêche de venir répéter avec elle aussitôt qu'il entend une note monter. Hier, sa mère lui a demandé pourquoi il ne le faisait pas avant.

— Parce que tu n'étais pas très bonne, mais maintenant je sais qu'on va y arriver.

Pendant qu'elle s'exerce avec son fils, Suzie sourit souvent. À la moindre petite erreur de sa part, le garçon prend le temps de lui expliquer ce qu'elle ne fait pas bien et comment elle peut s'améliorer. Pierre-Luc la félicite toujours lorsqu'ils rangent leurs violons, ce qui amuse Suzie.

— Je sais que je ne suis pas aussi bonne que toi, mais je te promets de faire mon gros possible pour ne pas te faire honte.

— Mais je ne suis plus inquiet, maman, je suis certain que tu vas jouer comme une championne.

Suzie s'est vite rendu compte qu'il y a un monde entre ce qu'on voudrait être et ce qu'on est réellement. Elle aurait beau souhaiter devenir une virtuose de toutes ses forces, elle n'y arriverait pas. Elle est bien obligée de reconnaître qu'elle n'a pas le talent de son fils. Mais au fond, ce n'est pas ce qui compte. Faire glisser l'archet sur les cordes de son instrument lui procure un bien immense. Il lui arrive de penser que ça la repose encore plus que lorsqu'elle se plonge dans un bain bien chaud et qu'elle actionne les jets de l'appareil. Jouer du violon la transporte dans un autre monde, un monde où elle a l'impression de flotter au-dessus de tout. Une chose est certaine, si Suzie pouvait revenir en arrière, elle jouerait de la musique dès son plus jeune âge.

***

Jack ne serait jamais allé voir l'aumônier s'il avait su qu'il prendrait lui aussi le parti d'Anna. Il était tellement déçu des propos de ce dernier qu'il n'a même pas attendu le dessert pour s'en aller. Malheureusement pour lui, les mots de l'aumônier lui martèlent encore les tempes.

— Il va falloir que tu finisses par pardonner à ton frère si tu veux avancer dans la vie. Certes, il n'a pas emprunté la même voie que toi, mais c'était la sienne et il ne t'appartient pas de le juger. Ensuite, c'est à toi que tu devras pardonner. Tu as posé des gestes qui vont à l'encontre de tes valeurs, mais il est impossible de revenir en arrière. De plus, tu avais toutes les raisons du monde d'agir comme tu l'as fait. Quant à Anna, commence à la ménager un peu. Ce n'est pas parce qu'elle pense différemment de toi qu'elle est dans l'erreur. Je ne te souhaite pas de malheurs, Jack, mais si tu continues sur cette voie, tu te retrouveras seul, et plus vite que tu ne le penses.

Anna est revenue à la maison depuis quelques jours, mais Jack fait comme si elle n'était pas là. Le regard qu'elle pose sur lui est insupportable. Il sait qu'il a le couteau sur la gorge, mais il ne fait rien pour l'éloigner. Ils vivent comme deux étrangers dans leur propre maison. Il ne lui a même pas demandé si elle avait passé une belle semaine, alors qu'il en meurt d'envie. C'est plus fort que lui ; il ne peut s'empêcher de la punir d'avoir choisi une autre voie que la sienne. Même les enfants se sont éloignés de lui, c'est du moins l'impression qu'il a. Chaque fois que Jack observe son fils, c'est son frère qu'il voit lorsqu'il avait le même âge. Il a beau se répéter que ce n'est pas lui et que Claude est différent, cela ne fonctionne pas. Quant à Myriam, il ne manque pas de lui lire une histoire avant qu'elle aille dormir, mais lorsqu'il arrive à la fin de celle-ci l'enfant n'insiste plus comme elle l'a toujours fait pour qu'il lui en lise une deuxième. Cela lui crève le cœur.

Anna a pesé le pour et le contre et elle a décidé de partir avec les enfants au plus vite. L'attitude de Jack est en train de la tuer. Hier, elle a demandé à Suzie de lui trouver une maison. Lorsque cette dernière a voulu savoir à quel endroit elle voulait habiter, Anna a réalisé qu'elle n'en avait aucune idée. Anna pourrait acheter une propriété tout près de chez Agathe, mais pour cela il faudrait que sa sœur sache d'abord où sa famille s'installera. Agathe lui a proposé d'acheter sa maison actuelle, mais étant donné les circonstances dans lesquelles sa sœur a abouti là, ça ne l'intéresse pas. Et puis, être obligée de traverser sur l'île matin et soir pour aller travailler ne lui dit rien qui vaille. Patrick le faisait, mais l'heure de son arrivée à la maison n'avait pas vraiment d'importance, ce qui est bien différent dans son cas. Quant à Céline, vu le nombre de fois qu'Anna réussit à la voir dans une année, ça ne lui donnerait pas grand-chose de l'avoir pour voisine. Anna passe en revue tous les quartiers qu'elle affectionne. Lorsqu'elle pense à celui où habite son père, elle saute sur le téléphone et compose son numéro. Jacques prend de ses nouvelles aussitôt qu'il reconnaît sa voix.

Après qu'Anna a informé son père des derniers développements, il déclare :

— Je suis vraiment désolé pour toi, ma belle fille.

— Ne t'en fais pas, papa, je vais passer à travers. J'ai pensé à mon affaire et je crois que ce serait bien si j'achetais dans ton coin. Qu'en dis-tu ?

— Je serais enchanté de t'avoir près de nous. D'ailleurs, en prenant ma marche ce matin, j'ai vu un duplex à vendre à deux rues d'ici. J'ai peut-être mal vu, mais l'immeuble m'a semblé inoccupé. Je peux aller m'informer si tu veux.

— Ce serait gentil. Et si tu trouves que le prix a du bon sens, eh bien j'irai le visiter cette semaine.

À bien y penser, habiter près de chez son père et de sa tante Cécile serait parfait et ça lui permettrait aussi d'être à proximité de son travail. Quant à la garderie, elle pourrait sûrement se faire dépanner par son père et par sa tante le temps d'en trouver une nouvelle.

— Je sais que ce ne sont pas mes affaires, mais ce ne serait pas moins compliqué si c'était Jack qui partait ?

— Probablement, mais je n'ai pas envie de vivre dans les souvenirs. Pour tout te dire, je vais même lui laisser les meubles pour repartir à neuf.

— Je te trouve bien bonne.

— Crois-moi, ça n'a rien à voir avec la bonté.

Anna remercie le ciel, et Rémi, chaque soir avant de s'endormir. L'argent ne fait peut-être pas le bonheur, mais avoir les moyens de changer de vie lui donne une bonne longueur d'avance sur toutes les femmes qui sont sans le sou et qui doivent se contenter de rêver.

* * *

Mylène attend avec impatience les visites de sa grand-mère. Alice arrive toujours les mains pleines : un cadeau pour elle, pour Mario, pour Claude ou pour le bébé à venir, et des petits plats cuisinés. Ces jours-là, Mylène mange comme un ogre. Étant donné que la future maman doit prendre du poids, Alice se fait un malin plaisir de remplir son assiette à ras bord.

— Je vais exploser si je prends une seule bouchée de plus, s'exclame Mylène.

— Ne t'arrête pas en si bon chemin, tu commences à peine à avoir meilleure mine. Je ne te l'ai jamais dit, mais tu m'as vraiment fait peur. Les premières fois que je suis venue passer la journée avec toi, je pleurais pendant tout le trajet en retournant chez moi. Et je demandais toujours à André d'arrêter à l'église pour que j'aille allumer des lampions. J'étais découragée de voir dans quel état tu étais.

Alice n'était pas la seule à s'inquiéter pour Mylène. Sylvain faisait de gros efforts pour avoir l'air confiant devant sa femme, mais il laissait libre cours à toute la pression et la peine qui l'affligeaient dès qu'il se retrouvait seul. L'autre jour, il avait avoué à Suzie qu'il avait pleuré davantage en quelques semaines que pendant toute sa vie. Et la mère de Mylène commence seulement à être capable de dormir plus d'une heure à la fois.

— Je vais te faire une confidence, grand-maman, dit Mylène. Il y a eu des moments où j'ai cru que je n'y arriverais pas. J'avais beau essayer de lire ou d'écouter la télévision, j'étais incapable de penser à autre chose. Je regardais mes enfants et je me disais que ça ne pouvait pas finir comme ça, que je devais me battre pour eux parce qu'ils avaient besoin de moi. Mais à force de vomir chaque bouchée que j'avalais, j'avais complètement perdu le goût de manger. Ne le dis pas à maman ni à Sylvain, mais c'est grâce à tes petits plats que j'ai retrouvé l'envie de me nourrir.

— Tant mieux, ma petite-fille, ajoute Alice en s'essuyant le coin des yeux. Je suggère qu'on aille prendre l'air aujourd'hui. Il me semble que ça te ferait du bien. Et ça te donnerait un peu de couleurs. Qu'en dis-tu ?

— Je ne te promets pas de marcher jusqu'à Longueuil, mais je suis partante. À une condition : que tu me prépares un grand chocolat chaud quand on va rentrer.

La demande de Mylène réjouit Alice. Le fait que sa petite-fille pense à une telle chose prouve qu'elle se trouve sur la bonne voie.

— Je pourrai même ajouter une montagne de guimauves sur le dessus, si tu veux.

Mylène prend la main de sa grand-mère dans la sienne et la serre très fort. Il y a des personnes qui comptent plus que tout dans notre vie et Alice fait partie de celles-là pour Mylène. Elle aime tout de cette femme, même ses défauts. Cela lui rappelle ce jour où elle lui avait dit qu'elle était une grand-mère parfaite. Cette dernière avait commencé par rire, puis elle avait ensuite dressé la liste de ses nombreux défauts.

— Je suis paresseuse, capricieuse, colérique, distraite, impatiente, méfiante, naïve, résignée…

Et elle s'était remise à rire après s'être attribué tous les défauts inimaginables de la terre.

— Tu sais, grand-maman, lance Mylène sur un ton de confidence, j'ai beaucoup réfléchi depuis que je passe la majeure partie de mon temps étendue sur mon grabat. J'ai réalisé que la vie peut basculer en quelques secondes seulement. Alors, je me disais que je devrais peut-être prendre un peu de temps pour profiter de la vie après la naissance de mon bébé. Tu vas sûrement trouver que j'exagère, mais j'aimerais prendre une année complète de congé pour m'occuper des miens – et de moi, par la même occasion. Il y a un tas de choses que je veux faire depuis le cégep, mais je n'ai jamais eu l'occasion de réaliser mes rêves.

— Ça va te faire du bien de ne pas avoir d'horaire pour un moment. Je veux que tu saches que je serai toujours là si tu as besoin d'argent.

Mylène regarde sa grand-mère avec amour. Elle aime tellement Alice qu'elle n'ose pas imaginer le jour où elle quittera ce monde.

— Tu m'en as déjà donné suffisamment. Alors, tu trouves vraiment que c'est une bonne idée ?

— Oh oui ! Surtout avec tout ce que tu viens de traverser.

— Tu es la première personne à qui j'en parle et je t'avoue que je crains un peu la réaction de maman.

— Je suis certaine qu'elle sera contente pour toi. Ta mère ne dévoile pas facilement ses sentiments, mais elle a eu très peur de te perdre, elle aussi. Il lui est arrivé plus d'une fois d'arrêter me voir en partant d'ici. Aussitôt qu'elle refermait la porte de la maison, elle se mettait à pleurer comme une Madeleine et était inconsolable.

Elle n'arrêtait pas de me répéter qu'elle ne savait plus quoi inventer pour te sortir de là.

Voilà les premières nouvelles que Mylène en a. Sa mère était gonflée à bloc chaque fois qu'elle entrait chez elle, et plus Mylène était dans le creux de la vague, plus elle en remettait. Et ça l'énervait au plus haut point. Mylène se rappelle quelques-uns des commentaires désobligeants qu'elle lui a adressés devant sa trop belle humeur parce que celle-ci l'irritait. Si Mylène avait su ce que sa grand-mère vient de lui dire, elle se serait montrée plus tendre.

— Tu l'ignores peut-être, avoue Mylène, mais je ne suis pas toujours gentille avec elle. J'ai beau me répéter qu'elle fait tout ça pour m'aider, il m'arrive de péter les plombs quand elle en met trop.

— Je sais tout ça, mais rassure-toi, elle ne t'en veut pas.

— Mais moi je m'en veux suffisamment pour lui faire des excuses.

Comme Alice n'a pas envie de poursuivre plus longtemps cette conversation, elle tend la main à sa petite-fille et lui dit :

— Debout, paresseuse, on va te peser pour voir si je dois changer de recettes…

***

France flotte plus que jamais sur son petit nuage rose. Ses amours avec Philippe la comblent de toutes les façons possibles, au point que la dernière fois qu'ils se sont vus ils ont décidé de faire un bébé. France était la première surprise quand elle s'est entendue dire avec enthousiasme qu'elle était partante. Elle s'est demandé le temps de quelques secondes si ça lui faisait réellement plaisir ou si c'était uniquement parce que Philippe y tenait. Un seul regard vers son amoureux l'a convaincue que c'était ce qu'elle voulait elle aussi. Devant sa brève hésitation, Philippe lui a dit qu'il ne l'aimerait pas moins s'ils n'avaient pas d'enfant ensemble. L'attitude de Philippe fait partie des choses qui rendent France si amoureuse de cet homme.

Ils ont finalement arrêté leur choix sur un bungalow des années 1960 à Charlesbourg, avec une vue magnifique sur le fleuve. Contrairement à toutes les autres propriétés qu'ils ont visitées, tout est à leur goût dans cette maison – même la couleur des murs leur plaît. La dernière fois qu'Annette est venue à Québec, Philippe a insisté pour aller lui montrer au moins l'extérieur – il ne pouvait faire plus, car la maison est encore habitée. Devant l'engouement de son fils, elle n'arrêtait pas de remercier Dieu d'avoir enfin exaucé ses prières, et de l'avoir remis sur le droit chemin. Avant de le quitter, elle lui a glissé une enveloppe qui contenait un chèque de cinq mille dollars. Philippe était tellement content qu'il a sauté au cou de sa mère. Une fois l'effet de surprise passé, il s'est informé :

— Je ne peux pas accepter cet argent s'il vient de papa.

— Rassure-toi, c'est ton grand-père qui me l'a laissé pour que je te le remette au moment opportun.

Aussitôt sa mère partie, Philippe a appelé France pour lui annoncer qu'il pourrait donner une partie du comptant requis pour acheter leur maison. Elle a bien essayé de le dissuader, mais il lui a dit que c'était normal qu'il fasse sa part et, surtout, qu'il y tenait.

Il ne reste plus qu'à attendre que l'école finisse pour que France puisse commencer sa nouvelle vie. Elle a avisé son patron qu'elle quitterait son emploi à la fin des classes et, moins d'une semaine plus tard, elle recevait un appel du bureau de Québec pour se faire offrir un poste. Évidemment, elle l'a accepté – à la condition de débuter seulement en septembre. Pour une fois, elle a décidé de s'offrir deux mois de congé pour passer l'été avec sa fille. Elles se promettent de découvrir la ville de Québec et ses environs. D'ailleurs, Marie-Josée a déjà dressé une liste des attractions à voir. La relation entre France et sa fille a changé du tout au tout depuis que Philippe fait partie de leur vie. L'autre jour, France a dit à Agathe à quel point ça la rendait heureuse qu'elle et sa fille se soient rapprochées.

France sait déjà que les filles lui manqueront, et particulièrement Agathe. Comme son amie le lui a dit, Québec n'est pas au bout du monde, alors elles n'auront qu'à sauter sur le téléphone chaque fois qu'elles auront envie de se parler. Et elles s'inviteront à venir passer quelques jours chez l'une et chez l'autre. Depuis le temps qu'Agathe rêve d'aller flâner à Québec, elle pourra désormais se gâter chaque fois que le cœur lui en dira. Elle s'imagine déjà en train de faire le tour des magasins de Place Laurier.

France peut passer pour quelqu'un de très sociable et de facile d'approche à première vue alors que, dans les faits, elle est tout le contraire. Elle se doute qu'elle ne se fera pas d'amies facilement là-bas. Elle le sait parce que, si ce n'avait pas été de sa belle-sœur Manon qui l'avait invitée à se joindre à elles et à ses voisines pour aller voir une pièce de théâtre d'été, il y a fort à parier que Manon serait encore la seule femme du coin qu'elle voisinerait.

Décidément, la vie est bonne avec elle, tellement qu'elle se prend même à prier Dieu avant de s'endormir alors que la prière a toujours été le cadet de ses soucis. Elle n'est pas plus croyante qu'avant, mais elle ressent un besoin viscéral de remercier quelqu'un de plus grand qu'elle pour tout ce qui lui arrive de bien depuis quelque temps. Évidemment, elle s'est bien gardée d'en parler à quiconque.

Chapitre 31

Alors qu'ils étaient supposés aller à Washington seulement après Pâques, Suzie et Francis ont dû devancer leur voyage de deux semaines. D'abord, Annette en avait elle-même prévu un avec Patricia aux mêmes dates. De plus, après réflexion, Francis en était vite venu à la conclusion que ses quelques jours de vacances retarderaient la première pelletée de terre de la construction de leur immeuble, à Pierre et lui. Étant donné tout le travail qu'ils auront à faire aussitôt que la structure sera montée, chaque semaine compte. Au début, ce changement ne faisait pas trop l'affaire de Suzie, mais elle a réussi à s'organiser. Elle reviendra de Washington la veille du concert auquel Pierre-Luc et elle participeront, mais son fils lui a dit de ne pas s'en faire avec ça.

— On répétera quelques fois après ton retour.

Son père a accepté de venir la remplacer à l'agence comme d'habitude, et ce, même si l'hiver n'est pas terminé. Robert s'installera dans l'appartement loué par Pauline et fera l'aller-retour entre Longueuil et Belœil.

Fidèle à ses habitudes, Annette arrive chez Francis les bras chargés de cadeaux. Suzie s'étonne toujours de voir à quel point sa belle-mère a l'œil pour les grandeurs, les styles et les couleurs. Une fois de plus, tout était parfait. Les enfants sont fous de joie à l'idée d'avoir leur grand-mère juste pour eux.

— J'espère que vous ne vous blesserez pas cette fois, lance Suzie en finissant de faire sa valise.

— Tu aurais dû entendre ton beau-père quand il m'a conduite au terminus. Il n'arrêtait pas de me répéter que je devais l'appeler s'il m'arrivait quoi que ce soit.

— C'est parce qu'il tient à vous, la taquine Suzie en lui tapant un clin d'œil.

— Peut-être, mais à mon avis ce sont les trois semaines que j'ai passées avec un bras dans le plâtre qui l'ont le plus dérangé. Le pauvre homme a été obligé de se préparer à manger tous les jours. Sérieusement, je pense qu'il m'aime, mais entre toi et moi il est loin d'être le meilleur pour le dire, ou même pour le démontrer.

Annette est beaucoup plus sûre d'elle depuis qu'elle a consulté un psychologue. Et elle est survoltée depuis l'arrivée de Patricia à Saint-Georges il y a quelques jours. Il s'en est fallu de peu qu'elle demande à Suzie si son amie pouvait l'accompagner. Mais étant donné qu'Agathe habite juste à côté et qu'elle n'a pas donné signe de vie à son ancienne belle-mère depuis sa séparation avec Patrick, Patricia avait jugé que ce n'était pas une bonne idée.

Annette et Patricia se promettent de rattraper le temps perdu dès que possible. Le jour du déménagement de Patricia, elles ont dressé une liste d'activités qu'elles doivent absolument faire ensemble. Elles inscriront des dates à côté de chacune d'elles lorsqu'Annette reviendra. À leur âge, elles ont appris que si elles ne planifient pas, elles risquent d'en parler encore dans dix ans et de ne jamais passer à l'action. Alors, il vaut mieux qu'elles s'y mettent pendant qu'elles en sont encore capables.

— C'est vrai que beau-papa est un peu brusque, dit Suzie, mais je l'aime bien.

— Et lui, il t'adore. Maintenant, raconte-moi tout ce que vous comptez faire quand vous serez à Washington, Francis et toi.

Suzie s'exécute aussitôt.

— Il faudra que tu me parles de New York et de Paris quand vous reviendrez, déclare Annette. J'ai décidé de me faire plaisir maintenant que je me suis trouvé une partenaire de voyage.

— Comment mon beau-père adoré prend-il la chose ?

— Franchement, je l'ignore parce que je ne lui en ai même pas encore parlé. Mais, entre toi et moi, depuis le temps que je lui casse les oreilles pour partir en voyage, il devrait être content que je me sois enfin trouvé quelqu'un. Tu sais, à part son travail, il n'y a pas grand-chose d'autre qui l'intéresse dans la vie.

Au fond, Suzie connaissait déjà la réponse. Elle aime bien Paul, mais jamais elle ne pourrait vivre avec un homme comme lui. D'ailleurs, il lui arrive souvent de se dire que Francis tient beaucoup plus de sa mère que de son père, et c'est parfait comme ça.

— Pensez-vous rester pour le spectacle ? demande-t-elle à sa belle-mère.

— Pour enfin t'entendre jouer du violon ? Je ne manquerais pas ça pour tout l'or du monde et Paul m'a promis de venir.

— J'ai répété comme une forcenée, mais ça m'inquiète quand même beaucoup. Jouer dans mon salon, ça peut toujours aller, mais j'ignore totalement comment je m'en sortirai devant une salle remplie… Pierre-Luc m'a conseillé de fermer les yeux pendant les premières mesures. Selon lui, j'oublierai très vite que je suis devant des dizaines de personnes. Il a ajouté qu'il placerait sa chaise de manière à ce que j'aie l'impression de ne jouer que pour lui. Mon fils est si mignon quand il se préoccupe de moi !

Suzie en avait les larmes aux yeux lorsque Pierre-Luc l'avait rassurée. Il est si heureux qu'elle joue une pièce avec lui qu'il en parle à tout le monde.

— Tu as raison d'être fière de lui, et des deux autres aussi. Vous avez vraiment une très belle famille, Francis et toi.

C'est à ce moment que Francis fait son entrée dans la maison.

— J'espère que tu es prête, Suzie, déclare-t-il en posant ses mains glacées dans le cou de sa femme, parce que je ne pense pas que l'avion attendra après nous pour décoller.

— Il me reste seulement à fermer ma valise et, ensuite, je serai prête.

— Mais pourquoi n'allez vous pas à Washington en auto? s'enquiert Annette.

— On est en vacances, répond Francis, et je ne conduis jamais quand je vais en dehors du pays. Maintenant, il faudrait vraiment qu'on y aille avant d'être en retard pour vrai.

Francis et Suzie embrassent Annette sur les joues et ils partent pour leur petite escapade.

* * *

Il est près de dix heures du soir lorsque Patrick ramène les enfants à la maison. C'était la première fois qu'il les accueillait tous en même temps depuis la séparation. Il a bien ri lorsque les enfants lui ont dit qu'ils acceptaient son invitation à souper, mais seulement à la condition que ce soit eux qui préparent le repas. Ils se sont trompés royalement s'ils croyaient le décevoir. Ils sont arrêtés à l'épicerie en partant de chez leur mère et ils ont acheté tout ce dont ils avaient besoin pour cuisiner.

Ils ont écouté un film en famille après le souper, film qu'ils avaient réussi à choisir tous ensemble après plusieurs minutes de discussion et de négociation.

Patrick aurait pu se contenter de les ramener à bon port et de repartir aussitôt, mais il décide de descendre avec eux pour saluer Agathe. D'abord surprise de le voir, elle l'invite quand même à entrer. Le portique est tellement étroit que les enfants se dépêchent de retirer leurs bottes pour libérer la place. Aussitôt leurs manteaux enlevés, ils filent dans leur chambre après avoir salué rapidement leur père. C'est ainsi que Patrick et Agathe se retrouvent seuls sans trop savoir quoi dire ou faire. Normalement, Patrick devrait lui raconter comment ça s'est passé. Au lieu de ça, il se racle la gorge et dit sans aucun préambule :

— Écoute, je suis vraiment désolé pour tout ce que je t'ai fait endurer pendant qu'on était mariés. J'ai vraiment été le pire des imbéciles.

Agathe le regarde d'un drôle d'air. Depuis quand Patrick Gauthier s'excuse-t-il d'avoir été égal à lui-même ?

Alors qu'elle s'apprête ouvrir la bouche, il ajoute :

— Je ne sais pas comment tu as fait pour tenir aussi longtemps.

Agathe pousse un grand soupir et dit d'un ton bas :

— Parce que je t'aimais et que je voulais croire en toi de toutes mes forces…

Patrick secoue la tête et pince les lèvres. Il voudrait bien lui retourner le compliment, mais ce ne serait pas honnête et il décide de jouer franc-jeu avec elle.

— Tu étais trop bonne avec moi et je ne te méritais pas. Ce que je t'ai fait est impardonnable, je le sais, et ça m'empêche de dormir depuis que j'en ai pris conscience, mais ce n'est pas ton problème. Je voulais seulement que tu saches que je regrette toutes mes bêtises.

Cette fois, Agathe le regarde en souriant. Elle pourrait frapper sur le clou et lui jeter au visage tout le mal qu'il lui a fait, mais elle a dépassé ce stade. Elle est heureuse avec Vincent et elle n'a pas l'intention de revenir en arrière. Le passé est bien là où il est et Patrick fait partie de ses souvenirs. Qu'ils soient bons ou mauvais, il n'en tient qu'à elle de décider de les faire ressurgir ou de les laisser là où ils sont.

— Je ne t'en veux pas, laisse-t-elle tomber d'une voix sourde. Si ça peut te consoler, tu n'es pas le seul responsable dans cette affaire. La vie m'a envoyé des tas de signes que j'ai ignorés sans me poser la moindre question.

Patrick a maintenant les yeux pleins d'eau. Pendant qu'il cherche un papier-mouchoir dans ses poches, Agathe lance, sans plus de réflexion :

— Ça te dirait de prendre un bon cognac ?

— Il me semblait que tu avais vidé toutes les bouteilles dans l'évier…, s'étonne-t-il en s'essuyant les yeux.

— Au prix que ce cognac m'a coûté, j'ai décidé de le garder pour moi, mais je suis prête à t'en offrir un verre par contre.

Patrick se met à rire. Il est vite imité par Agathe. Il vient un temps où ils rient si fort que les enfants viennent aux nouvelles pour s'assurer qu'ils ne sont pas devenus fous. Ils ont rarement vu leur père aussi joyeux. Quand Patrick finit par se calmer, il s'essuie à nouveau les yeux et leur dit :

— J'ignorais que votre mère pouvait être aussi drôle. Allez vite vous coucher.

Satisfaits, les enfants retournent d'où ils viennent. Agathe lui réitère son offre aussitôt qu'ils se retrouvent seuls.

— J'accepte avec plaisir, mais tu dois me promettre qu'on ne reviendra jamais sur ce qu'on s'est dit ce soir.

Agathe acquiesce d'un signe de la tête.

— Maintenant, est-ce que je peux au moins choisir le cognac qu'on va boire ? demande Patrick.

— Non ! Mais tu n'as pas à t'inquiéter, j'ai eu un excellent professeur.

Épilogue

Ils se sont tous donné rendez-vous au chalet pour fêter Pâques. Même Agathe et Vincent ont été invités ainsi que France et Mylène. Jack est le seul qui manque à l'appel. Francis et Patrick ont bien essayé de le convaincre de venir, mais il les a envoyés paître poliment.

Ils ont commencé la journée en faisant une course aux œufs en chocolat qu'Annette et Patricia avaient pris soin de cacher avant que tout le monde arrive. Elles avaient même insisté pour préparer le dîner.

— C'est moi qui vous invite, avait dit Patricia.

— Et moi, j'offre les chocolats, avait renchéri Annette.

Comme prévu, Jacques et Cécile se sont joints à eux. Et cette fois, Patrick n'a pas été obligé de tordre le bras de personne pour avoir du cognac. Même Agathe en a apporté une bouteille. À la grande surprise de tous, Patrick n'est pas venu seul. Il présente Annie à tout le monde en précisant qu'il s'agit d'une amie et il insiste sur ce fait. Les filles le regardent avec un petit sourire en coin.

— Oui, oui, s'exclame France entre deux gorgées de vin.

— Je vous jure que c'est vrai, se dépêche de dire Annie.

— Tout ce qu'on peut te dire, lance Suzie d'un ton légèrement ironique, c'est que tu es mieux de faire attention à lui parce que notre Patrick, c'est un sacré séducteur.

— Et je suis là pour en témoigner ! blague Agathe en levant le poing au-dessus de sa tête.

Annie pourrait ajouter qu'elle est déjà au courant de pas mal de choses qui concernent Patrick, mais elle n'en fait rien. Ils prennent de plus en plus de plaisir à passer du temps ensemble et c'est tout ce qui compte pour le moment.

Patricia s'est surpassée pour le dîner. C'est tellement bon que tout le monde en redemande. Il faut voir à quel point elle est heureuse. Alors qu'elle s'apprête à servir le dessert, Agathe vient la rejoindre et lui souffle à l'oreille :

— J'ignore son nom, mais faites tout pour le retenir… Le bonheur vous va si bien, belle-maman !

Ces petits mots tout simples prononcés par Agathe réchauffent le cœur de Patricia. Elle sait bien qu'elle ne la verra plus aussi souvent que lorsqu'elle était mariée avec son fils, mais Agathe gardera toujours une place importante dans son cœur. Elle se tourne vers sa belle-fille et lui dit à son tour à l'oreille :

— Il s'appelle Bertrand, mais n'en parle pas à personne.

Agathe l'embrasse sur la joue et retourne s'asseoir à côté d'Anna. Elle pose sa main sur celle de sa sœur et la serre fort. Anna parvient encore à sourire, malgré tout ce qui lui est arrivé. Elle a emménagé dans sa nouvelle maison il y a quelques jours ; elle peut enfin respirer. Comme elle a mentionné à Agathe le lendemain de son déménagement :

— J'étais persuadée que Jack changerait d'idée jusqu'à ce qu'on mette la dernière boîte dans le camion de papa, mais il ne l'a pas fait. J'ai su que notre couple n'avait plus aucune chance de survivre en fermant la porte de la maison derrière moi. Ce qui me fait le plus mal, c'est de voir toute la colère qui l'habite. Pauvre Jack !

Il faut du caractère pour passer à travers une telle épreuve, mais Anna s'en sort très bien. C'est du moins ce qu'elle veut laisser paraître.

Mylène va beaucoup mieux. Aux dires de Sylvain, elle est rayonnante et tout le monde est d'accord avec lui. Depuis qu'elle a décidé de s'accorder du temps après la naissance de leur bébé, elle a remonté la côte en quelques jours seulement. Quand elle a appris la nouvelle à Sylvain, il l'a prise dans ses bras et lui a affirmé que c'était la meilleure chose à faire.

— Et je vais même pouvoir organiser notre mariage, a-t-elle ajouté d'une voix enjouée.

Égale à elle-même, Céline est venue avec quelques livres et des travaux à finir parce qu'elle est encore en fin de session. Elle semble tout de même pimpante malgré sa charge de travail. Comme tout le monde s'inquiète pour elle, elle tente de les rassurer :

— Je ne sais pas quoi vous dire sinon que j'adore ce que je fais… presque autant que mon *chum* !

— Tant mieux, ma fille, dit Jacques.

Ce n'est pas qu'il ne la croit pas, c'est juste qu'il la trouve bien courageuse de travailler autant. Installée à côté de son mari, Cécile regarde Anna, Agathe et Céline tour à tour et elle retient ses larmes tellement elle est heureuse qu'elles fassent partie de sa vie. Elle ne les a pas portées ni élevées, mais elle les considère autant que si elles étaient le fruit de sa chair.

Assise au bout de la table avec Philippe, France savoure cette journée comme si elle était la dernière du genre. Elle reverra ses amis, c'est certain, mais la vie lui a démontré plus d'une fois que la distance peut changer bien des choses. Elle n'a qu'à penser à Hélène, l'amie d'Agathe et de Suzie. Avant, elles en parlaient régulièrement alors que maintenant c'est beaucoup moins fréquent. France refuse que les filles l'oublient et elle va tout faire pour rester dans leur mémoire mais, une fois qu'elle aura repris le travail, elle sait que la vie l'entraînera dans un tourbillon sans fin.

Francis et Pierre ont levé la première pelletée de terre de leur immeuble comme prévu et ils sont tout feu tout flamme. Leur projet leur tient non seulement à cœur, mais grâce à lui ils se sentent vivants et ça, ça n'a pas de prix.

De sa place, Annette observe les moindres faits et gestes de tout un chacun et elle se sent privilégiée d'être parmi eux.

Vincent a adoré sa journée. Même Patrick lui a semblé une meilleure personne que ce qu'Agathe lui avait laissé entendre. Il fallait voir les deux hommes discuter allègrement d'histoire sous l'œil vigilant de cette dernière. Si quelqu'un lui avait dit qu'un jour son ex et son *chum* s'entendraient comme de vieux amis, jamais elle ne l'aurait cru.

Ce soir-là, au moment d'aller dormir, tous ont au moins un bon souvenir à mettre dans leur banque pour les jours de pluie.